#3주_완성
#쉽게
#빠르게
#재미있게

초등
수학 전략

Chunjae
Makes
Chunjae

[수학 전략]

기획총괄	김안나
편집개발	이근우, 김정희, 서진호, 한인숙, 김현주, 최수정, 김혜민, 박웅, 김정민
디자인총괄	김희정
표지디자인	윤순미, 안채리
내지디자인	박희춘
제작	황성진, 조규영

발행일	2022년 5월 15일 초판 2022년 5월 15일 1쇄
발행인	(주)천재교육
주소	서울시 금천구 가산로9길 54
신고번호	제2001-000018호
고객센터	1577-0902

※ 정답 분실 시에는 천재교육 교재 홈페이지에서 내려받으세요.

※ KC 마크는 이 제품이 공통안전기준에 적합하였음을 의미합니다.

※ 주의

책 모서리에 다칠 수 있으니 주의하시기 바랍니다.

부주의로 인한 사고의 경우 책임지지 않습니다.

8세 미만의 어린이는 부모님의 관리가 필요합니다.

수학 전략

초등 수학 4-2

이 책의 **구성과 특징** — 3주 완성

핵심 개념

단원별로 꼭 필요한 핵심 개념을 만화를 보면서
재미있게 익힐 수 있도록 하였습니다.

개념 돌파 전략❶, ❷

개념 돌파 전략❶에서는 단원별로
기본적인 개념을 설명하고 개념의 기초를 확인하는
문제를 제시하였습니다.
개념 돌파 전략❷에서는 기본적인 개념을 알고 있는지
문제로 확인할 수 있습니다.

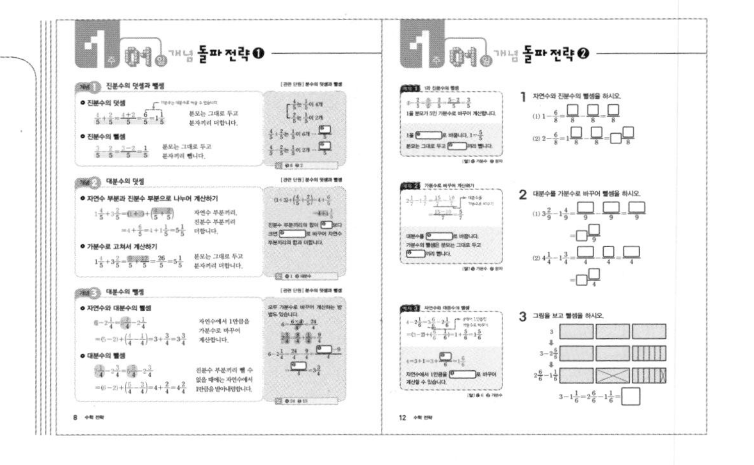

필수 체크 전략❶, ❷

필수 체크 전략❶에서는 단원별로
중요한 유형을 선택하여 반복 연습할 수 있도록
하였습니다.
필수 체크 전략❷에서는 추가적으로
중요한 유형을 선택하여 문제로 확인할 수 있도록
하였습니다.

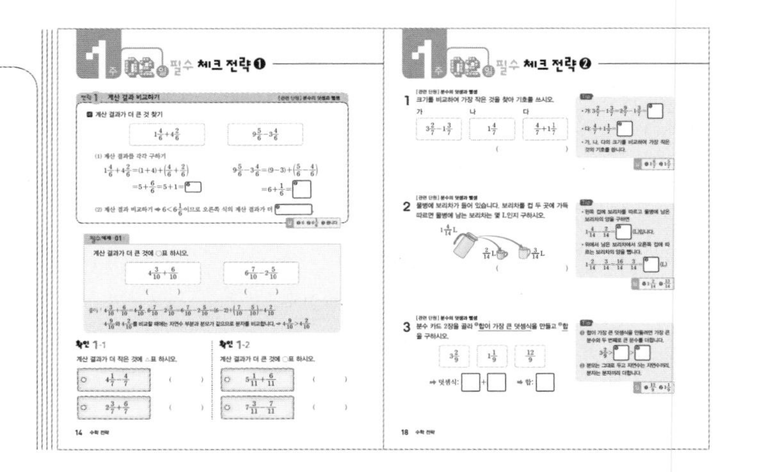

1주에 4일 구성+1일에 6쪽 구성

교과서 대표 전략❶, ❷

교과서 대표 전략❶에서는 단원별로 교과서에 나오는 대표적인 문제를 제시하였습니다.
교과서 대표 전략❷에서는 한 번 더 확인할 수 있는 문제를 제시하였습니다.

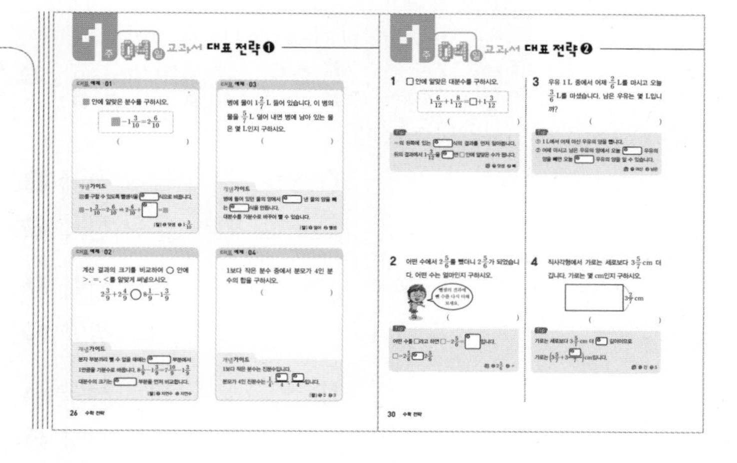

누구나 만점 전략
창의·융합·코딩 전략❶, ❷

누구나 만점 전략에서는 단원별로 꼭 풀어야 하는 문제를 제시하여 누구나 만점을 받을 수 있도록 하였습니다.
창의•융합•코딩 전략에서는 새 교육과정에서 제시하는 창의, 융합, 코딩 문제를 쉽게 접근할 수 있도록 제시하였습니다.

권말정리 마무리 전략
신유형·신경향·서술형 전략
학력진단 전략 1~3회

권말정리 마무리 전략은 만화로 마무리할 수 있게 하였습니다.
신유형•신경향•서술형 전략에서는 신유형, 신경향, 서술형 문제를 쉽게 풀 수 있도록 단계별로 제시하였습니다.
학력진단 전략은 총 3회로 전 단원의 학력을 진단할 수 있도록 구성하였습니다.

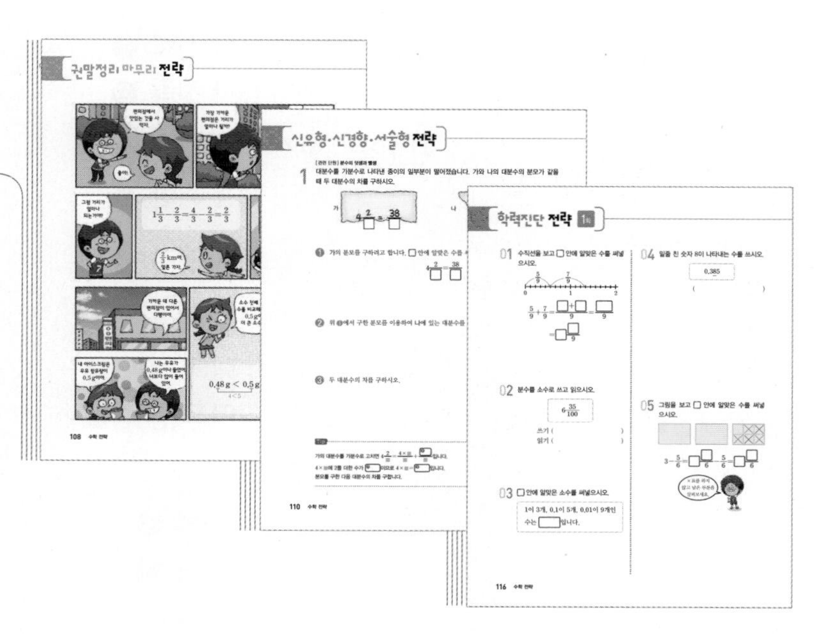

이 책의 차례

[관련 단원]
분수의 덧셈과 뺄셈 • 소수의 덧셈과 뺄셈 6쪽

01일 개념 돌파 전략 ❶ .... 8~11쪽
개념 돌파 전략 ❷ .... 12~13쪽

02일 필수 체크 전략 ❶ .... 14~17쪽
필수 체크 전략 ❷ .... 18~19쪽

03일 필수 체크 전략 ❶ .... 20~23쪽
필수 체크 전략 ❷ .... 24~25쪽

04일 교과서 대표 전략 ❶ .... 26~29쪽
교과서 대표 전략 ❷ .... 30~31쪽

누구나 만점 전략 .... 32~33쪽
창의•융합•코딩 전략 ❶ .... 34~35쪽
창의•융합•코딩 전략 ❷ .... 36~39쪽

[관련 단원]
삼각형 • 사각형 40쪽

01일 개념 돌파 전략 ❶ .... 42~45쪽
개념 돌파 전략 ❷ .... 46~47쪽

02일 필수 체크 전략 ❶ .... 48~51쪽
필수 체크 전략 ❷ .... 52~53쪽

03일 필수 체크 전략 ❶ .... 54~57쪽
필수 체크 전략 ❷ .... 58~59쪽

04일 교과서 대표 전략 ❶ .... 60~63쪽
교과서 대표 전략 ❷ .... 64~65쪽

누구나 만점 전략 .... 66~67쪽
창의•융합•코딩 전략 ❶ .... 68~69쪽
창의•융합•코딩 전략 ❷ .... 70~73쪽

[관련 단원]
다각형 • 꺾은선그래프 74쪽

01일 개념 돌파 전략 ❶ 76~79쪽
개념 돌파 전략 ❷ 80~81쪽

02일 필수 체크 전략 ❶ 82~85쪽
필수 체크 전략 ❷ 86~87쪽

03일 필수 체크 전략 ❶ 88~91쪽
필수 체크 전략 ❷ 92~93쪽

04일 교과서 대표 전략 ❶ 94~97쪽
교과서 대표 전략 ❷ 98~99쪽

누구나 만점 전략 100~101쪽
창의 • 융합 • 코딩 전략 ❶ 102~103쪽
창의 • 융합 • 코딩 전략 ❷ 104~107쪽

108쪽

권말정리 마무리 전략 108~109쪽
신유형 • 신경향 • 서술형 전략 110~115쪽
학력진단 전략 1회 116~119쪽
학력진단 전략 2회 120~123쪽
학력진단 전략 3회 124~127쪽

분수의 덧셈과 뺄셈, 소수의 덧셈과 뺄셈

학습할 내용

❶ 분수의 덧셈, 분수의 뺄셈
❷ 소수 알아보기
❸ 소수의 크기 비교
❹ 소수 사이의 관계
❺ 소수의 크기 비교
❻ 소수의 덧셈, 뺄셈

개념 1 진분수의 덧셈과 뺄셈

[관련 단원] 분수의 덧셈과 뺄셈

● 진분수의 덧셈

가분수는 대분수로 바꿀 수 있습니다.

$$\frac{4}{5}+\frac{2}{5}=\frac{4+2}{5}=\frac{6}{5}=1\frac{1}{5}$$

분모는 그대로 두고 분자끼리 더합니다.

● 진분수의 뺄셈

$$\frac{3}{5}-\frac{2}{5}=\frac{3-2}{5}=\frac{1}{5}$$

분모는 그대로 두고 분자끼리 뺍니다.

$\frac{4}{5}$는 $\frac{1}{5}$이 4개

$\frac{2}{5}$는 $\frac{1}{5}$이 2개

$\frac{4}{5}+\frac{2}{5}$는 $\frac{1}{5}$이 6개 → $\frac{❶\square}{5}$

$\frac{4}{5}-\frac{2}{5}$는 $\frac{1}{5}$이 2개 → $\frac{❷\square}{5}$

답 ❶ 6 ❷ 2

개념 2 대분수의 덧셈

[관련 단원] 분수의 덧셈과 뺄셈

● 자연수 부분과 진분수 부분으로 나누어 계산하기

$$1\frac{4}{5}+3\frac{2}{5}=(1+3)+\left(\frac{4}{5}+\frac{2}{5}\right)$$
$$=4+\frac{6}{5}=4+1\frac{1}{5}=5\frac{1}{5}$$

자연수 부분끼리, 진분수 부분끼리 더합니다.

● 가분수로 고쳐서 계산하기

$$1\frac{4}{5}+3\frac{2}{5}=\frac{9}{5}+\frac{17}{5}=\frac{26}{5}=5\frac{1}{5}$$

분모는 그대로 두고 분자끼리 더합니다.

$$(1+3)+\left(\frac{4}{5}+\frac{2}{5}\right)=4+\frac{6}{5}$$
$$=4+1\frac{1}{5}$$

진분수 부분끼리의 합이 ❶ □ 보다 크면 ❷ □ 로 바꾸어 자연수 부분끼리의 합과 더합니다.

답 ❶ 1 ❷ 대분수

개념 3 대분수의 뺄셈

[관련 단원] 분수의 덧셈과 뺄셈

● 자연수와 대분수의 뺄셈

$$6-2\frac{1}{4}=5\frac{4}{4}-2\frac{1}{4}$$
$$=(5-2)+\left(\frac{4}{4}-\frac{1}{4}\right)=3+\frac{3}{4}=3\frac{3}{4}$$

자연수에서 1만큼을 가분수로 바꾸어 계산합니다.

● 대분수의 뺄셈

$$7\frac{1}{4}-2\frac{3}{4}=6\frac{5}{4}-2\frac{3}{4}$$
$$=(6-2)+\left(\frac{5}{4}-\frac{3}{4}\right)=4+\frac{2}{4}=4\frac{2}{4}$$

진분수 부분끼리 뺄 수 없을 때에는 자연수에서 1만큼을 받아내림합니다.

모두 가분수로 바꾸어 계산하는 방법도 있습니다.

$$6=\frac{6\times4}{4}=\frac{24}{4}$$

$$2\frac{1}{4}=\frac{8}{4}+\frac{1}{4}=\frac{9}{4}$$

$$6-2\frac{1}{4}=\frac{24}{4}-\frac{9}{4}=\frac{❶\square-9}{4}$$
$$=\frac{❷\square}{4}=3\frac{3}{4}$$

답 ❶ 24 ❷ 15

개념 기초 확인

▶정답 및 풀이 2쪽

1-1 그림을 보고 진분수의 덧셈을 하시오.

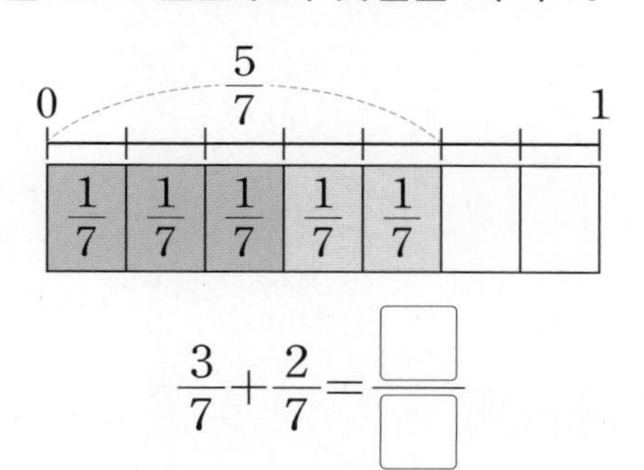

$\frac{3}{7}+\frac{2}{7}=\frac{\square}{\square}$

• **풀이** • 진분수의 덧셈은 분모는 그대로 두고 ❶ 끼리 더합니다.
분자가 3과 2이므로 더하면 ❷ 입니다. 답 ❶ 분자 ❷ 5

1-2 그림을 보고 진분수의 뺄셈을 하시오.

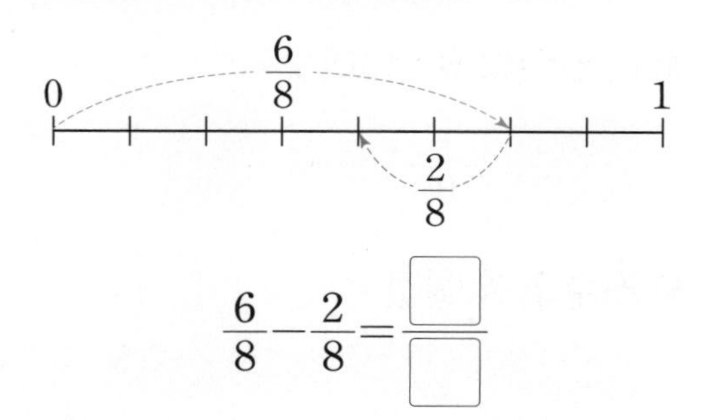

$\frac{6}{8}-\frac{2}{8}=\frac{\square}{\square}$

2-1 자연수 부분과 진분수 부분으로 나누어 계산하시오.

$1\frac{1}{4}+6\frac{2}{4}=(1+\square)+\left(\frac{\square}{4}+\frac{2}{4}\right)$

$=\square+\frac{\square}{4}=\square\frac{\square}{4}$

• **풀이** • 자연수 부분은 1과 6이므로 더하면 ❶ 입니다. 진분수 부분끼리 더하면 분모는 ❷ 가 되고, 분자는 3이 됩니다. 답 ❶ 7 ❷ 4

2-2 자연수 부분과 진분수 부분으로 나누어 계산하시오.

$4\frac{3}{9}+2\frac{2}{9}=(4+\square)+\left(\frac{\square}{9}+\frac{\square}{9}\right)$

$=\square+\frac{5}{9}=\square$

3-1 자연수에서 1만큼을 가분수로 바꾸어 계산하시오.

$5\frac{1}{3}-1\frac{2}{3}=\square\frac{4}{3}-1\frac{2}{3}$

$=(\square-1)+\left(\frac{4}{3}-\frac{2}{3}\right)$

$=\square+\frac{\square}{3}=\square\frac{\square}{3}$

• **풀이** • $1=\frac{❶}{3}$이므로 $5\frac{1}{3}$의 자연수에서 1만큼을 가분수로 바꾸면
$5\frac{1}{3}=(5-1)+\frac{(1+3)}{3}=$ ❷ $+\frac{4}{3}$입니다. 답 ❶ 3 ❷ 4

3-2 자연수에서 1만큼을 가분수로 바꾸어 계산하시오.

$7\frac{4}{6}-2\frac{5}{6}=\square\frac{\square}{6}-2\frac{5}{6}$

$=(\square-2)+\left(\frac{\square}{6}-\frac{5}{6}\right)$

$=\square+\frac{\square}{6}=\square$

1 주

개념 돌파 전략 ❶

개념 4 소수 두 자리 수, 소수 세 자리 수

[관련 단원] 소수의 덧셈과 뺄셈

0.01, 0.001 알아보기

백 분의 일 $\frac{1}{100}=0.01$ 영 점 영일

천 분의 일 $\frac{1}{1000}=0.001$ 영 점 영영일

소수의 자릿값

일의 자리		소수 첫째 자리	소수 둘째 자리	소수 셋째 자리
4	.	1	5	9

➡ $4.159=4+0.1+0.05+0.009$

$\frac{41}{100}=0.41$ ➡ ❶ ☐ 점 사일

$4\frac{15}{100}=4.15$ ➡ 사 ❷ ☐ 일오

$\frac{415}{1000}=0.415$ ➡ 영 점 사일오

답 ❶ 영 ❷ 점

개념 5 소수의 크기 비교, 소수 사이의 관계

[관련 단원] 소수의 덧셈과 뺄셈

소수의 크기 비교

자연수 부분을 먼저 비교하고 자연수 부분이 같으면 소수 부분을 비교합니다.

$7.54 > 7.49$
자연수 부분이 같으므로 소수 첫째 자리 수를 비교

$0.54 < 0.59$
소수 첫째 자리 수까지 같으면 소수 둘째 자리 수를 비교

$0.549 > 0.542$
소수 둘째 자리 수까지 같으면 소수 셋째 자리 수를 비교

소수 사이의 관계

10배를 하면 수가 왼쪽으로 한 자리 이동

10배: 6.7 ↔ 0.67 : $\frac{1}{10}$

$\frac{1}{10}$을 구하면 수가 오른쪽으로 한 자리 이동

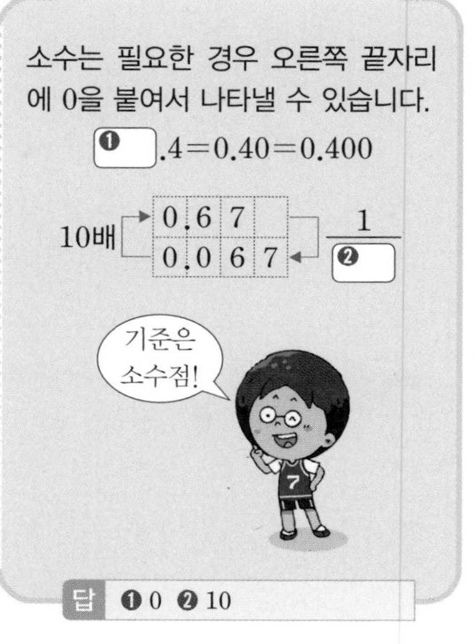

답 ❶ 0 ❷ 10

개념 6 소수의 덧셈, 뺄셈

[관련 단원] 소수의 덧셈과 뺄셈

소수의 덧셈, 뺄셈 방법

소수의 덧셈과 뺄셈은 ❶ ☐ 의 자리를 맞추어 쓰고 계산합니다.

2.1−0.195

⬇

	2	.	1		
−	0	.	1	9	❷ ☐

답 ❶ 소수점 ❷ 5

개념 기초 확인

▶정답 및 풀이 2쪽

4-1 모눈종이 전체 크기가 1이라고 할 때 색칠된 부분의 크기를 소수로 나타내시오.

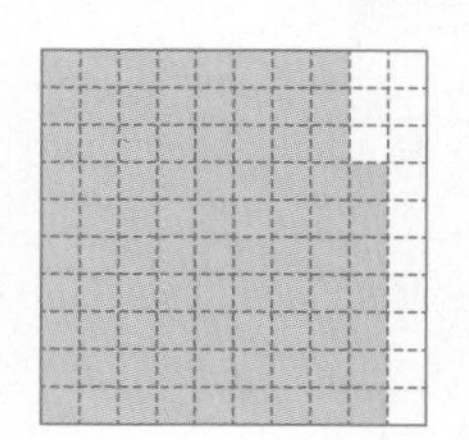

(　　　　　　　　)

• **풀이** • 색칠된 부분은 전체 100칸 중에서 ❶[　　]칸이므로 분수로 나타내면 ❷[　　]입니다.

답 ❶ 87 ❷ $\frac{87}{100}$

4-2 모눈종이 전체 크기가 1이라고 할 때 색칠된 부분의 크기를 소수로 나타내시오.

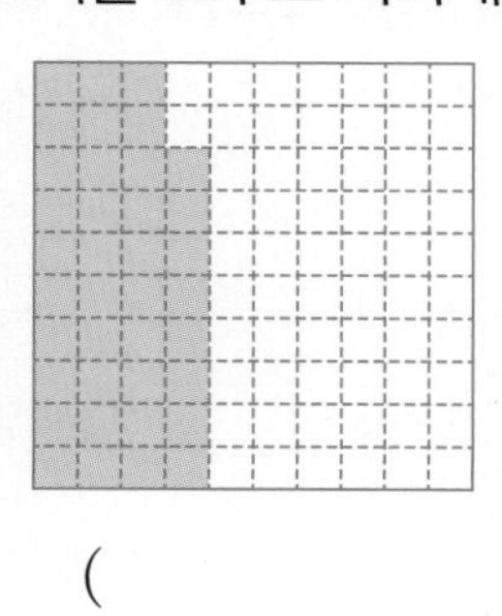

(　　　　　　　　)

5-1 소수의 크기를 비교하려고 합니다. 알맞은 말에 ○표 하시오.

0.546　　0.571

자연수 부분과 소수 첫째 자리 숫자가 같으므로 소수 (첫째, 둘째, 셋째) 자리 수를 비교합니다.

➡ 더 큰 수는 (0.546, 0.571)입니다.

• **풀이** • 자연수 부분과 소수 첫째 자리 숫자가 같으므로 소수 ❶[　　] 자리 수를 비교합니다. 소수 둘째 자리 수는 4와 ❷[　　]이므로 7이 더 큽니다.

답 ❶ 둘째 ❷ 7

5-2 소수의 크기를 비교하여 ○ 안에 >, =, <를 알맞게 써넣으시오.

(1) 0.047 ○ 0.47

(2) 2.017 ○ 2.008

(3) 10.56 ○ 10.19

높은 자리부터 비교!

6-1 소수의 덧셈을 하시오.

0.65+1.52 ➡

	0	. 6	5
+	1	. 5	2

• **풀이** • 소수점의 자리를 맞추어 세로셈으로 썼습니다.

소수 둘째 자리의 계산: 5+2=❶[　　]

소수 첫째 자리의 계산: ❷[　　]+5=11 → 일의 자리로 받아올림

답 ❶ 7 ❷ 6

6-2 소수의 뺄셈을 하시오.

0.74−0.18 ➡

	0	. 7	4
−	0	. 1	8

1주 04일 개념 돌파 전략 ❷

예제 1 1과 진분수의 뺄셈

$1-\frac{2}{5}=\frac{5}{5}-\frac{2}{5}=\frac{5-2}{5}=\frac{3}{5}$

1을 분모가 5인 가분수로 바꾸어 계산합니다.

1을 ❶ □로 바꿉니다. $1=\frac{5}{5}$

분모는 그대로 두고 ❷ □끼리 뺍니다.

[답] ❶ 가분수 ❷ 분자

1 자연수와 진분수의 뺄셈을 하시오.

(1) $1-\frac{6}{8}=\frac{\square}{8}-\frac{\square}{8}=\frac{\square}{8}$

(2) $2-\frac{6}{8}=1\frac{\square}{8}-\frac{\square}{8}=\square\frac{\square}{8}$

예제 2 가분수로 바꾸어 계산하기

$2\frac{1}{7}-1\frac{3}{7}=\frac{15}{7}-\frac{10}{7}$ → 대분수를 가분수로 바꾸기

$=\frac{15-10}{7}=\frac{5}{7}$

대분수를 ❶ □로 바꿉니다.
가분수의 뺄셈은 분모는 그대로 두고 ❷ □끼리 뺍니다.

[답] ❶ 가분수 ❷ 분자

2 대분수를 가분수로 바꾸어 뺄셈을 하시오.

(1) $3\frac{2}{9}-1\frac{4}{9}=\frac{\square}{9}-\frac{\square}{9}=\frac{\square}{9}$

$=\square\frac{\square}{9}$

(2) $4\frac{1}{4}-1\frac{3}{4}=\frac{\square}{4}-\frac{\square}{4}=\frac{\square}{4}$

$=\square\frac{\square}{4}$

예제 3 자연수와 대분수의 뺄셈

$4-2\frac{1}{6}=3\frac{6}{6}-2\frac{1}{6}$ → 4에서 1만큼만 가분수로 바꾸기

$=(3-2)+(\frac{6}{6}-\frac{1}{6})=1+\frac{5}{6}=1\frac{5}{6}$

$4=3+1=3+\frac{❶\square}{6}=1\frac{6}{6}$

자연수에서 1만큼을 ❷ □로 바꾸어 계산할 수 있습니다.

[답] ❶ 6 ❷ 가분수

3 그림을 보고 뺄셈을 하시오.

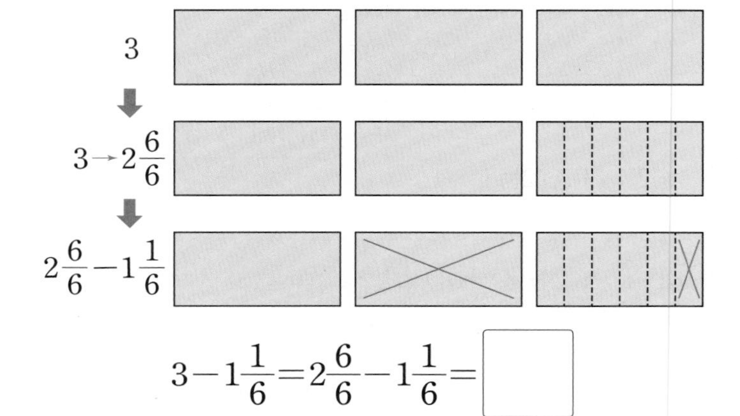

$3-1\frac{1}{6}=2\frac{6}{6}-1\frac{1}{6}=\square$

▶정답 및 풀이 2쪽

예제 4 소수 세 자리 수

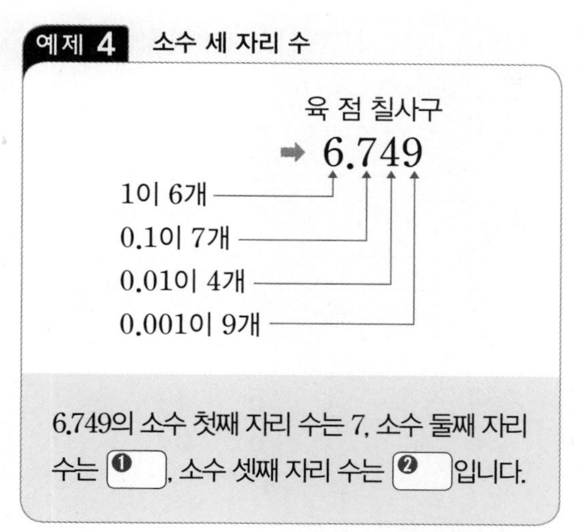

6.749의 소수 첫째 자리 수는 7, 소수 둘째 자리 수는 ❶ ☐, 소수 셋째 자리 수는 ❷ ☐입니다.

[답] ❶ 4 ❷ 9

예제 5 소수 사이의 관계

0.1 —$\frac{1}{10}$→ 0.01 —$\frac{1}{10}$→ 0.001

0.001 —10배→ 0.01 —10배→ 0.1

소수의 $\frac{1}{10}$을 구하면 소수점을 기준으로 수가 ❶ ☐쪽으로 한 자리씩, 10배 하면 수가 ❷ ☐쪽으로 한 자리씩 이동합니다.

[답] ❶ 오른 ❷ 왼

예제 6 소수의 덧셈과 뺄셈

2.14는 0.01이 214개
3.72는 0.01이 372개

➡ 2.14+3.72는 0.01이 214+372
=586(개)

➡ 2.14+3.72는 5.86

소수의 덧셈은 자연수의 ❶ ☐과 같이 계산한 후 소수 ❷ ☐을 찍습니다.

[답] ❶ 덧셈 ❷ 점

4 ☐ 안에 알맞은 소수를 써넣으시오.

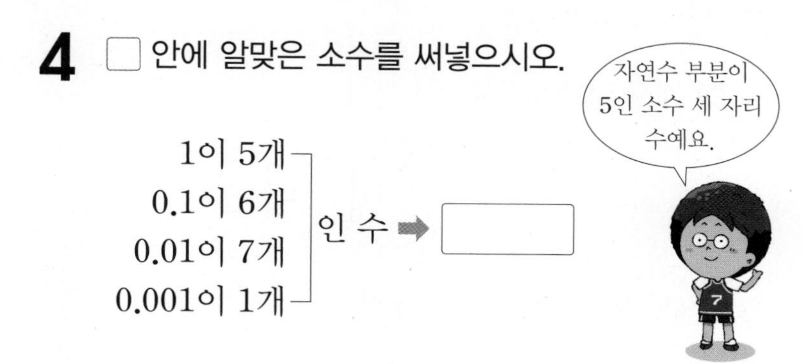

5 ☐ 안에 알맞은 소수를 써넣으시오.

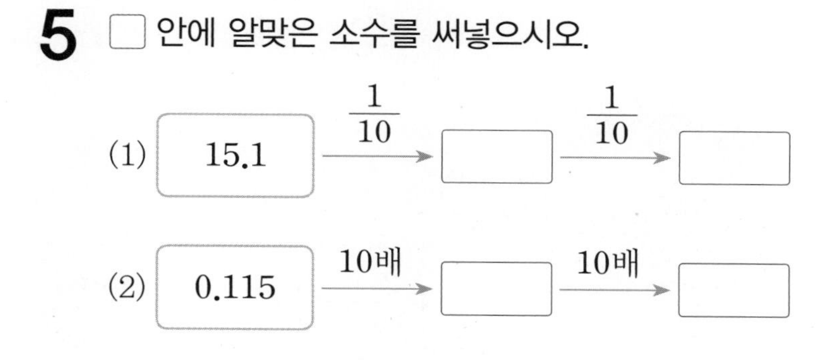

6 소수의 덧셈을 하시오.

$$\begin{array}{r} 1.32 \\ +\ 0.49 \\ \hline \square.\square\square \end{array}$$

1.32 → 0.01이 ☐개
0.49 → 0.01이 ☐개
☐.☐☐ → 0.01이 ☐개

1주

1주 02일 필수 체크 전략 ❶

전략 1 계산 결과 비교하기

[관련 단원] 분수의 덧셈과 뺄셈

예 계산 결과가 더 큰 것 찾기

$1\frac{4}{6}+4\frac{2}{6}$ $9\frac{5}{6}-3\frac{4}{6}$

(1) 계산 결과를 각각 구하기

$1\frac{4}{6}+4\frac{2}{6}=(1+4)+\left(\frac{4}{6}+\frac{2}{6}\right)$
$=5+\frac{6}{6}=5+1=$ ❶

$9\frac{5}{6}-3\frac{4}{6}=(9-3)+\left(\frac{5}{6}-\frac{4}{6}\right)$
$=6+\frac{1}{6}=$ ❷

(2) 계산 결과 비교하기 ➡ $6<6\frac{1}{6}$이므로 오른쪽 식의 계산 결과가 더 ❸ .

답 ❶ 6 ❷ $6\frac{1}{6}$ ❸ 큽니다

필수 예제 01

계산 결과가 더 큰 것에 ○표 하시오.

$4\frac{3}{10}+\frac{6}{10}$ ( ) $6\frac{7}{10}-2\frac{5}{10}$ ( )

풀이 | $4\frac{3}{10}+\frac{6}{10}=4\frac{9}{10}$, $6\frac{7}{10}-2\frac{5}{10}=6\frac{7}{10}-2\frac{5}{10}=(6-2)+\left(\frac{7}{10}-\frac{5}{10}\right)=4\frac{2}{10}$

$4\frac{9}{10}$와 $4\frac{2}{10}$를 비교할 때에는 자연수 부분과 분모가 같으므로 분자를 비교합니다. ➡ $4\frac{9}{10}>4\frac{2}{10}$

확인 1-1

계산 결과가 더 작은 것에 △표 하시오.

○ $4\frac{1}{7}-\frac{4}{7}$ ( )

○ $2\frac{3}{7}+\frac{6}{7}$ ( )

확인 1-2

계산 결과가 더 큰 것에 ○표 하시오.

○ $5\frac{1}{11}+\frac{6}{11}$ ( )

○ $7\frac{3}{11}-\frac{7}{11}$ ( )

▶정답 및 풀이 3쪽

전략 2 분수의 덧셈을 하여 거리 구하기

[관련 단원] 분수의 덧셈과 뺄셈

예 집에서 마트를 지나서 서점까지 가는 거리 구하기

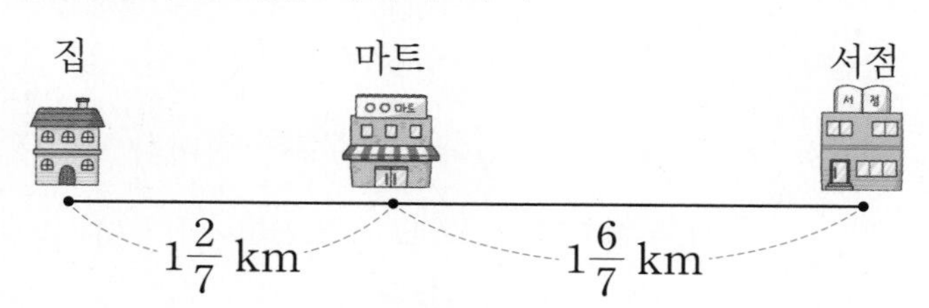

집에서 마트까지의 거리와 마트에서 서점까지의 거리를 더합니다.

$$1\frac{2}{7}+1\frac{6}{7}=(1+1)+\left(\frac{2}{7}+\frac{6}{7}\right)=2+\frac{❶\square}{7}=2+1\frac{1}{7}=❷\square\text{(km)}$$

↑ 단위를 씁니다.

답 ❶ 8 ❷ $3\frac{1}{7}$

1 주

필수 예제 02

집에서 마트를 지나 우체국까지 가는 거리를 구하시오.

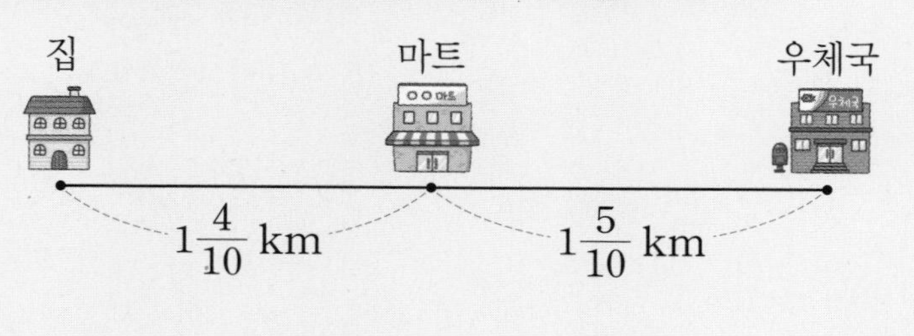

( )

풀이 | 집에서 마트까지의 거리와 마트에서 우체국까지의 거리를 더합니다.

$$1\frac{4}{10}+1\frac{5}{10}=(1+1)+\left(\frac{4}{10}+\frac{5}{10}\right)=2\frac{9}{10}\text{(km)}$$

확인 2-1

풀숲을 지나 꽃까지 가는 거리를 구하시오.

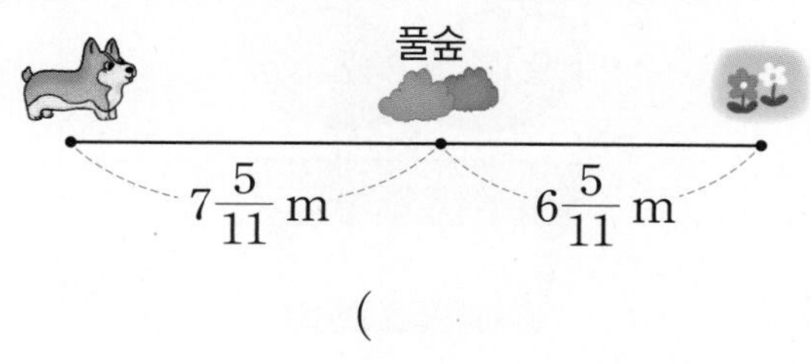

( )

확인 2-2

꽃을 지나 집까지 가는 거리를 구하시오 .

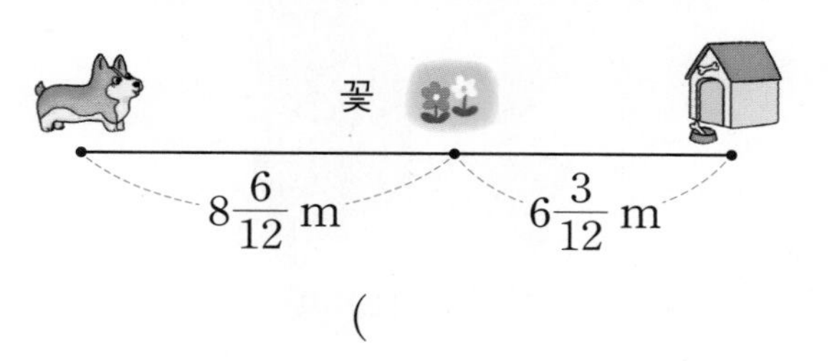

( )

전략 3 두 소수의 차 구하기

[관련 단원] 소수의 덧셈과 뺄셈

예 2.79와 3.215의 차 구하기

(1) 두 수의 크기를 비교하기 ➡ 자연수 부분을 비교하면 $2<3$이므로 2.79 ❶ ☐ 3.215입니다.
따라서 3.215에서 2.79를 뺍니다.

(2) 소수점을 맞춰 뺄셈식을 세로로 쓰기

$$\begin{array}{r} 3.215 \\ -\ 2.790 \\ \hline \end{array}$$

(3) 자연수의 뺄셈과 같은 방법으로 계산하기

$$\begin{array}{r} \overset{2}{\cancel{3}}.\overset{11}{\cancel{2}}\overset{10}{1}5 \\ -\ 2.790 \\ \hline 0\ 4\ 2\ ❷☐ \end{array}$$

(4) 소수점을 바르게 찍기

$$\begin{array}{r} 3.215 \\ -\ 2.790 \\ \hline 0.425 \end{array}$$

답 ❶ < ❷ 5

필수 예제 03

두 수의 차를 구하시오.

20.6, 0.155

( )

풀이 | ① 두 수의 크기를 비교합니다. ➡ $20.6>0.155$
② 큰 수에서 작은 수를 빼는 식을 씁니다. ➡ $20.6-0.155$
③ 소수점의 자리를 맞추어 뺄셈을 합니다. ➡

$$\begin{array}{r} 20.6 \\ -\ \ 0.155 \\ \hline 20.445 \end{array}$$

확인 3-1

두 수의 차를 구하시오.

확인 3-2

두 수의 차를 구하시오.

▶정답 및 풀이 3쪽

전략 4 색칠한 부분의 크기 구하기

[관련 단원] 소수의 덧셈과 뺄셈

예 모눈종이 전체가 0.01일 때 색칠된 부분의 크기를 소수로 나타내기

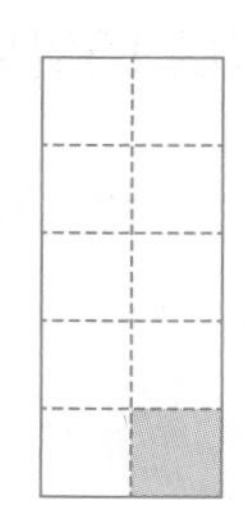

(1) 전체가 10칸이고 색칠된 부분은 한 칸 ➡ 색칠된 부분은 전체의 $\frac{1}{❶\square}$

(2) 색칠된 부분 ➡ 전체 0.01의 $\frac{1}{10}$

(3) 0.01의 소수점을 기준으로 수를 오른쪽으로 한 칸 이동시키기

0.01 $\xrightarrow{\frac{1}{10}}$ ❷ ☐

답 ❶ 10 ❷ 0.001

필수 예제 04

모눈종이 전체가 0.02일 때 색칠된 부분의 크기를 소수로 나타내시오.

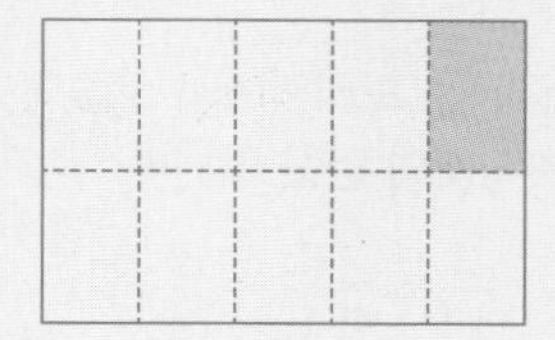

(1) 색칠된 부분은 전체의 몇 분의 1입니까?

( )

(2) 색칠된 부분의 크기를 소수로 나타내시오.

( )

풀이 | (1) 색칠된 부분 ➡ 전체를 똑같이 10칸으로 나눈 것 중의 1 ➡ 전체의 $\frac{1}{10}$

(2) 0.02의 $\frac{1}{10}$을 구하기 ➡ 소수점을 기준으로 수가 오른쪽으로 한 자리 이동 ➡ 0.002

확인 4-1

모눈종이 전체가 0.03일 때 색칠된 부분의 크기를 소수로 나타내시오.

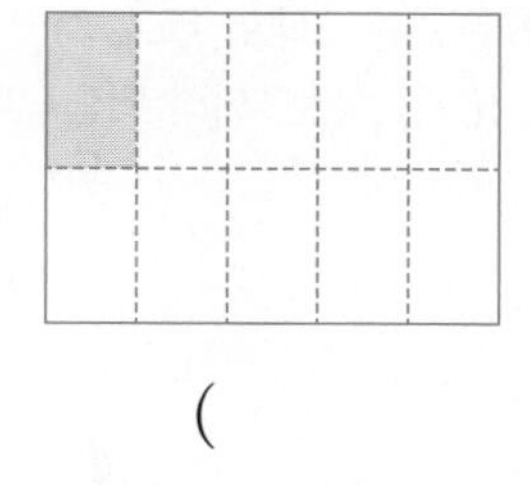

( )

확인 4-2

모눈종이 전체가 0.1일 때 색칠된 부분의 크기를 소수로 나타내시오.

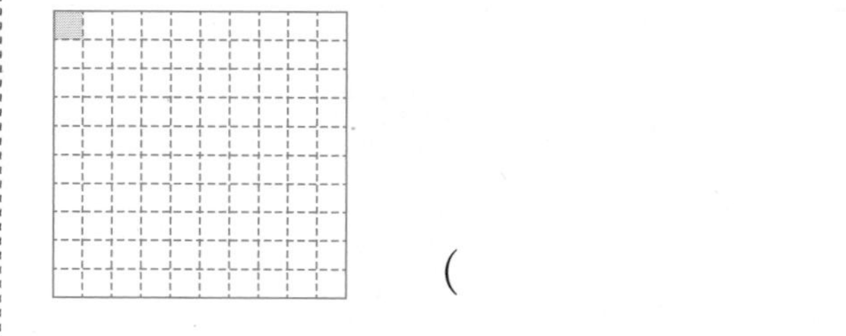

( )

1 주

필수 체크 전략 ❷

[관련 단원] **분수의 덧셈과 뺄셈**

1 크기를 비교하여 가장 작은 것을 찾아 기호를 쓰시오.

가	나	다
$3\frac{2}{7}-1\frac{3}{7}$	$1\frac{4}{7}$	$\frac{4}{7}+1\frac{1}{7}$

(　　　　　　　　)

Tip

- 가: $3\frac{2}{7}-1\frac{3}{7}=2\frac{9}{7}-1\frac{3}{7}=$ ❶□
- 다: $\frac{4}{7}+1\frac{1}{7}=$ ❷□
- 가, 나, 다의 크기를 비교하여 가장 작은 것의 기호를 씁니다.

답 ❶ $1\frac{6}{7}$ ❷ $1\frac{5}{7}$

[관련 단원] **분수의 덧셈과 뺄셈**

2 물병에 보리차가 들어 있습니다. 보리차를 컵 두 곳에 가득 따르면 물병에 남는 보리차는 몇 L인지 구하시오.

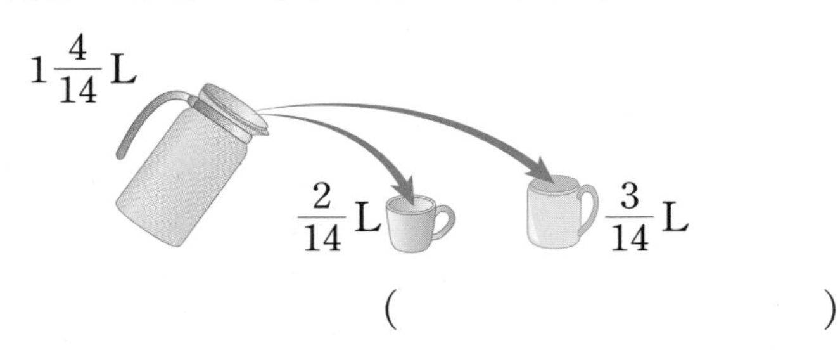

(　　　　　　　　)

Tip

- 왼쪽 컵에 보리차를 따르고 물병에 남은 보리차의 양을 구하면
  $1\frac{4}{14}-\frac{2}{14}=$ ❶□ (L)입니다.
- 위에서 남은 보리차에서 오른쪽 컵에 따르는 보리차의 양을 뺍니다.
  $1\frac{2}{14}-\frac{3}{14}=\frac{16}{14}-\frac{3}{14}=$ ❷□ (L)

답 ❶ $1\frac{2}{14}$ ❷ $\frac{13}{14}$

[관련 단원] **분수의 덧셈과 뺄셈**

3 분수 카드 2장을 골라 ❶합이 가장 큰 덧셈식을 만들고 ❷합을 구하시오.

$3\frac{2}{9}$	$1\frac{1}{9}$	$\frac{12}{9}$

➡ 덧셈식: □ + □　　➡ 합: □

Tip

❶ 합이 가장 큰 덧셈식을 만들려면 가장 큰 분수와 두 번째로 큰 분수를 더합니다.

$3\frac{2}{9}>$ ❶□ $>$ ❷□

❷ 분모는 그대로 두고 자연수는 자연수끼리, 분자는 분자끼리 더합니다.

답 ❶ $\frac{12}{9}$ ❷ $1\frac{1}{9}$

▶정답 및 풀이 4쪽

[관련 단원] **소수의 덧셈과 뺄셈**

4 모눈종이 전체 크기가 1이라고 할 때 색칠된 부분의 크기를 소수로 나타내시오.

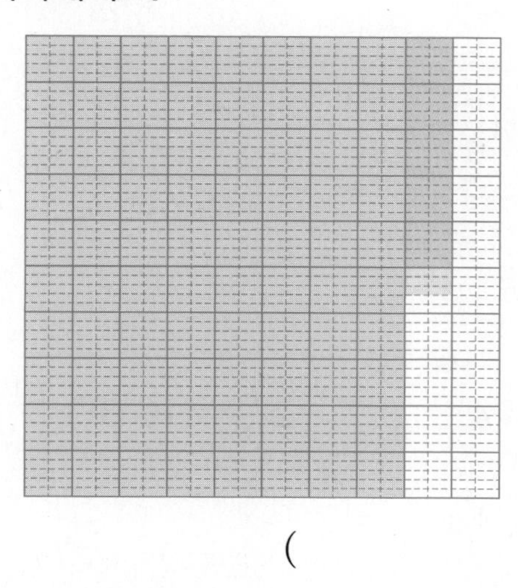

(　　　　　　　　　　)

Tip

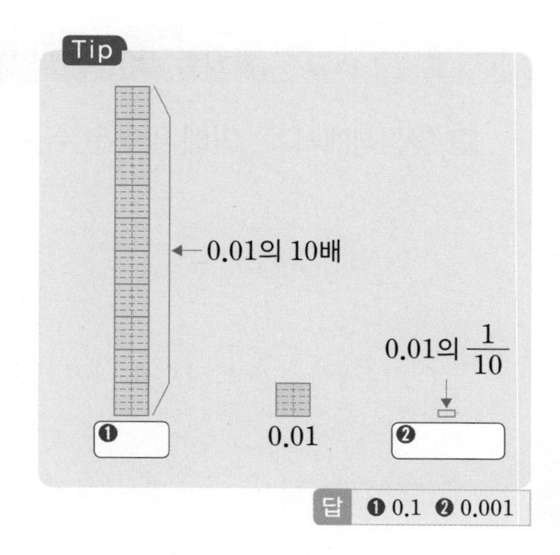

답 ❶ 0.1 ❷ 0.001

[관련 단원] **소수의 덧셈과 뺄셈**

5 두 곳 중에서 집에서 더 가까운 편의점으로 가려고 합니다. 어느 편의점으로 가야 하는지 구하시오.

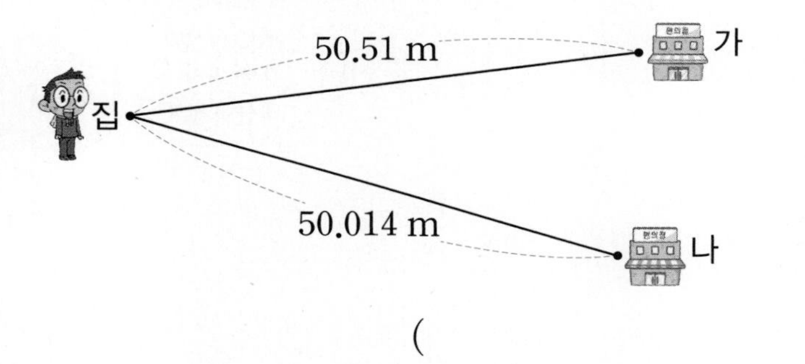

(　　　　　　　　　　)

Tip

- 소수의 크기를 비교하여 더 가까운 편의점을 찾습니다.
- 자연수 부분이 같으므로 소수 ❶☐ 자리 수를 비교하면 50.51 ❷☐ 50.014입니다.

답 ❶ 첫째 ❷ >

[관련 단원] **소수의 덧셈과 뺄셈**

6 ☐ 안에 들어갈 수 있는 수 중에서 ❷<u>가장 큰 소수 한 자리 수</u>를 구하시오.

❶ $3.615-1.906>\square$

(　　　　　　　　　　)

Tip

❶ 소수점의 자리를 맞추어 뺄셈을 합니다.

	3.	6	1	5
−	1.	9	0	6
	❶☐	❷☐	0	9

❷ ☐ 안에 소수 한 자리 수를 넣어 보면서 들어갈 수 있는 가장 큰 소수 한 자리 수를 구합니다.

답 ❶ 1 ❷ 7

필수 체크 전략 ❶

전략 1 □ 안에 알맞은 수 구하기

[관련 단원] 분수의 덧셈과 뺄셈

예 덧셈식에서 □ 안에 알맞은 수 구하기

$$\square + 3\frac{7}{9} = 5\frac{2}{9}$$

(1) 덧셈식을 뺄셈식으로 바꾸기 ➡ $5\frac{2}{9} - 3\frac{7}{9} = \square$

(2) 뺄셈식에서 □의 값 구하기 ➡ $5\frac{2}{9} - 3\frac{7}{9} = 4\frac{❶\square}{9} - 3\frac{7}{9} = (4-3) + \left(\frac{11}{9} - \frac{7}{9}\right)$

$= 1 + \frac{4}{9} = ❷\square$

답 ❶ 11 ❷ $1\frac{4}{9}$

필수 예제 01

□ 안에 알맞은 수를 구하시오.

$$\square + 4\frac{3}{8} = 6\frac{1}{8}$$

(   )

풀이 | ① 덧셈식을 뺄셈식으로 바꾸기 ➡ $6\frac{1}{8} - 4\frac{3}{8} = \square$

② 뺄셈식에서 □의 값 구하기 ➡ $6\frac{1}{8} - 4\frac{3}{8} = 5\frac{9}{8} - 4\frac{3}{8} = (5-4) + \left(\frac{9}{8} - \frac{3}{8}\right) = 1\frac{6}{8}$

확인 1-1

구름 모양에 알맞은 수를 구하시오.

$$☁ - 5\frac{6}{11} = 6\frac{7}{11}$$

(   )

확인 1-2

해 모양에 알맞은 수를 구하시오.

$$☀ + 4\frac{9}{13} = 8\frac{2}{13}$$

(   )

▶정답 및 풀이 4쪽

전략 2 알맞은 분수를 찾아서 계산하기

[관련 단원] 분수의 덧셈과 뺄셈

예 가장 큰 분수와 가장 작은 분수를 찾아서 합 구하기

$5\frac{3}{5}$, $1\frac{4}{5}$, $1\frac{3}{5}$

(1) 가장 큰 분수 찾기

$5\frac{3}{5}$, $1\frac{4}{5}$, $1\frac{3}{5}$ ➡ $5>1$이므로

가장 큰 분수는 ❶ ☐ 입니다.

(2) 가장 작은 분수 찾기

$1\frac{4}{5}$, $1\frac{3}{5}$ ➡ $4>3$이므로

가장 작은 분수는 ❷ ☐ 입니다.

(3) 합 구하기 ➡ $5\frac{3}{5}+1\frac{3}{5}=(5+1)+\left(\frac{3}{5}+\frac{3}{5}\right)=6+\frac{6}{5}=6+1\frac{1}{5}=$ ❸ ☐

답 ❶ $5\frac{3}{5}$ ❷ $1\frac{3}{5}$ ❸ $7\frac{1}{5}$

필수 예제 02

가장 큰 분수와 가장 작은 분수의 합을 구하시오.

$2\frac{4}{7}$, $5\frac{2}{7}$, $2\frac{3}{7}$

( )

풀이 | ① 자연수 부분을 비교하여 가장 큰 분수를 찾습니다. ➡ $5\frac{2}{7}$

② 남은 두 분수의 분자를 비교하여 가장 작은 분수를 찾습니다. ➡ $2\frac{3}{7}$

③ 두 분수의 합을 구합니다. ➡ $5\frac{2}{7}+2\frac{3}{7}=7\frac{5}{7}$

확인 2-1

가장 큰 분수와 가장 작은 분수의 합을 구하시오.

$6\frac{8}{9}$, $4\frac{4}{9}$, $10\frac{6}{9}$

( )

확인 2-2

가장 큰 분수와 가장 작은 분수의 차를 구하시오.

$5\frac{7}{12}$, $7\frac{3}{12}$, $5\frac{4}{12}$

( )

전략 3 수직선에 소수 나타내기

[관련 단원] 소수의 덧셈과 뺄셈

예 수직선에서 0.34와 0.35 사이에 있는 눈금이 나타내는 수 구하기

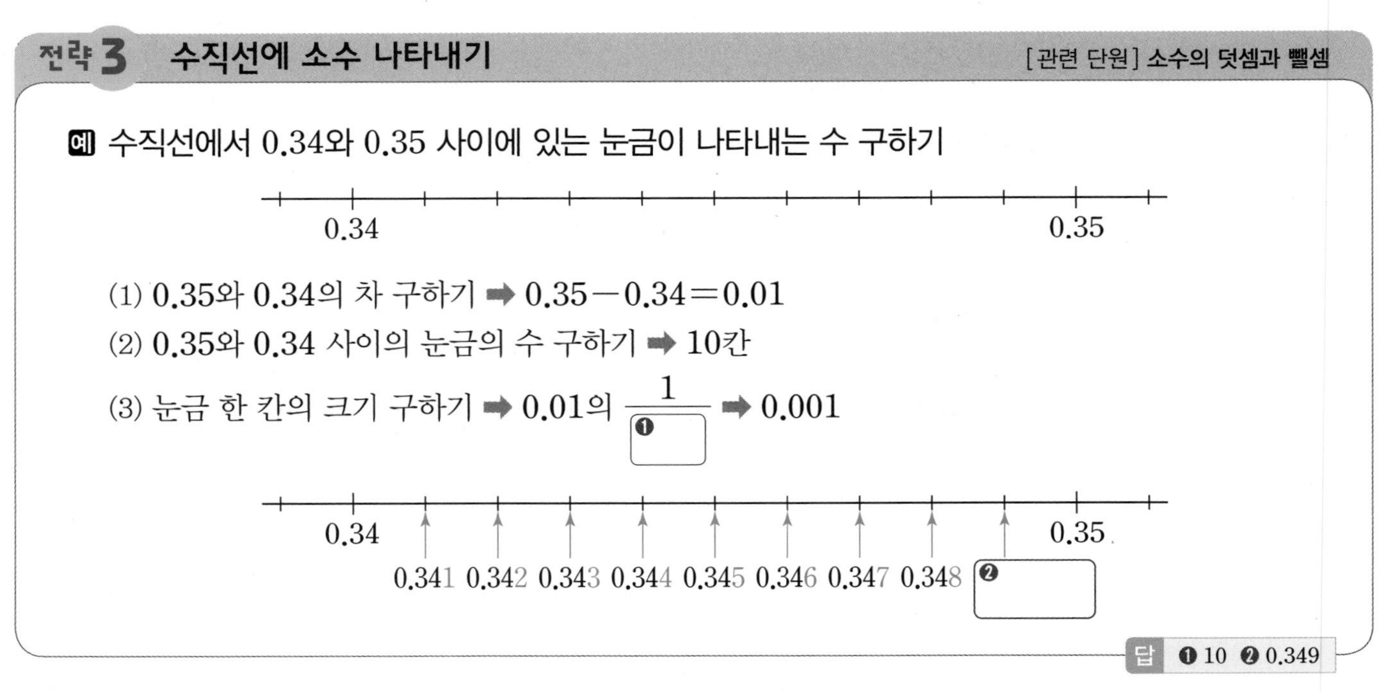

답 ❶ 10 ❷ 0.349

필수 예제 03

수직선에서 ㉠에 알맞은 수를 소수로 나타내시오.

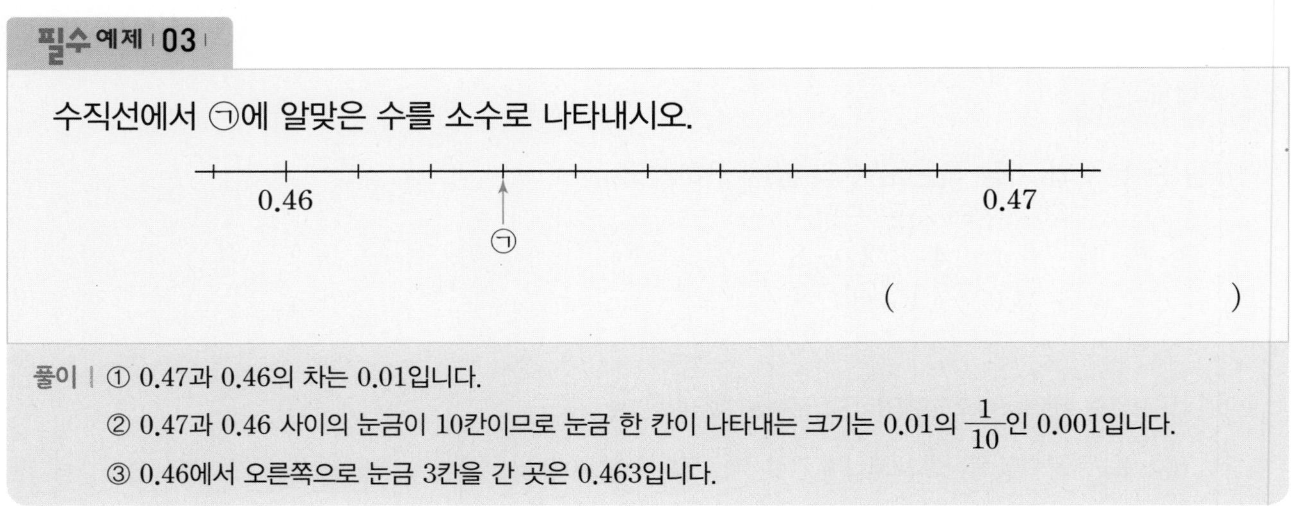

( )

풀이 | ① 0.47과 0.46의 차는 0.01입니다.

② 0.47과 0.46 사이의 눈금이 10칸이므로 눈금 한 칸이 나타내는 크기는 0.01의 $\frac{1}{10}$인 0.001입니다.

③ 0.46에서 오른쪽으로 눈금 3칸을 간 곳은 0.463입니다.

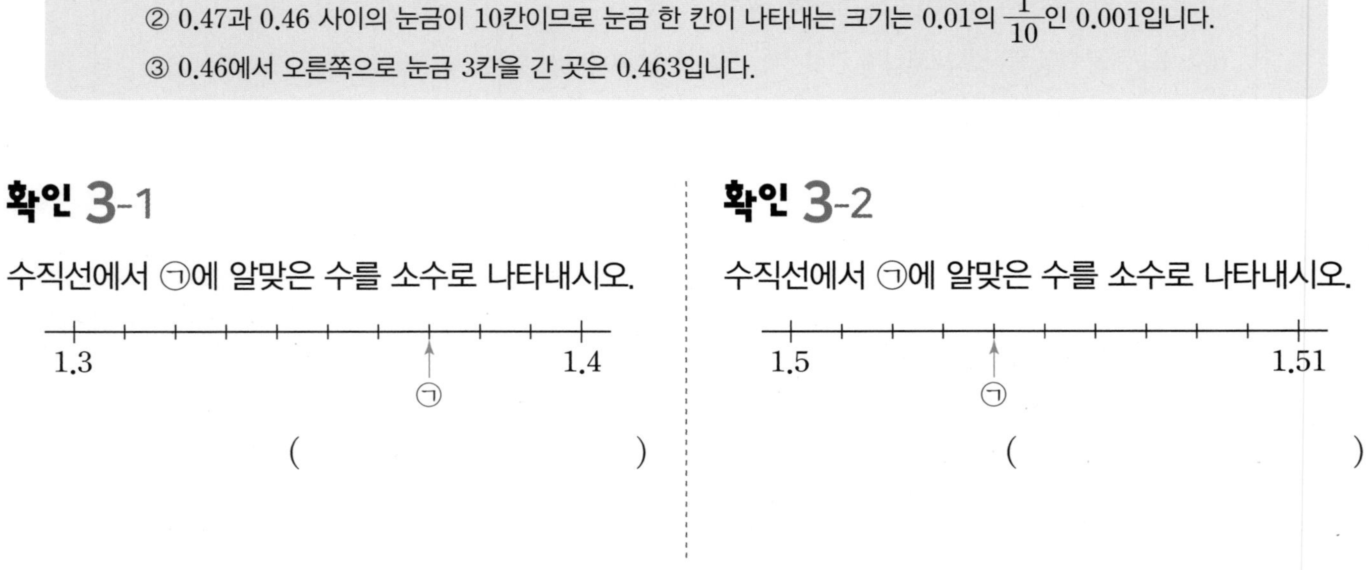

확인 3-1

수직선에서 ㉠에 알맞은 수를 소수로 나타내시오.

( )

확인 3-2

수직선에서 ㉠에 알맞은 수를 소수로 나타내시오.

( )

▶정답 및 풀이 4쪽

전략 4 차가 가장 큰 두 소수의 합 또는 차 구하기

[관련 단원] 소수의 덧셈과 뺄셈

예 차가 가장 큰 두 소수의 차 구하기

0.245, 3.46, 3.106

(1) 소수의 크기 비교하기

- 0.245, 3.46, 3.106의 자연수 부분을 비교하면 0<3이므로 가장 작은 수는 0.245입니다.
- 3.46과 3.106의 소수 첫째 자리 수를 비교하면 4>1이므로 가장 큰 수는 ❶ [ ] 입니다.

(2) 차가 가장 큰 두 소수를 찾아 차 구하기

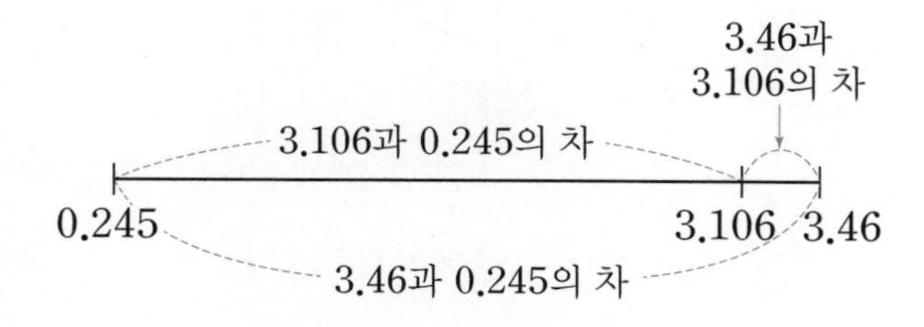

차가 가장 큰 두 소수는 가장 큰 소수인 3.46과 가장 작은 소수인 0.245입니다.

➡ 3.46−0.245= ❷ [ ]

답 ❶ 3.46 ❷ 3.215

필수 예제 04

차가 가장 큰 두 소수의 차를 구하시오.

2.156, 0.17, 1.46

(1) 큰 수부터 차례로 쓰시오.

[ ] > [ ] > [ ]

(2) 차가 가장 큰 두 소수의 차를 구하시오.

( )

풀이 | (1) 자연수 부분을 비교하면 2.156이 가장 크고 0.17이 가장 작습니다.
(2) 차가 가장 크게 만들려면 가장 큰 소수에서 가장 작은 소수를 뺍니다. ➡ 2.156−0.17=1.986

확인 4-1

차가 가장 큰 두 소수의 차를 구하시오.

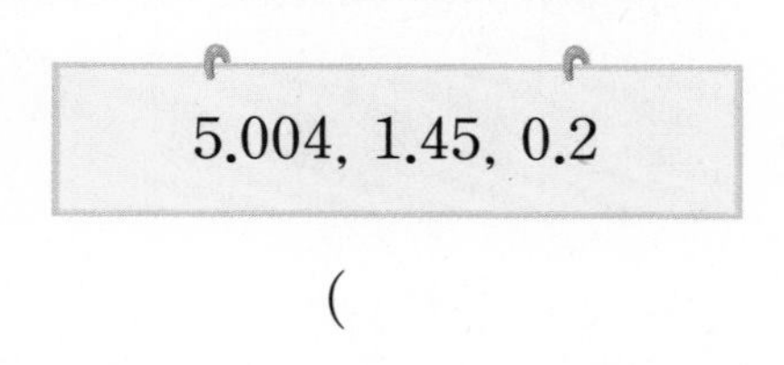

( )

확인 4-2

차가 가장 큰 두 소수의 합을 구하시오.

20.47, 2.47, 4.87

( )

1주 03일 필수 체크 전략 ❷

[관련 단원] **분수의 덧셈과 뺄셈**

1 두 색 테이프를 이어서 붙였습니다. 전체 길이는 몇 cm인지 구하시오.

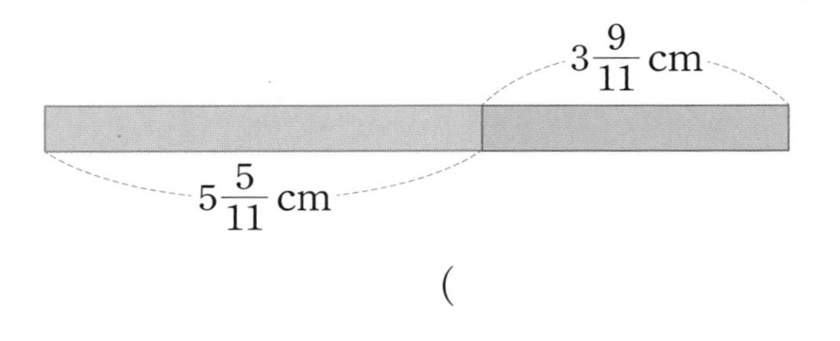

(　　　　　　　　)

Tip

- 두 색 테이프의 길이를 더합니다.
- 자연수는 자연수끼리, 진분수 부분은 진분수 부분끼리 더합니다.

$5\frac{5}{11}+3\frac{9}{11}$

$=(❶\square+3)+\left(\frac{5}{11}+❷\square\right)$

답 ❶ 5 ❷ $\frac{9}{11}$

[관련 단원] **분수의 덧셈과 뺄셈**

2 가장 큰 분수와 가장 작은 분수의 차를 구하시오.

$2\frac{1}{10}$, $5\frac{1}{10}$, $5\frac{2}{10}$, $2\frac{6}{10}$

(　　　　　　　　)

Tip

- 가장 큰 분수는 자연수 부분이 5인 분수 중에서 분자가 가장 큰 ❶ $\square$ 입니다.
- 가장 작은 분수는 자연수 부분이 2인 분수 중에서 분자가 가장 작은 ❷ $\square$ 입니다.

답 ❶ $5\frac{2}{10}$ ❷ $2\frac{1}{10}$

[관련 단원] **분수의 덧셈과 뺄셈**

3 다음 수 카드를 $\square$ 안에 한 번씩 써넣어 ❷<u>올바른 식</u>이 되도록 만드시오. (단, 덧셈식의 세 분수는 ❶<u>모두 분모가 같은 대분수</u>입니다.)

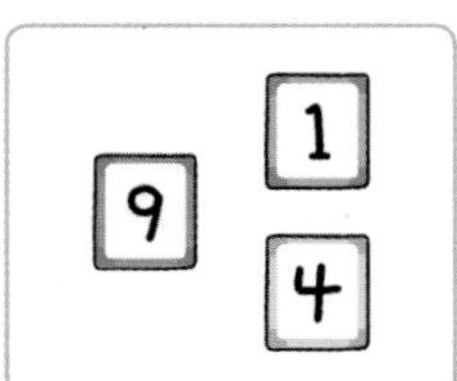

$\square\frac{7}{9}+1\frac{3}{\square}=6\frac{\square}{9}$

Tip

❶ 모두 분모가 같은 대분수이므로 분모에 ❶ $\square$ 를 써넣습니다.

❷ 진분수 부분끼리 더하면 $\frac{7}{9}+\frac{3}{9}=\frac{10}{9}=1\frac{1}{9}$이므로 계산 결과의 분자는 ❷ $\square$ 입니다.
남은 수를 자연수 부분에 넣고 계산이 맞는지 확인합니다.

답 ❶ 9 ❷ 1

▶정답 및 풀이 5쪽

[관련 단원] **소수의 덧셈과 뺄셈**

4 자연수 부분이 5, 소수 첫째 자리 숫자가 2, 소수 둘째 자리 숫자가 4, 소수 셋째 자리 숫자가 8인 소수 세 자리 수를 쓰시오.

(   )

Tip

자연수 부분이 ❶ [   ]이고 소수 세 자리 수이면 5.□□□입니다.
소수 첫째 자리 숫자가 2이므로 5.2□□,
소수 둘째 자리 숫자가 4이므로 5.24□,
소수 셋째 자리 숫자가 8이므로 ❷ [   ]입니다.

답 ❶ 5 ❷ 5.248

[관련 단원] **소수의 덧셈과 뺄셈**

5 합이 가장 큰 두 소수의 합을 구하시오.

1.02, 2.05, 0.308

(   )

Tip

- 세 수 중에서 합이 가장 큰 두 수는 가장 큰 수와 두 번째로 큰 수입니다.
- 소수의 크기를 비교하면 가장 큰 수는 ❶ [   ]이고 두 번째로 큰 수는 ❷ [   ]입니다.

답 ❶ 2.05 ❷ 1.02

[관련 단원] **소수의 덧셈과 뺄셈**

6 ❸가와 나의 차를 구하시오.

❶ 가 | 1이 2개, 0.1이 8개, 0.01이 1개인 수

❷ 나 | 1이 6개, $\frac{1}{10}$이 7개, $\frac{1}{100}$이 2개인 수

(   )

Tip

❶ 1이 2개, 0.1이 8개, 0.01이 1개인 수는 ❶ [   ]입니다.
❷ 1이 6개, $\frac{1}{10}$이 7개, $\frac{1}{100}$이 2개인 수는 ❷ [   ]입니다.
❸ 큰 수에서 작은 수를 뺍니다.

답 ❶ 2.81 ❷ 6.72

1 주

대표 예제 01

■ 안에 알맞은 분수를 구하시오.

$$■-1\frac{3}{10}=2\frac{6}{10}$$

( )

개념가이드

■를 구할 수 있도록 뺄셈식을 ❶ 식으로 바꿉니다.

$■-1\frac{3}{10}=2\frac{6}{10}$ ➡ $2\frac{6}{10}+$ ❷ $=■$

[답] ❶ 덧셈 ❷ $1\frac{3}{10}$

대표 예제 02

계산 결과의 크기를 비교하여 ○ 안에 >, =, <를 알맞게 써넣으시오.

$$2\frac{3}{9}+2\frac{4}{9} \bigcirc 8\frac{1}{9}-1\frac{3}{9}$$

개념가이드

분자 부분끼리 뺄 수 없을 때에는 ❶ 부분에서 1만큼을 가분수로 바꿉니다. $8\frac{1}{9}-1\frac{3}{9}=7\frac{10}{9}-1\frac{3}{9}$

대분수의 크기는 ❷ 부분을 먼저 비교합니다.

[답] ❶ 자연수 ❷ 자연수

대표 예제 03

병에 물이 $1\frac{2}{7}$ L 들어 있습니다. 이 병의 물을 $\frac{5}{7}$ L 덜어 내면 병에 남아 있는 물은 몇 L인지 구하시오.

( )

개념가이드

병에 들어 있던 물의 양에서 ❶ 낸 물의 양을 빼는 ❷ 식을 만듭니다.

대분수를 가분수로 바꾸어 뺄 수 있습니다.

[답] ❶ 덜어 ❷ 뺄셈

대표 예제 04

1보다 작은 분수 중에서 분모가 4인 분수의 합을 구하시오.

( )

개념가이드

1보다 작은 분수는 진분수입니다.

분모가 4인 진분수는 $\frac{1}{4}$, $\frac{❶}{4}$, $\frac{❷}{4}$입니다.

[답] ❶ 2 ❷ 3

▶정답 및 풀이 6쪽

대표 예제 05

정석이는 주스를 $\frac{4}{8}$ L 가지고 있고, 민아는 $\frac{6}{8}$ L 가지고 있습니다. 두 사람이 가지고 있는 주스의 양을 모두 더하면 몇 L 입니까?

(　　　　　　　　)

개념가이드

모두 몇 L인지 구하는 것이므로 ❶ ☐ 식을 만듭니다.
분모가 같은 진분수의 덧셈이므로 분모는 그대로 두고 ❷ ☐ 끼리 더합니다.

[답] ❶ 덧셈 ❷ 분자

대표 예제 06

어떤 대분수와 $2\frac{3}{8}$의 합은 $5\frac{1}{8}$입니다. 어떤 대분수는 얼마인지 구하시오.

(　　　　　　　　)

개념가이드

어떤 대분수를 ☐로 놓고 식을 세우면
☐+❶ ☐ = ❷ ☐ 입니다. 뺄셈식으로 바꾸어
☐에 알맞은 대분수를 구합니다.

[답] ❶ $2\frac{3}{8}$ ❷ $5\frac{1}{8}$

대표 예제 07

대화를 읽고 두 사람이 사용한 팥은 몇 kg인지 구하시오.

나는 마라카스에 팥을 $10\frac{4}{5}$ g 넣었어.

나는 너보다 $1\frac{2}{5}$ g 더 넣었어.

(　　　　　　　　)

개념가이드

$10\frac{4}{5}+1\frac{2}{5}=11+\frac{6}{5}=$ ❶ ☐ (g)입니다.
두 사람이 사용한 팥의 양을 ❷ ☐ 합니다.

[답] ❶ $12\frac{1}{5}$ ❷ 더

대표 예제 08

저울이 수평을 이루고 있습니다. ■ 모양의 무게는 몇 kg인지 구하시오.

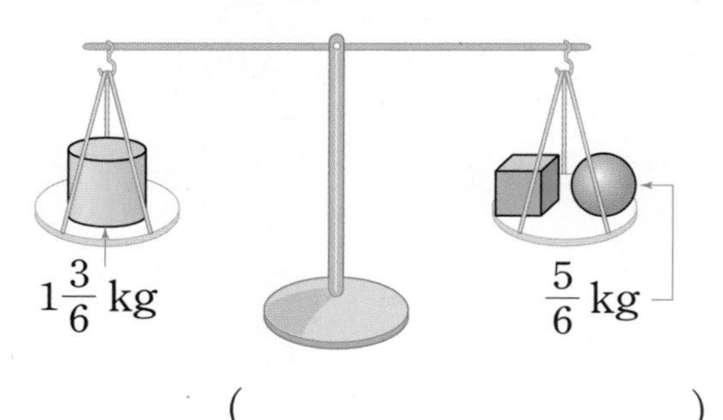

(　　　　　　　　)

개념가이드

저울의 양쪽에 있는 무게는 서로 ❶ ☐ 습니다.
구하려는 무게를 ☐로 놓고 식을 세우면
❷ ☐ $=$ ☐ $+\frac{5}{6}$입니다.

[답] ❶ 같 ❷ $1\frac{3}{6}$

1 주

대표 예제 09

㉠에 알맞은 수를 써넣으시오.

㉠ →(10배)→ □ →(10배)→ 20

(   )

개념가이드

어떤 수를 10배 하여 20이 되었을 때 어떤 수는 20의 $\frac{1}{❶\square}$입니다. 20의 $\frac{1}{10}$인 수를 구한 다음 이 수의 $\frac{1}{❷\square}$인 수를 구합니다.

[답] ❶ 10 ❷ 10

대표 예제 10

수의 크기를 비교하여 두 번째로 큰 수를 구하시오.

4.12, 60.02, 4.097

(   )

개념가이드

자연수 부분을 비교하면 가장 큰 수는 ❶□ 입니다. 나머지 두 수의 소수 ❷□ 자리 수를 비교하여 두 번째로 큰 수를 찾습니다.

[답] ❶ 60.02 ❷ 첫째

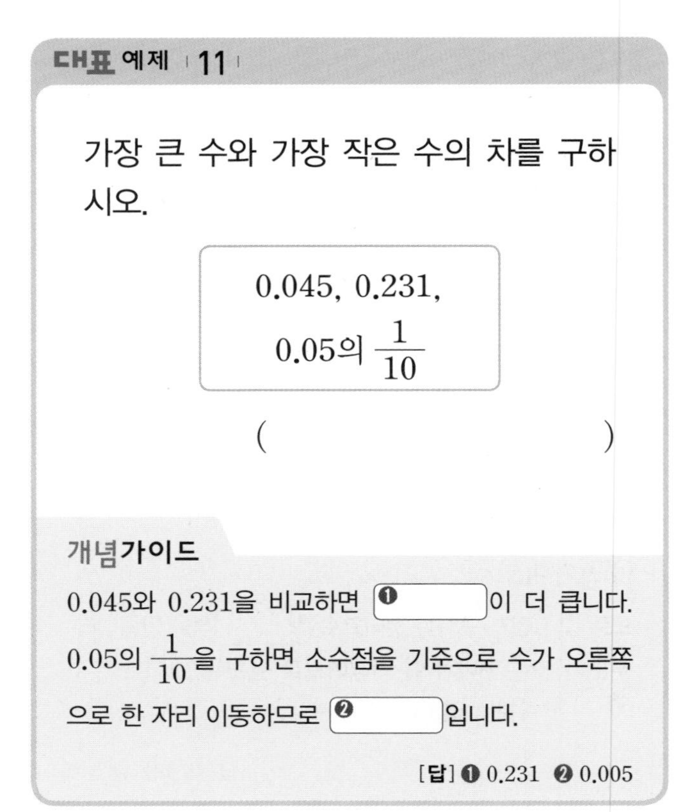

대표 예제 11

가장 큰 수와 가장 작은 수의 차를 구하시오.

0.045, 0.231, 0.05의 $\frac{1}{10}$

(   )

개념가이드

0.045와 0.231을 비교하면 ❶□이 더 큽니다.

0.05의 $\frac{1}{10}$을 구하면 소수점을 기준으로 수가 오른쪽으로 한 자리 이동하므로 ❷□입니다.

[답] ❶ 0.231 ❷ 0.005

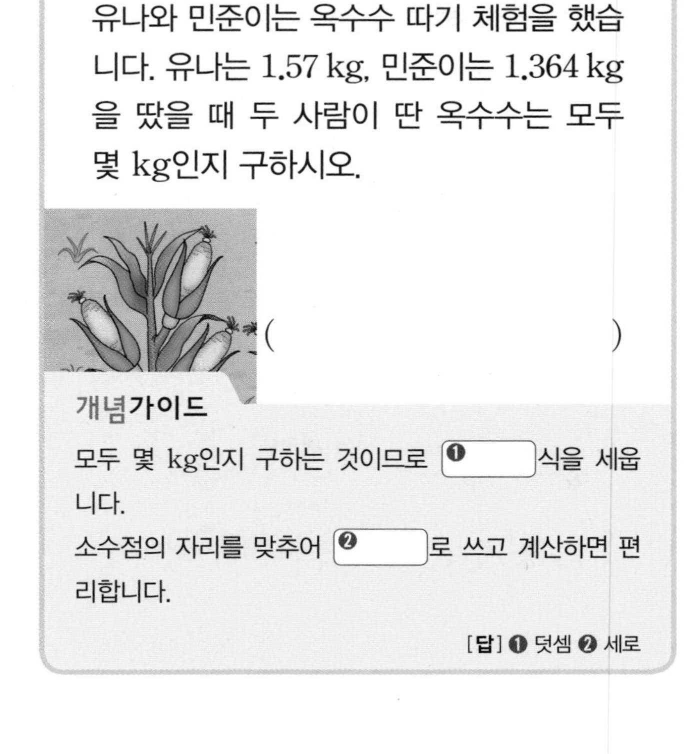

대표 예제 12

유나와 민준이는 옥수수 따기 체험을 했습니다. 유나는 1.57 kg, 민준이는 1.364 kg을 땄을 때 두 사람이 딴 옥수수는 모두 몇 kg인지 구하시오.

(   )

개념가이드

모두 몇 kg인지 구하는 것이므로 ❶□식을 세웁니다.

소수점의 자리를 맞추어 ❷□로 쓰고 계산하면 편리합니다.

[답] ❶ 덧셈 ❷ 세로

▶정답 및 풀이 6쪽

대표 예제 13

나타내는 수가 다른 하나를 찾아 기호를 쓰시오.

㉠ 300의 $\frac{1}{10}$
㉡ 0.3의 100배
㉢ 0.03의 10배

(　　　　　　　　　　)

개념가이드

어떤 수의 $\frac{1}{10}$은 소수점을 기준으로 수를 ❶ ☐쪽으로 한 자리 이동한 것과 같습니다.
어떤 수의 100배는 소수점을 기준으로 수를 왼쪽으로 ❷ ☐ 자리 이동한 것과 같습니다.

[답] ❶ 오른 ❷ 두

대표 예제 14

다음 중에서 옳은 것을 찾아 기호를 쓰시오.

㉠ 2 m=0.021 km
㉡ 3 m=0.03 km
㉢ 4 g=0.004 kg
㉣ 50 cm=0.05 m

(　　　　　　　　　　)

개념가이드

1 m=0.001 km, 1 g=❶ ☐ kg,
1 cm=❷ ☐ m

[답] ❶ 0.001 ❷ 0.01

대표 예제 15

☐ 안에 공통으로 들어가는 수를 구하시오.

52의 $\frac{1}{☐}$은 0.52입니다.
1.29의 ☐배는 129입니다.

(　　　　　　　　　　)

개념가이드

소수의 $\frac{1}{❶ ☐}$을 구하면 소수점을 기준으로 수가 오른쪽으로 두 자리 이동합니다.
소수의 ❷ ☐배를 구하면 소수점을 기준으로 수가 왼쪽으로 두 자리 이동합니다.

[답] ❶ 100 ❷ 100

대표 예제 16

카드를 모두 한 번씩 이용하여 소수 한 자리 수를 만들 수 있습니다. 만들 수 있는 두 소수의 합을 구하시오.

3　8　.

(　　　　　　　　　　)

개념가이드

소수 한 자리 수를 만드는 것이므로 소수점을 기준으로 왼쪽과 ❶ ☐에 숫자를 ❷ ☐ 개씩 사용합니다.
만들 수 있는 두 소수를 더합니다.

[답] ❶ 오른쪽 ❷ 한(또는 1)

1 주

교과서 대표 전략 ❷

1 □ 안에 알맞은 대분수를 구하시오.

$$1\frac{6}{12}+1\frac{8}{12}=\square+1\frac{3}{12}$$

(　　　　　　　　)

Tip
=의 왼쪽에 있는 ❶ 식의 결과를 먼저 알아봅니다.
위의 결과에서 $1\frac{3}{12}$을 ❷ 면 □ 안에 알맞은 수가 됩니다.

답 ❶ 덧셈 ❷ 빼

2 어떤 수에서 $2\frac{5}{6}$를 뺐더니 $2\frac{5}{6}$가 되었습니다. 어떤 수는 얼마인지 구하시오.

(　　　　　　　　)

Tip
어떤 수를 □라고 하면 $\square-2\frac{5}{6}=$ ❶ 입니다.
$\square=2\frac{5}{6}$ ❷ $2\frac{5}{6}$

답 ❶ $2\frac{5}{6}$ ❷ +

3 우유 1 L 중에서 어제 $\frac{2}{6}$ L를 마시고 오늘 $\frac{3}{6}$ L를 마셨습니다. 남은 우유는 몇 L입니까?

(　　　　　　　　)

Tip
① 1 L에서 어제 마신 우유의 양을 뺍니다.
② 어제 마시고 남은 우유의 양에서 오늘 ❶ 우유의 양을 빼면 오늘 ❷ 우유의 양을 알 수 있습니다.

답 ❶ 마신 ❷ 남은

4 직사각형에서 가로는 세로보다 $3\frac{5}{7}$ cm 더 깁니다. 가로는 몇 cm인지 구하시오.

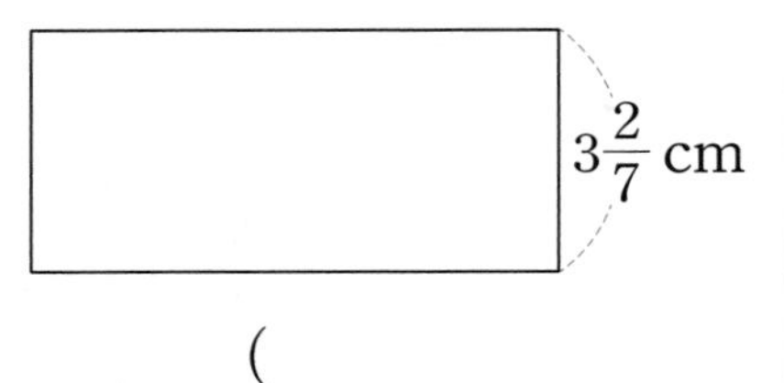

(　　　　　　　　)

Tip
가로는 세로보다 $3\frac{5}{7}$ cm 더 ❶ 길이이므로
가로는 $\left(3\frac{2}{7}+3\frac{❷}{7}\right)$ cm입니다.

답 ❶ 긴 ❷ 5

▶정답 및 풀이 7쪽

5 0부터 9까지의 수 중에서 □ 안에 들어갈 수 있는 수를 모두 쓰시오.

27.64>27.6□5

(　　　　　　　　)

Tip

자연수 부분이 같으므로 소수 첫째 자리의 수를 비교합니다.
소수 ❶□ 자리의 수가 같으므로 소수 둘째 자리 숫자를 ❷□하여 □ 안에 알맞은 수를 찾습니다.

답 ❶ 첫째 ❷ 비교

6 어떤 수의 $\frac{1}{100}$은 0.156입니다. 어떤 수는 얼마인지 구하시오.

(　　　　　　　　)

Tip

어떤 수의 $\frac{1}{100}$이 0.156이므로 거꾸로 0.156의 ❶□ 배가 어떤 수입니다.

어떤 수 —$\frac{1}{100}$→ 0.156, 0.156 —❷□배→ 어떤 수

답 ❶ 100 ❷ 100

7 가장 긴 변과 가장 짧은 변의 길이의 차를 구하시오.

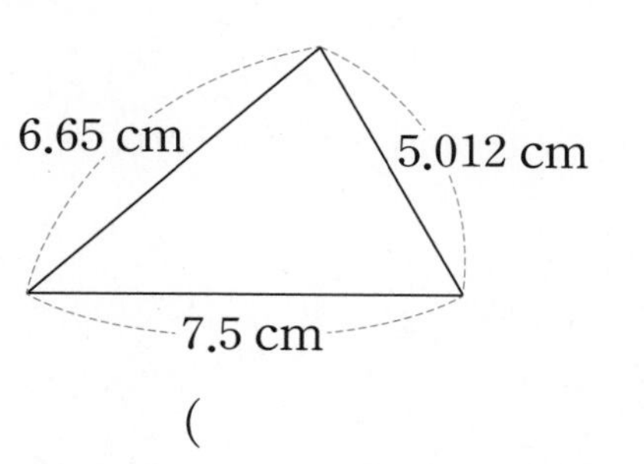

(　　　　　　　　)

Tip

세 수의 크기를 비교합니다.
자연수 부분부터 비교하면 가장 큰 소수는 ❶□이고, 가장 작은 소수는 ❷□입니다.

답 ❶ 7.5 ❷ 5.012

8 다음 카드를 각각 한 번씩 사용하여 만들 수 있는 가장 큰 소수 한 자리 수와 가장 작은 소수 두 자리 수의 합을 구하시오.

[1] [7] [.] [1]

(　　　　　　　　)

Tip

수가 3개 있으므로 소수 ❶□ 자리 수를 만들 때에는 □□.□ 형태로, 소수 ❷□ 자리 수를 만들 때에는 □.□□ 형태로 만듭니다.

답 ❶ 한 ❷ 두

1주

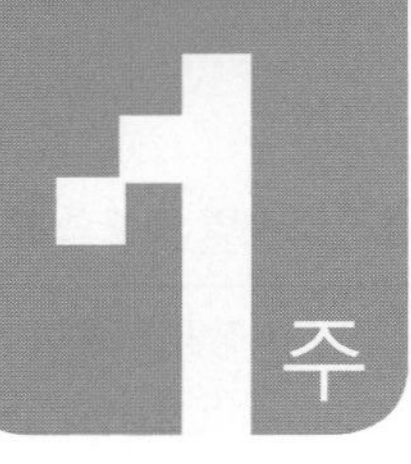

누구나 만점 전략

01 두 분수의 합을 구하시오.

$4\frac{6}{11}$, $5\frac{7}{11}$

(　　　　　　　　　　)

02 계산 결과를 비교하여 ○ 안에 >, =, <를 알맞게 써넣으시오.

$2\frac{8}{12}$ ○ $3\frac{7}{12}-\frac{9}{12}$

03 다음 중 나머지 넷과 다른 하나는 어느 것입니까? (　　　)

① $\frac{39}{9}$　　② $4\frac{3}{9}$

③ $3\frac{2}{9}+1\frac{1}{9}$　　④ $2\frac{1}{9}+2\frac{1}{9}$

⑤ $6\frac{5}{9}-2\frac{2}{9}$

04 가장 긴 우산과 가장 짧은 우산의 길이의 차를 구하시오.

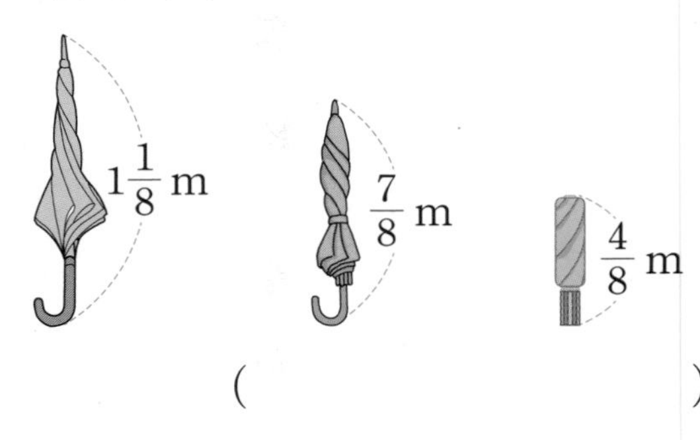

(　　　　　　　　　　)

05 시현이는 화분에 상추 씨앗을 심으려고 합니다. 흙 $1\frac{5}{13}$ kg을 화분에 넣고, 씨앗을 놓은 다음 흙 $\frac{2}{13}$ kg으로 덮었습니다. 시현이가 사용한 흙은 모두 몇 kg입니까?

(　　　　　　　　　　)

▶정답 및 풀이 8쪽

06 ㉠과 ㉡에 알맞은 소수를 각각 구하시오.

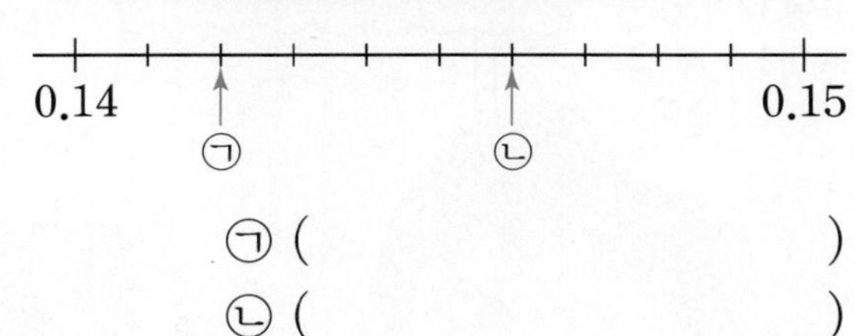

㉠ (　　　　　　　　)
㉡ (　　　　　　　　)

07 □ 안에 알맞은 소수를 써넣으시오.

(1) 0.034의 10배는 □입니다.

(2) 3.4의 $\frac{1}{10}$은 □입니다.

08 가장 큰 수에서 가장 작은 수를 뺀 값을 구하시오.

8.47, 4.056, 23.15

(　　　　　　　　)

09 □ 안에 알맞은 숫자를 써넣으시오.

$$\begin{array}{r} 0.\square\,5\,9 \\ +\;0.1\,\square \\ \hline 0.6\,0\,\square \end{array}$$

10 출발 지점에서 도착 지점까지 그려진 길의 길이를 구하시오.

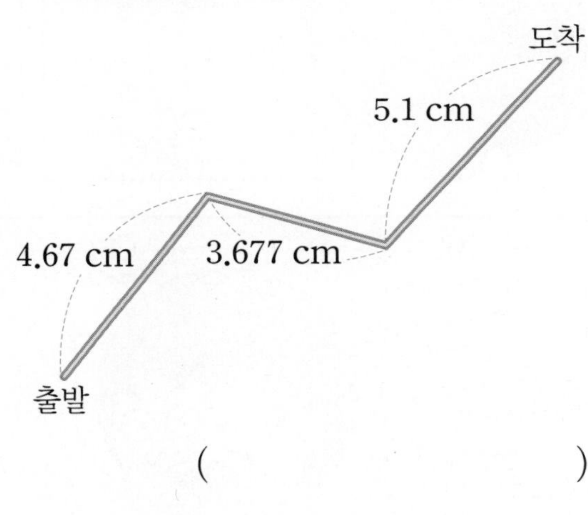

(　　　　　　　　)

창의·융합·코딩 전략 ❶

창의 융합

1 위 대화를 읽고 츄러스를 덜 먹게 되는 사람을 오른쪽에서 찾아 ○표 하시오.

(　　　　) (　　　　)

▶정답 및 풀이 8쪽

창의 융합

2 $\frac{1}{100}$을 소수로 바꾸면 얼마인지 쓰고, 소수 둘째 자리 숫자가 무엇인지 구하시오.

소수로 바꾸기 (　　　　　　　　　　)

소수 둘째 자리 숫자 (　　　　　　　　　　)

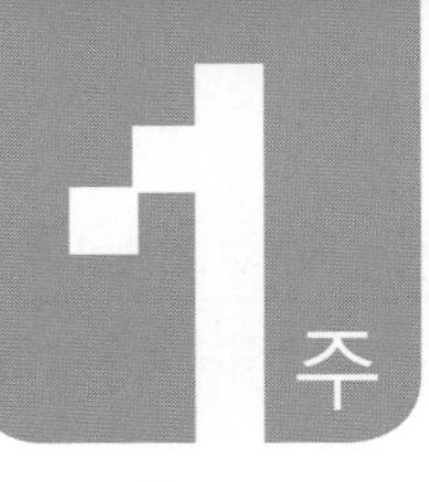

창의·융합·코딩 전략 ❷

창의 융합

1

3일 동안 달리기를 했습니다. 그림을 보고 3일 동안 달린 거리는 모두 몇 km인지 구하시오.

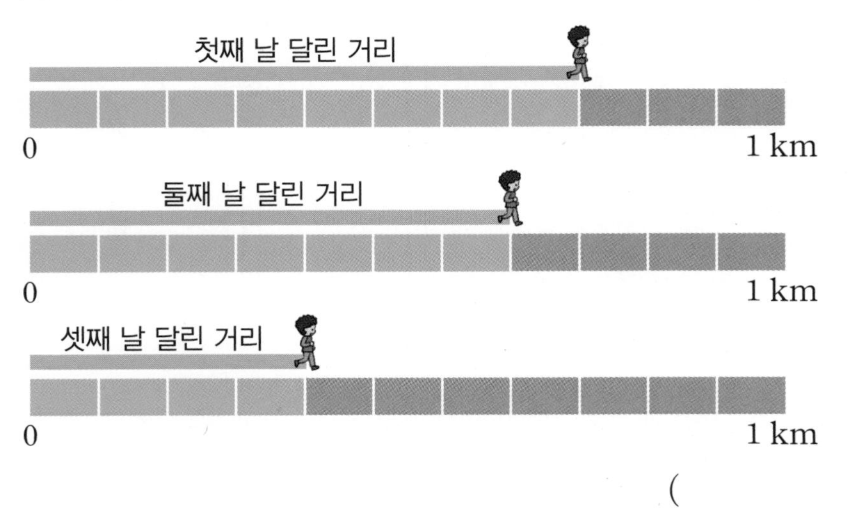

( )

Tip

첫째 날 달린 거리는 $\frac{8}{11}$ km, 둘째 날 달린 거리는 $\frac{❶}{11}$ km, 셋째 날 달린 거리는 $\frac{❷}{11}$ km입니다.

[답] ❶ 7 ❷ 4

추론

2

윗접시저울의 양쪽에 놓인 무게가 서로 같게 만들려고 합니다. 어느 곳에 어느 추를 올려놓으면 좋을지 알맞은 추 1개에 ○표 하고, 올려놓아야 하는 곳으로 화살표를 그리시오.

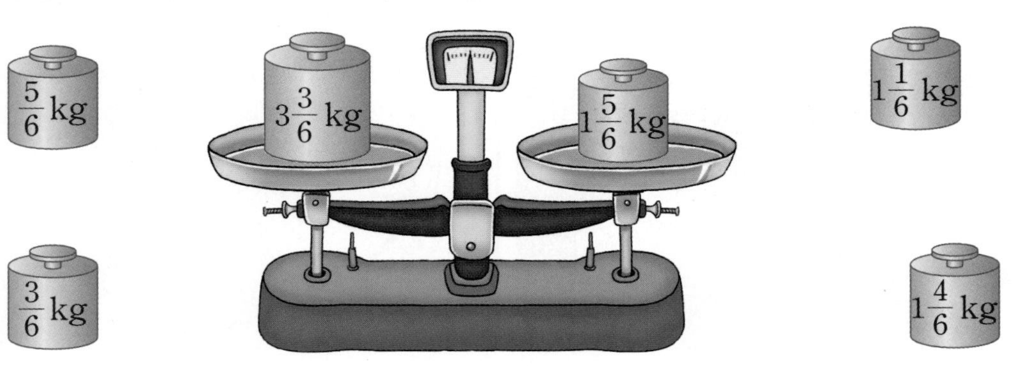

Tip

$3\frac{3}{6}$ kg과 $1\frac{5}{6}$ kg을 비교하여 더 ❶ 것이 있는 곳에 추를 올려 놓아야 합니다.

$3\frac{3}{6}$ kg과 $1\frac{5}{6}$ kg의 ❷ 을/를 구하여 올려놓아야 할 추의 무게를 구합니다.

[답] ❶ 가벼운 ❷ 차

▶정답 및 풀이 9쪽

3 다음 숫자를 한 번씩 이용하여 분모가 같은 가장 큰 대분수와 가장 작은 진분수를 만들고 합을 구하시오.

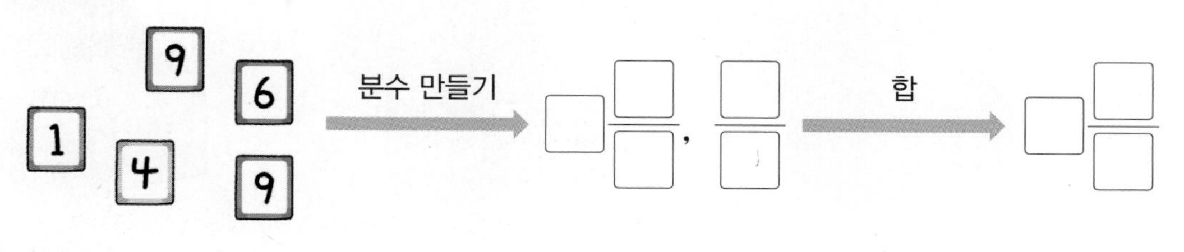

Tip

분모가 같은 분수를 만들어야 하므로 2개가 있는 숫자를 분모에 놓습니다.
가장 큰 대분수를 만들 때에는 ❶ ☐ 부분에 가장 큰 수를 놓습니다.
가장 작은 진분수를 만들 때에는 가장 작은 수를 ❷ ☐ 에 놓습니다.

[답] ❶ 자연수 ❷ 분자

코딩

4 시작 지점에서 시작하여 왼쪽에 주어진 방법으로 움직여서 순서대로 계산을 합니다. 알맞은 도착 지점에 ○표 하고 결과를 구하시오.

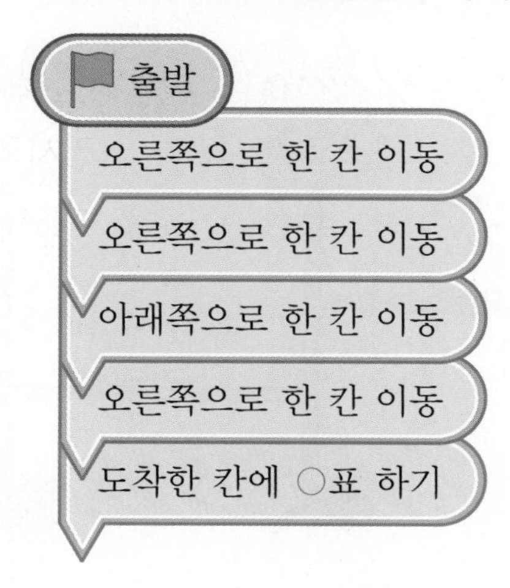

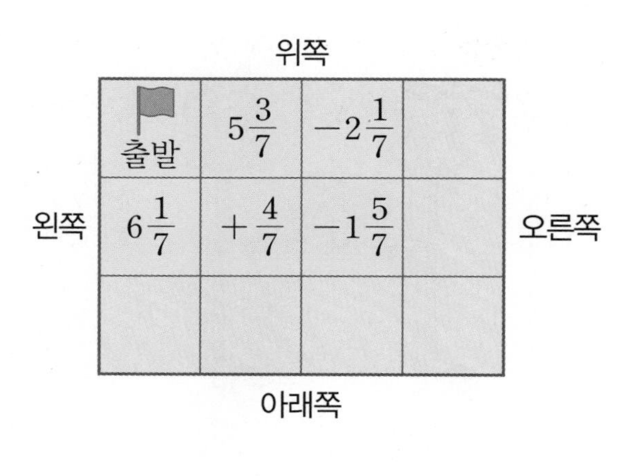

( )

Tip

오른쪽으로 한 칸 가면 ❶ ☐, 오른쪽으로 한 칸 더 가면 $-2\frac{1}{7}$, 아래쪽으로 한 칸 가면 ❷ ☐ 입니다.
오른쪽으로 한 칸 더 가서 도착한 칸에 ○표 합니다.

[답] ❶ $5\frac{3}{7}$ ❷ $-1\frac{5}{7}$

5 무거운 것부터 순서대로 놓으려고 합니다. 어느 곳에 놓아야 하는지 선을 그으시오.

Tip

소수의 크기는 자연수 부분부터 비교합니다. 자연수 부분이 같으면 소수 ❶ ☐ 자리 수부터 차례로 ❷ ☐ 합니다.

[답] ❶ 첫째 ❷ 비교

6 길을 따라 내려가면서 옆으로 가는 길을 만나면 옆으로 이동합니다. 이때 $\frac{1}{10}$인 수, $\frac{1}{100}$인 수를 알맞게 구하여 빈 곳에 써넣으시오.

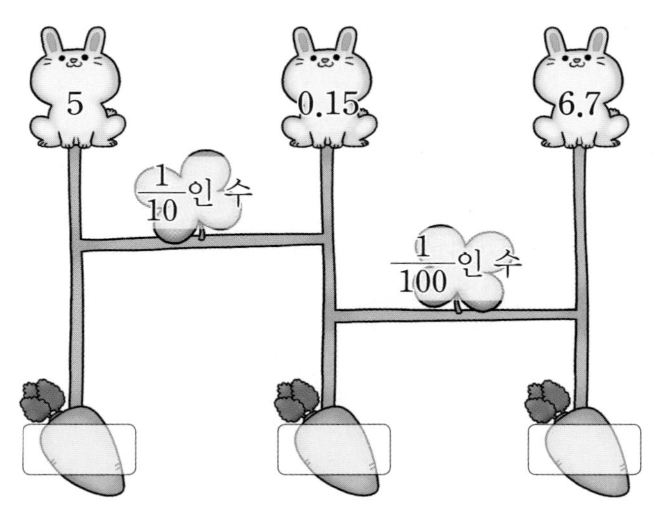

Tip

자연수는 오른쪽 끝의 수 뒤에 소수점이 있는 것으로 생각합니다.

$\frac{1}{10}$을 구하면 소수점을 기준으로 수가 ❶ ☐ 쪽으로 한 칸씩 이동하고, $\frac{1}{❷ ☐}$을 구하면 소수점을 기준으로 수가 오른쪽으로 두 칸씩 이동합니다.

[답] ❶ 오른 ❷ 100

▶정답 및 풀이 9쪽

창의 융합

7 두 사람이 자전거를 타고 마주 보고 달리고 있습니다. 두 사람이 같은 빠르기로 일정하게 달렸을 때 부딪힐 때까지 두 사람이 움직인 거리는 모두 몇 km인지 구하시오.

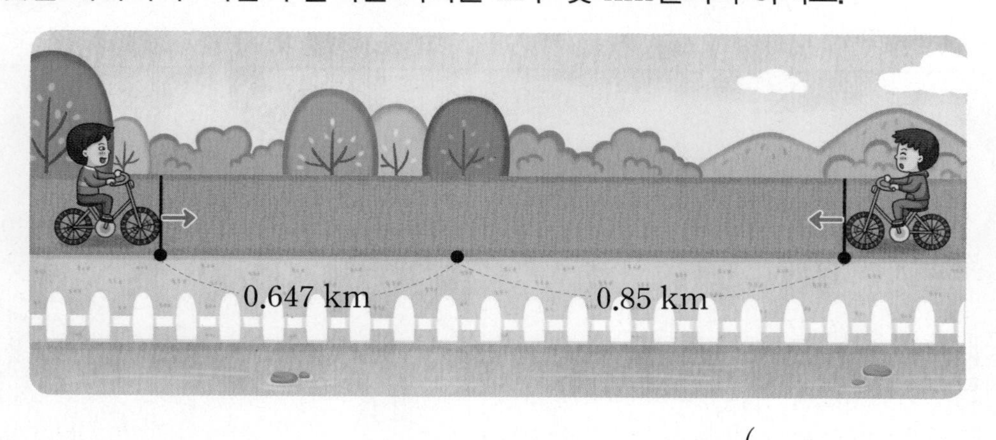

(　　　　　　　　　　)

Tip

두 사람이 같은 빠르기로 일정하게 마주 보고 달렸으므로 두 사람은 길의 한 ❶ [　　　] 에서 만납니다.
두 사람이 움직인 거리는 주어진 두 거리를 ❷ [　　　] 것과 같습니다.

[답] ❶ 가운데 ❷ 더한

문제 해결

8 ⟶을 따라 계산한 결과가 0.257입니다. ★에 알맞은 소수를 구하시오.

-0.4	$+0.3$	-0.1	$+0.01$	→ 0.257
$+0.02$	$+0.04$	-0.3	-0.01	
★	-1	$+0.05$	$+0.5$	

(　　　　　　　　　　)

Tip

결과가 주어져 있으므로 거꾸로 생각하여 계산합니다. 0.257에서 거꾸로 한 칸 갈 때 -0.01을 하면 0.247,
이 수에서 거꾸로 한 칸 갈 때 $+0.1$을 하면 ❶ [　　　], 이 수에서 거꾸로 한 칸 갈 때 -0.3을 하면 ❷ [　　　], ……
입니다.

[답] ❶ 0.347 ❷ 0.047

2
주

삼각형, 사각형

비스킷
먹을래?

그건 물어 보지
않아도 돼. 당연히
먹을테니까.
힝~ 그렇군.

비스킷 모양이
다르네.
그중에
이등변삼각형 모양
비스킷을 먹어.

일등변삼각형은
없어?
일등변삼각형은
이 세상에 없어.

이등변삼각형이
뭔지 모르겠어.
그건 구별하기
쉬워!

두 변의 길이가
같은 삼각형을
이등변삼각형이라고
하는 거야.

아~ 그렇구나.
그럼 삼등변
삼각형은 없어?
없어!!
없어!!

학습할 내용

❶ 이등변삼각형
❷ 정삼각형
❸ 예각삼각형, 둔각삼각형
❹ 수직, 평행, 평행선 사이의 거리
❺ 사다리꼴, 평행사변형
❻ 마름모, 직사각형, 정사각형

개념 1 이등변삼각형

[관련 단원] 삼각형

● 이등변삼각형 알아보기

이등변삼각형: 두 변의 길이가 같은 삼각형

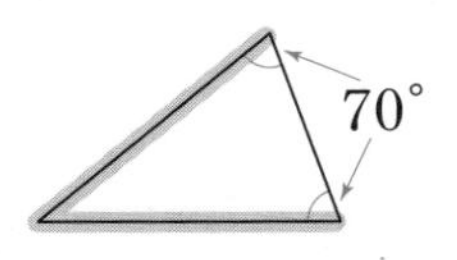

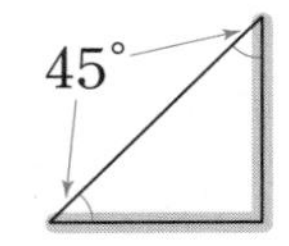

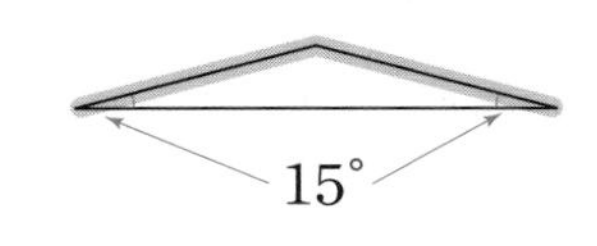

➡ 이등변삼각형은 두 각의 크기가 같습니다.

이등변삼각형인지 알아볼 때에는 두 변의 ❶ ___가 같은지 확인합니다.
또는 ❷ ___가 같은 두 각이 있는지 확인합니다.

답 ❶ 길이 ❷ 크기

개념 2 정삼각형

[관련 단원] 삼각형

● 정삼각형 알아보기

정삼각형: 세 변의 길이가 같은 삼각형

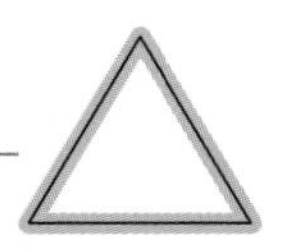

정삼각형에는 길이가 같은 두 변이 있으므로 이등변삼각형이라고 할 수 있습니다.

➡ 정삼각형은 세 각의 크기가 같습니다.
삼각형의 세 각의 크기의 합은 180°이므로 한 각의 크기는 $180° \div 3 = 60°$입니다.

정삼각형인지 알아볼 때에는 ❶ ___ 변의 길이가 같은지 확인합니다.
또는 크기가 60°인 각이 2개 있는지 확인합니다.
두 각의 크기가 ❷ ___°인 삼각형은 정삼각형이 됩니다.

답 ❶ 세 ❷ 60

개념 3 예각삼각형, 둔각삼각형

[관련 단원] 삼각형

● 예각삼각형 알아보기

예각삼각형: 세 각이 모두 예각인 삼각형

• 예각: 0°보다 크고 90°보다 작은 각
• 둔각: 90°보다 크고 180° 보다 작은 각

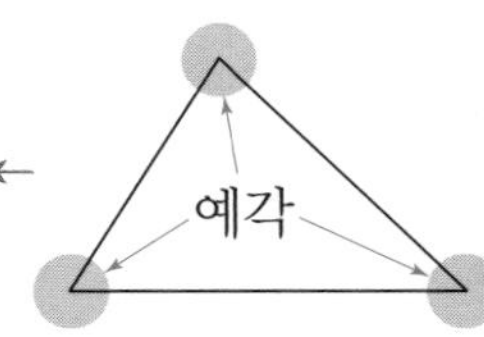

● 둔각삼각형 알아보기

둔각삼각형: 한 각이 둔각인 삼각형

둔각삼각형은 한 각이 둔각, 나머지 두 각이 예각입니다.

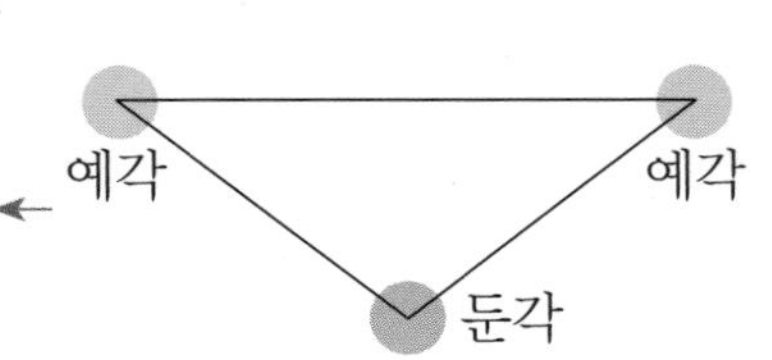

정삼각형은 ❶ ___ 각이 모두 예각이므로 ❷ ___삼각형입니다.

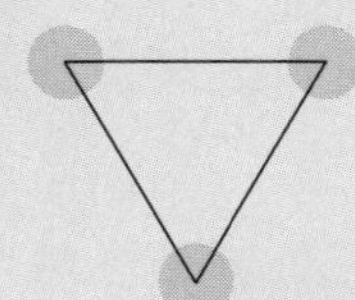

답 ❶ 세 ❷ 예각

개념 기초 확인

▶정답 및 풀이 10쪽

1-1 이등변삼각형에 ○표 하시오.

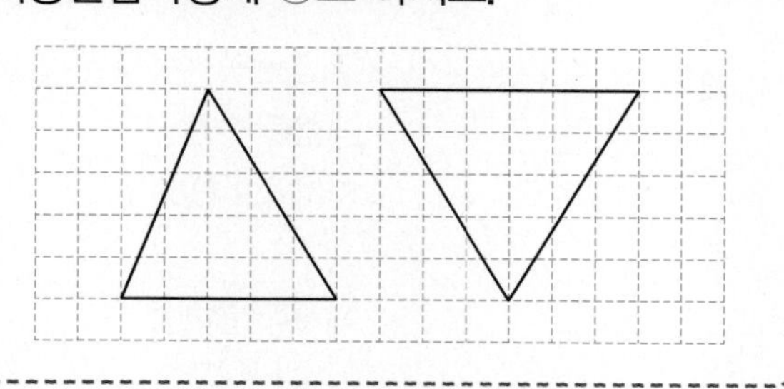

• **풀이** • 이등변삼각형은 ❶ ☐ 변의 길이가 같은 ❷ ☐ 각형입니다.

답 ❶ 두 ❷ 삼

1-2 이등변삼각형에 ○표 하시오.

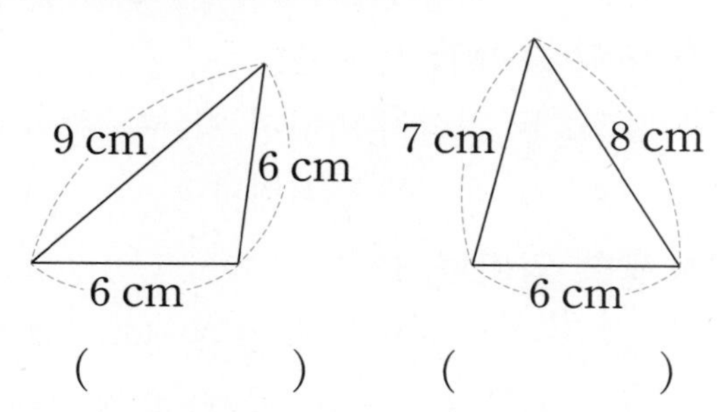

(　　　　)　(　　　　)

2-1 정삼각형에 ○표 하시오.

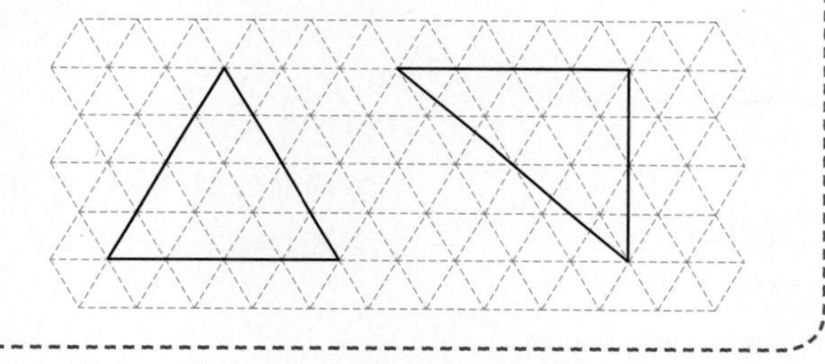

• **풀이** • 정삼각형은 ❶ ☐ 변의 길이가 같은 ❷ ☐ 각형입니다.

답 ❶ 세 ❷ 삼

2-2 정삼각형에 ○표 하시오.

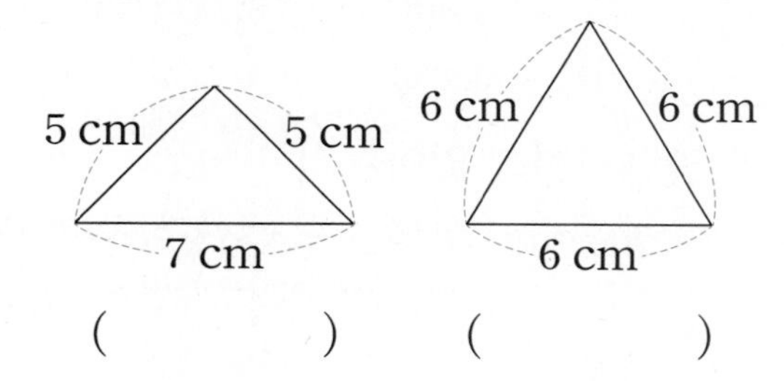

(　　　　)　(　　　　)

3-1 예각삼각형에 ○표, 둔각삼각형에 △표 하시오.

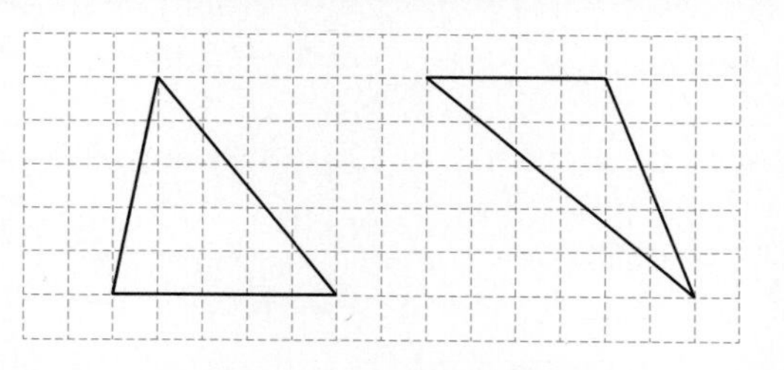

• **풀이** • 예각삼각형은 세 각이 모두 ❶ ☐ 각인 삼각형입니다.

둔각삼각형은 ❷ ☐ 각이 둔각인 삼각형입니다.

답 ❶ 예 ❷ 한

3-2 예각삼각형에 ○표, 둔각삼각형에 △표 하시오.

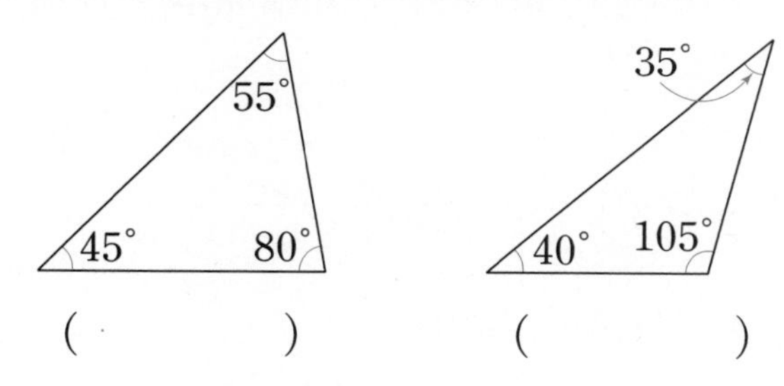

(　　　　)　(　　　　)

개념 4 수직, 평행, 평행선 사이의 거리

[관련 단원] 사각형

● 수직 알아보기

수직: 두 직선이 만나서 이루는 각이 직각일 때 두 직선은 수직입니다.

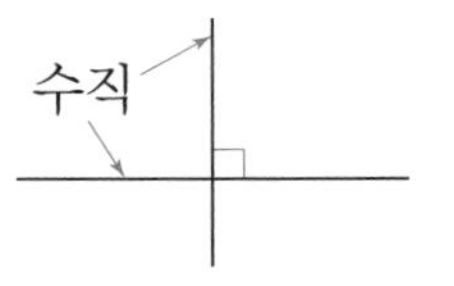

● 평행 알아보기

평행: 서로 만나지 않는 두 직선은 평행합니다.

평행선 사이의 거리: 평행선의 한 직선에서 다른 직선에 그은 수선의 길이

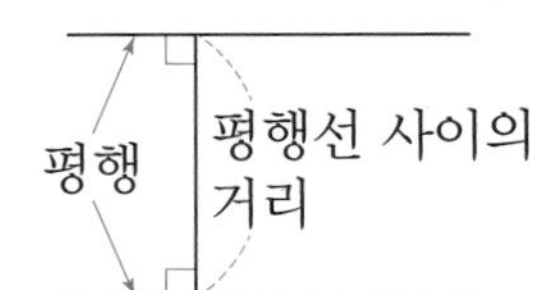

- 두 직선이 수직으로 만났을 때 한 직선을 다른 ❶ ☐에 대한 수선이라고 합니다.
- 평행한 두 직선을 ❷ ☐선이라고 합니다.

답 ❶ 직선 ❷ 평행

개념 5 사다리꼴, 평행사변형

[관련 단원] 사각형

● 사다리꼴 알아보기

사다리꼴: 평행한 변이 한 쌍이라도 있는 사각형

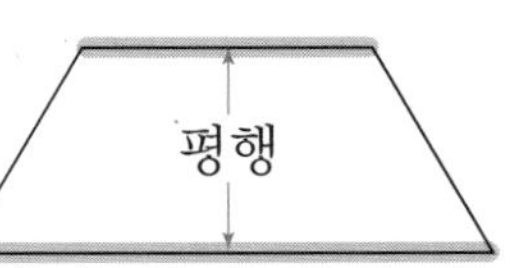

● 평행사변형 알아보기

평행사변형: 마주 보는 두 쌍의 변이 서로 평행한 사각형

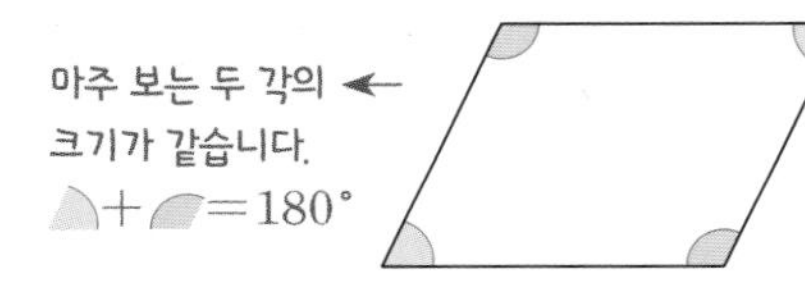

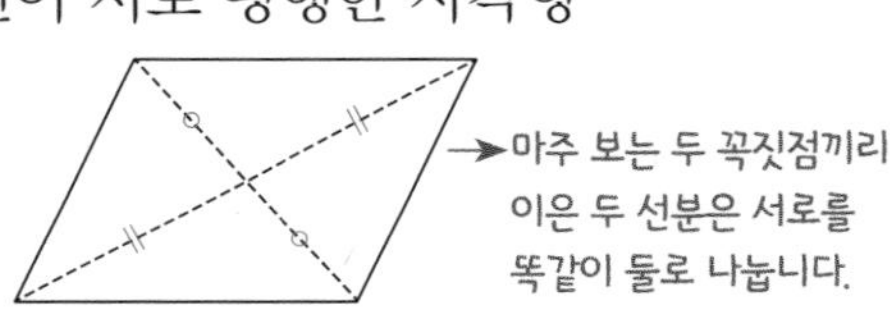

- 사다리꼴은 평행한 변이 ❶ ☐ 쌍이라도 있는 사각형입니다.
- 평행사변형은 ❷ ☐한 변이 있기 때문에 사다리꼴이라고 할 수 있습니다.

답 ❶ 한 ❷ 평행

개념 6 마름모, 직사각형, 정사각형

[관련 단원] 사각형

● 마름모, 직사각형 알아보기

마름모: 네 변의 길이가 모두 같은 사각형

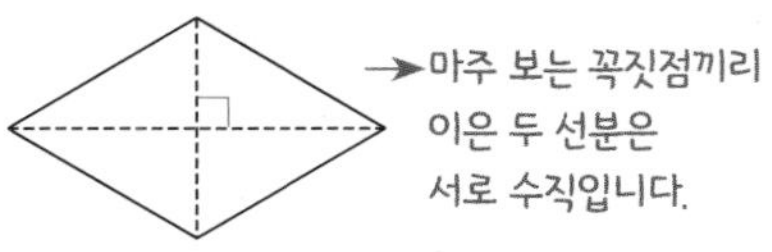

직사각형: 네 각이 모두 직각인 사각형

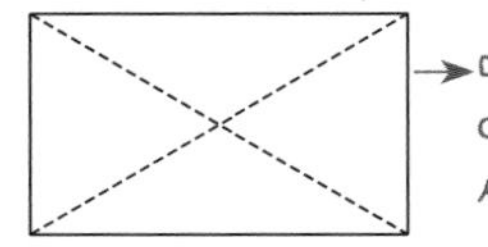

● 정사각형 알아보기

정사각형: 네 각이 모두 직각이고 네 변의 길이가 모두 같은 사각형

➡ 직사각형과 마름모의 성질을 모두 가집니다.

- 마름모는 마주 보는 ❶ ☐ 쌍의 변이 평행하므로 평행사변형이라고 할 수 있습니다.
- 직사각형은 마주 보는 두 쌍의 변이 ❷ ☐하므로 평행사변형이라고 할 수 있습니다.

답 ❶ 두 ❷ 평행

개념 기초 확인

▶정답 및 풀이 10쪽

4-1 두 직선이 평행하면 ○표, 수직이면 △표 하시오.

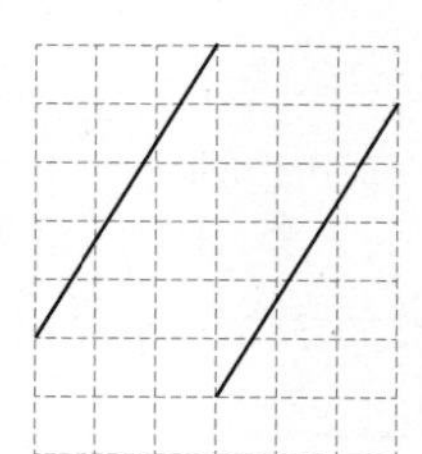
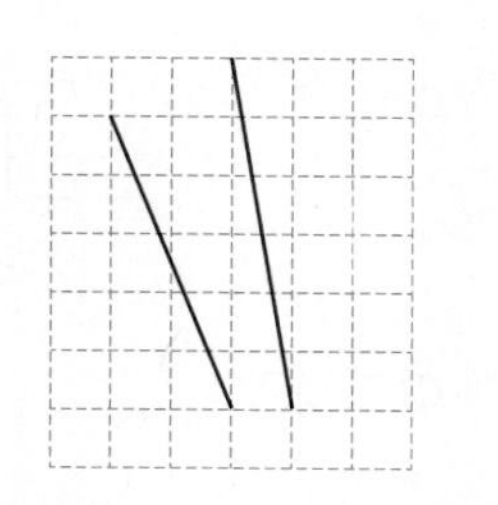

• **풀이** • ❶ [ ] 선은 아무리 늘여도 만나지 않는 두 직선입니다.
두 직선이 만나서 이루는 각이 ❷ [ ] 일 때 두 직선은 수직입니다.

답 ❶ 평행 ❷ 직각(또는 90°)

4-2 두 직선이 평행하면 ○표, 수직이면 △표 하시오.

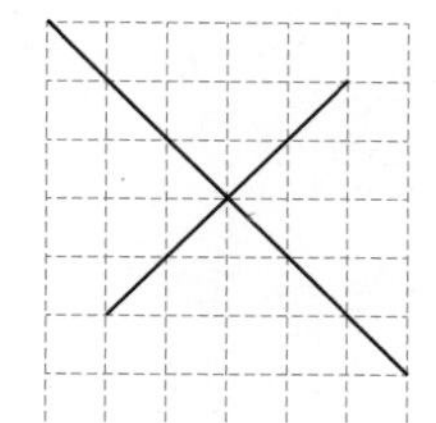
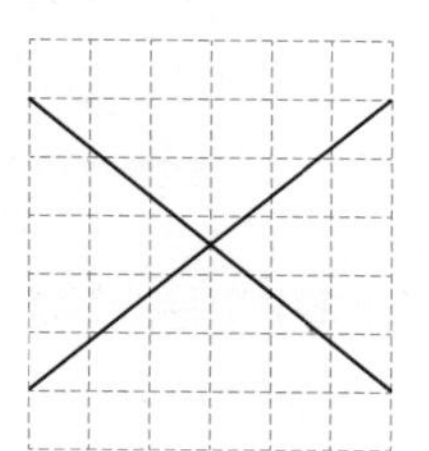

5-1 사다리꼴에 ○표 하시오.

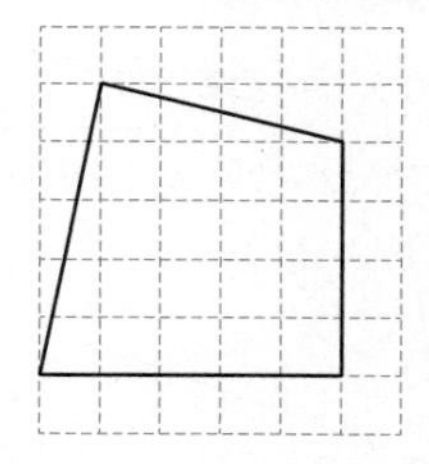
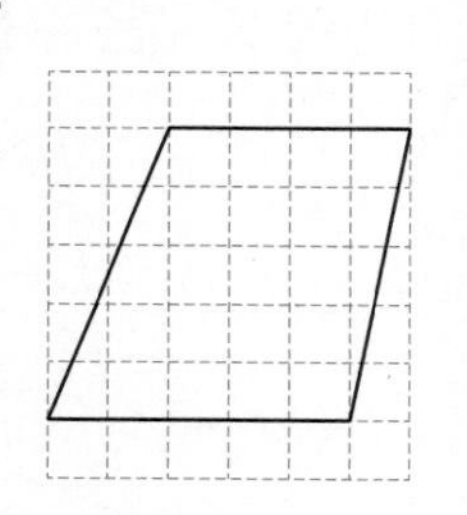

• **풀이** • 사다리꼴에는 평행한 변이 ❶ [ ] 습니다.
❷ [ ] 한 변이 없으면 사다리꼴이 아닙니다. 답 ❶ 있 ❷ 평행

5-2 사다리꼴에 ○표 하시오.

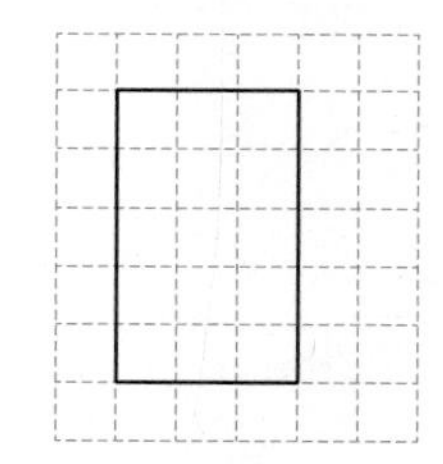
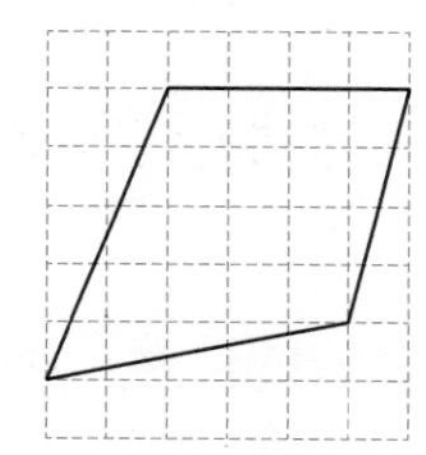

6-1 마름모에 ○표 하시오.

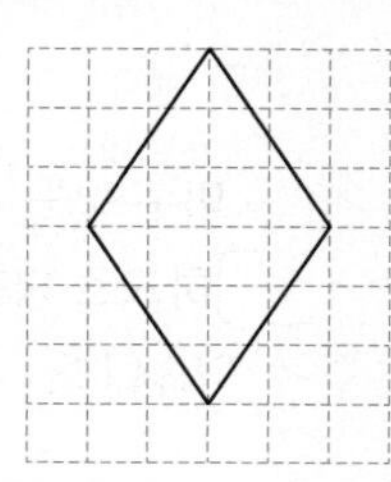
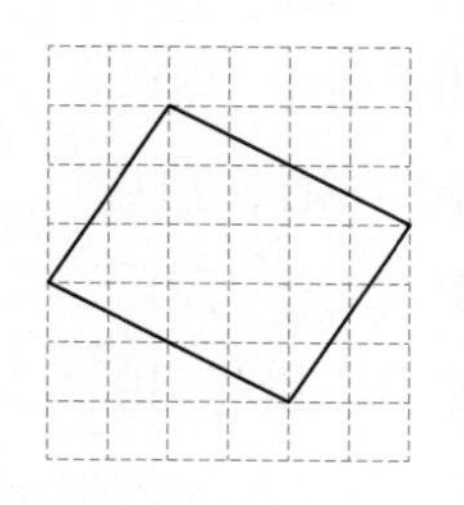

• **풀이** • 마름모는 ❶ [ ] 변의 길이가 같습니다.
마름모는 마주 보는 ❷ [ ] 끼리 평행합니다. 답 ❶ 네 ❷ 변

6-2 마름모에 ○표 하시오.

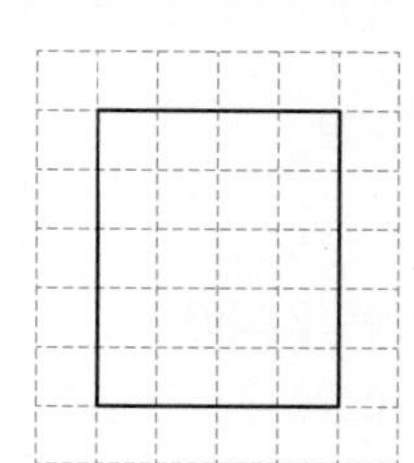
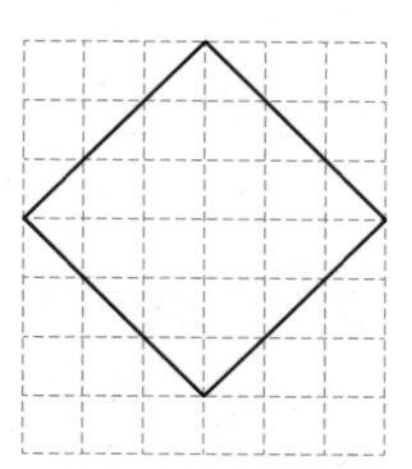

2 주

예제 1 이등변삼각형의 각의 크기

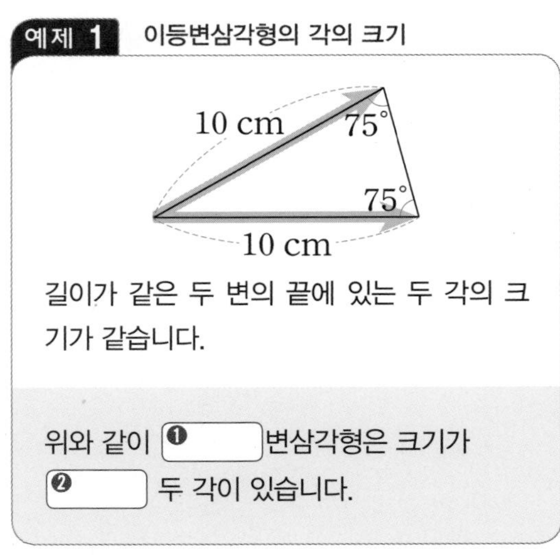

길이가 같은 두 변의 끝에 있는 두 각의 크기가 같습니다.

위와 같이 ❶ □ 변삼각형은 크기가 ❷ □ 두 각이 있습니다.

[답] ❶ 이등 ❷ 같은

예제 2 정삼각형의 각의 크기

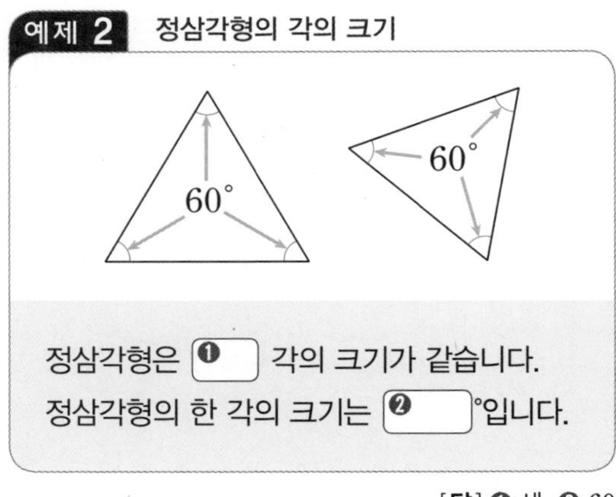

정삼각형은 ❶ □ 각의 크기가 같습니다.
정삼각형의 한 각의 크기는 ❷ □°입니다.

[답] ❶ 세 ❷ 60

예제 3 예각삼각형, 둔각삼각형 찾기

- 삼각형의 세 각의 크기가 60°(예각), 50°(예각), 70°(예각) 일 때
  ➡ 모두 예각이므로 예각삼각형
- 삼각형의 세 각의 크기가 40°(예각), 30°(예각), 110°(둔각) 일 때
  ➡ 둔각이 있으므로 둔각삼각형

- 둔각이 있으면 ❶ □ 삼각형입니다.
- 직각이 있으면 직각삼각형입니다.
- 둔각이나 직각이 없이 모두 예각이면 ❷ □ 삼각형입니다.

[답] ❶ 둔각 ❷ 예각

1 □ 안에 알맞은 수를 써넣으시오.

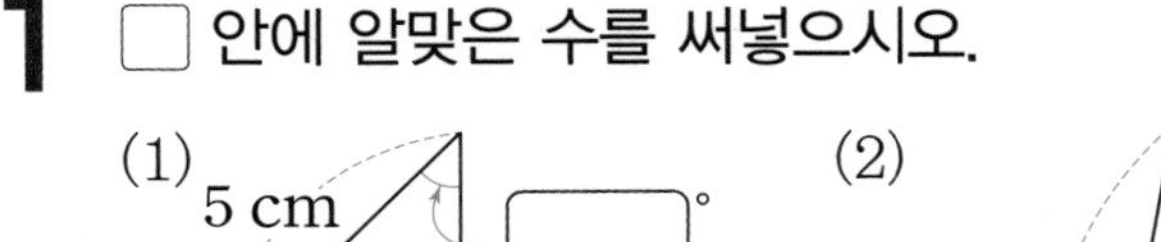

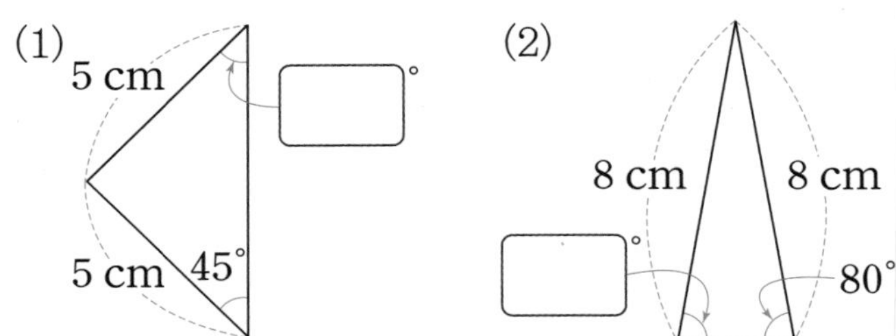

2 다음에서 찾을 수 있는 삼각형은 모두 정삼각형입니다. □ 안에 알맞은 수를 써넣으시오.

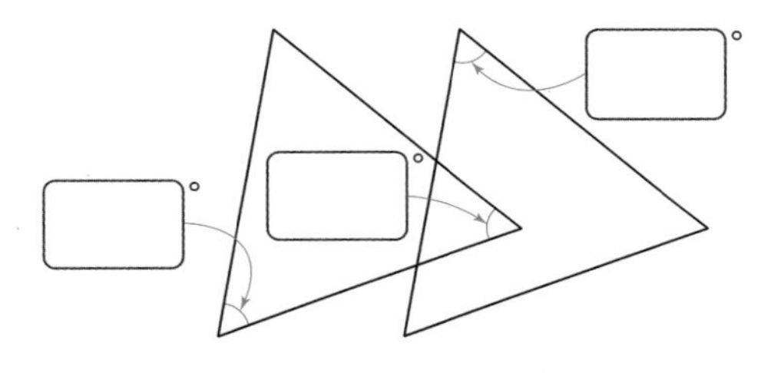

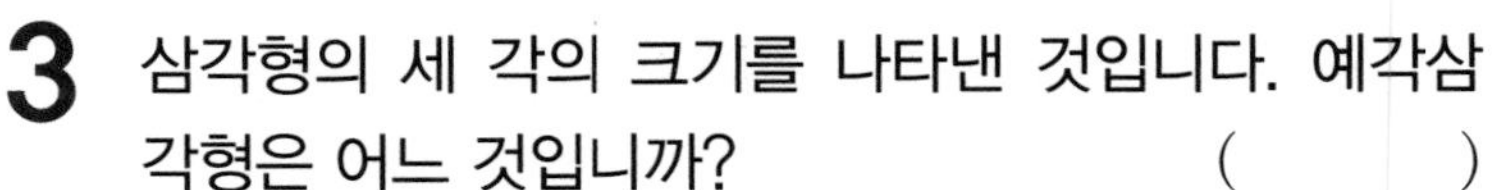

3 삼각형의 세 각의 크기를 나타낸 것입니다. 예각삼각형은 어느 것입니까? (　　　)

① 70°, 40°, 70°
② 80°, 10°, 90°
③ 40°, 30°, 110°
④ 40°, 90°, 50°
⑤ 130°, 20°, 30°

예제 4 평행선 사이의 거리

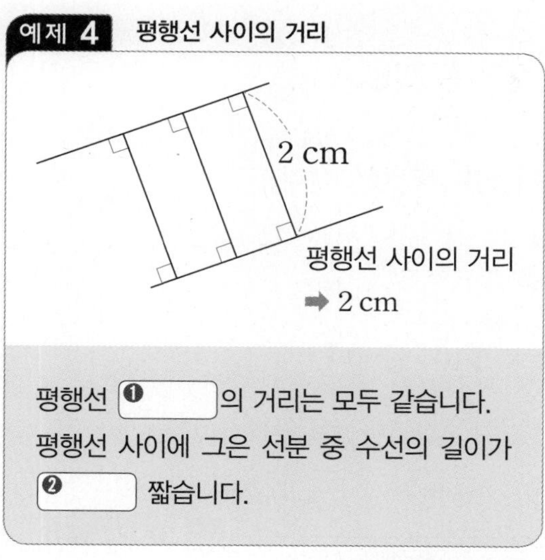

평행선 ❶ ☐ 의 거리는 모두 같습니다.
평행선 사이에 그은 선분 중 수선의 길이가 ❷ ☐ 짧습니다.

[답] ❶ 사이 ❷ 가장

4 평행선 사이의 거리가 3 cm가 되도록 주어진 직선과 평행한 직선을 그으시오.

예제 5 평행사변형에서 각도, 길이 구하기

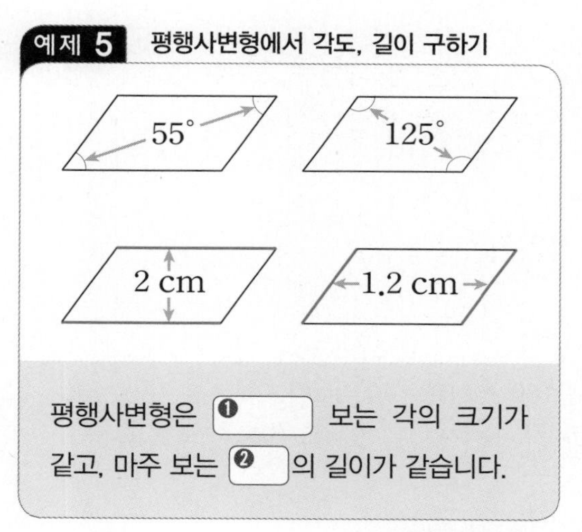

평행사변형은 ❶ ☐ 보는 각의 크기가 같고, 마주 보는 ❷ ☐ 의 길이가 같습니다.

[답] ❶ 마주 ❷ 변

5 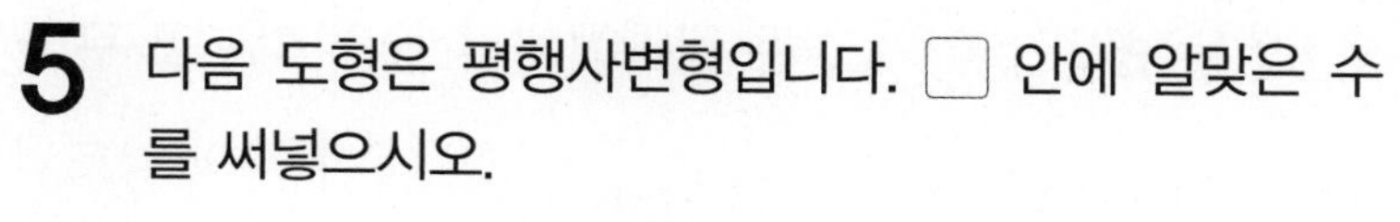
다음 도형은 평행사변형입니다. ☐ 안에 알맞은 수를 써넣으시오.

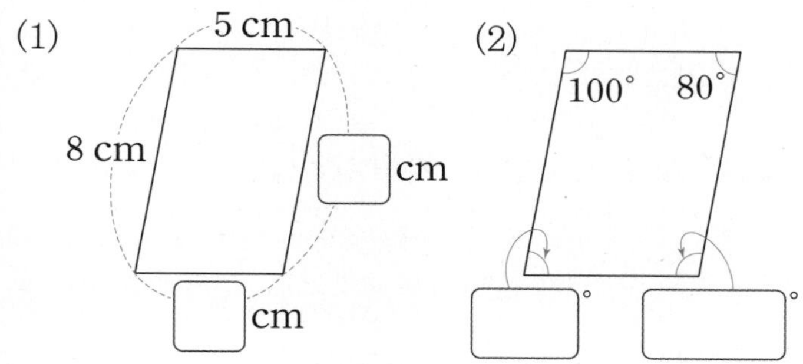

예제 6 마름모에서 각도, 길이 구하기

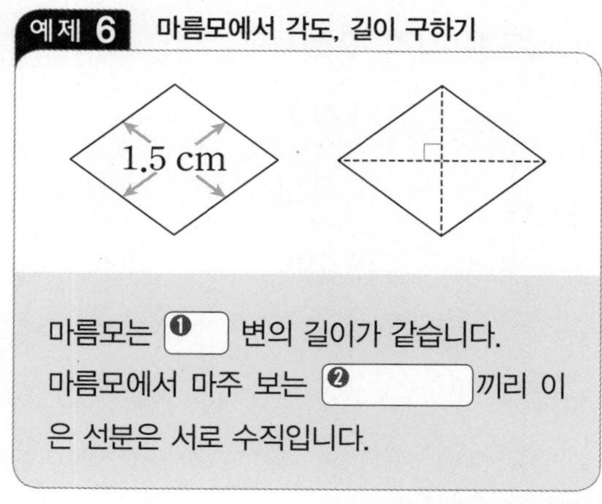

마름모는 ❶ ☐ 변의 길이가 같습니다.
마름모에서 마주 보는 ❷ ☐ 끼리 이은 선분은 서로 수직입니다.

[답] ❶ 네 ❷ 꼭짓점

6 다음 도형은 마름모입니다. ☐ 안에 알맞은 수를 써넣으시오.

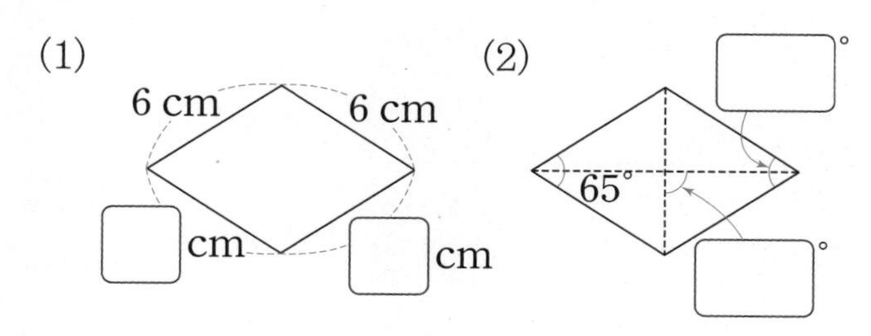

2 주

전략 1 삼각형에서 각의 크기 구하기

[관련 단원] 삼각형

예 두 변의 길이가 같은 삼각형에서 각의 크기 구하기

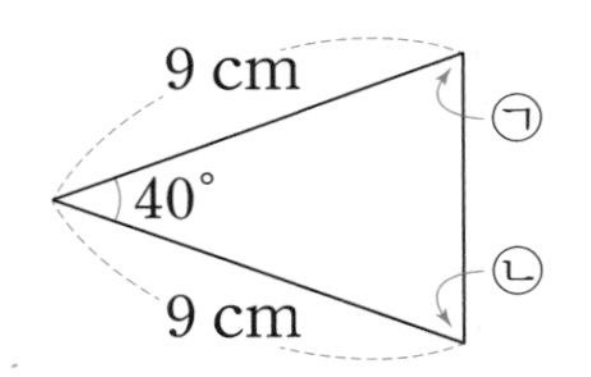

① 길이가 같은 두 변이 있으므로 이등변삼각형입니다.

➡ ㉠과 ㉡은 각도가 같습니다.

② 삼각형의 세 각의 크기의 합은 ❶ [ ]°입니다.

➡ ㉠과 ㉡의 합은 180° − 40° = 140° 입니다.

③ 140을 2로 나누면 70입니다.

➡ ㉠ = 70°, ㉡ = ❷ [ ]°

답 ❶ 180 ❷ 70

필수 예제 01

두 변의 길이가 같은 삼각형에서 ㉠의 각도를 구하시오.

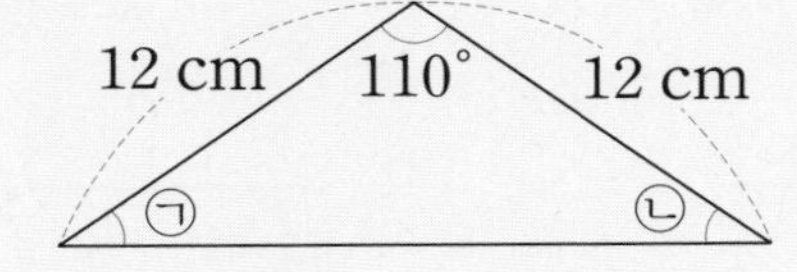

(1) ㉠과 ㉡의 각도의 합은 몇 도입니까?

( )

(2) ㉠의 각도는 몇 도입니까?

( )

풀이 | 삼각형의 세 각의 크기의 합은 180°이므로 ㉠과 ㉡의 각도의 합은 180° − 110° = 70°입니다.
이등변삼각형에서 두 각의 크기가 같으므로 ㉠과 ㉡의 크기는 같습니다. 따라서 ㉠의 각도는 70 ÷ 2 = 35(°)입니다.

확인 1-1

다음은 이등변삼각형입니다. ㉠의 각도를 구하시오.

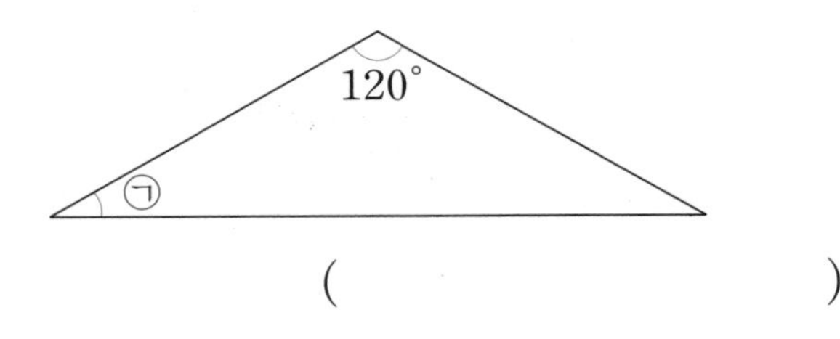

( )

확인 1-2

㉠과 ㉡의 각도를 각각 구하시오.

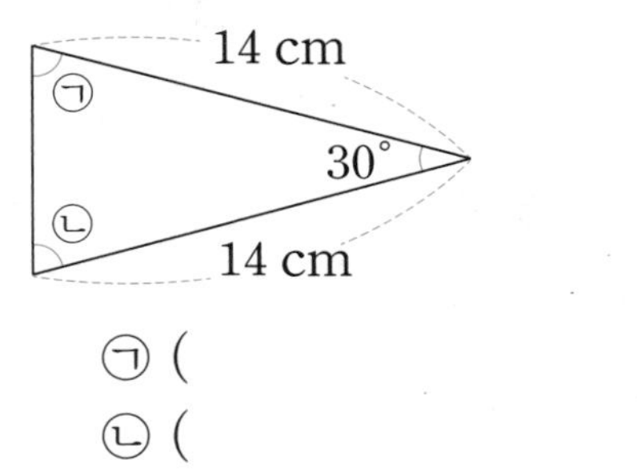

㉠ ( ),

㉡ ( )

▶정답 및 풀이 11쪽

전략 2 크고 작은 삼각형의 개수 구하기

[관련 단원] 삼각형

예 그림에서 찾을 수 있는 크고 작은 둔각삼각형의 수 구하기

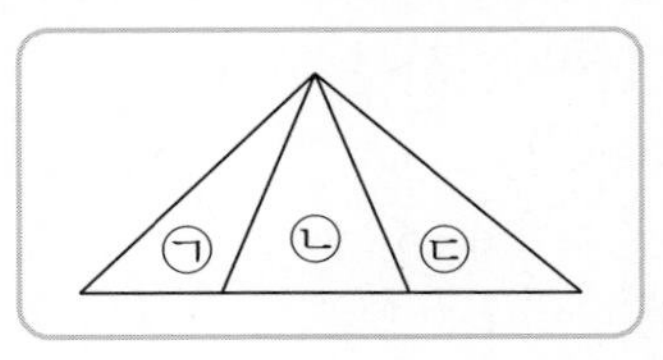

둔각삼각형

❶ [ ] 각삼각형

둔각삼각형

예각삼각형

예각삼각형

둔각삼각형

➡ 둔각이 있는 삼각형은 3개이므로 둔각삼각형은 ❷ [ ] 개입니다.

답 ❶ 예 ❷ 3

필수 예제 02

그림에서 찾을 수 있는 크고 작은 예각삼각형의 수를 구하시오.

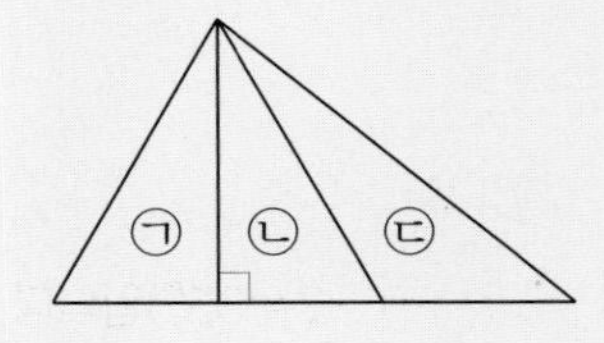

(1) 예각삼각형은 '예', 둔각삼각형은 '둔', 직각삼각형은 '직'을 쓰시오.

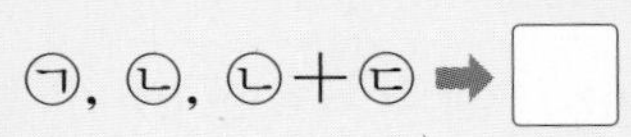

㉠+㉡, ㉠+㉡+㉢ ➡ [ ]

(2) 예각삼각형의 수를 구하시오. ( )

풀이 | ㉠, ㉡, ㉢, ㉠+㉡, ㉡+㉢, ㉠+㉡+㉢이 각각 어떤 삼각형인지 알아봅니다.
예각삼각형, 직각삼각형, 둔각삼각형으로 분류하고 예각삼각형의 수를 세면 2개입니다.

확인 2-1

그림에서 찾을 수 있는 크고 작은 둔각삼각형의 수를 구하시오.

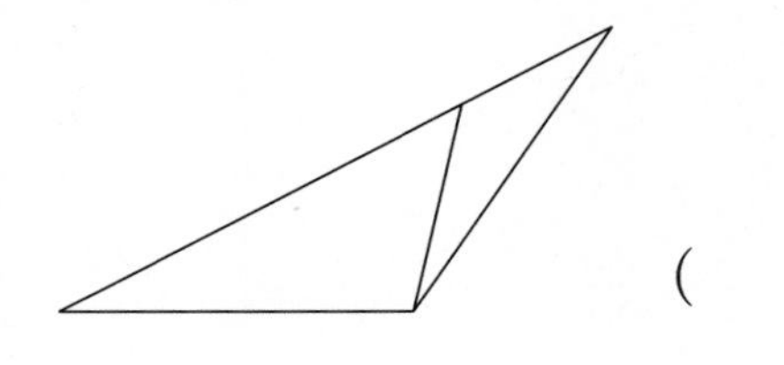

( )

확인 2-2

그림에서 찾을 수 있는 크고 작은 예각삼각형의 수를 구하시오.

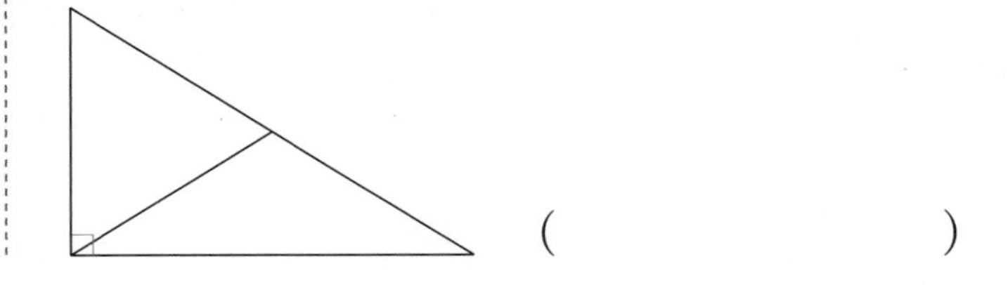

( )

전략 3 도형에서 수선 찾기

[관련 단원] 사각형

예 도형에서 선분 ㄴㄹ에 대한 수선 찾기

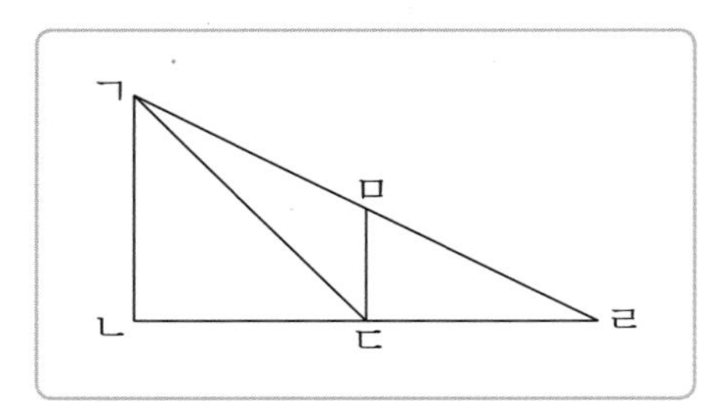

(1) 선분 ㄴㄹ과 ❶ [   ] 각으로 만나는 선분 찾기

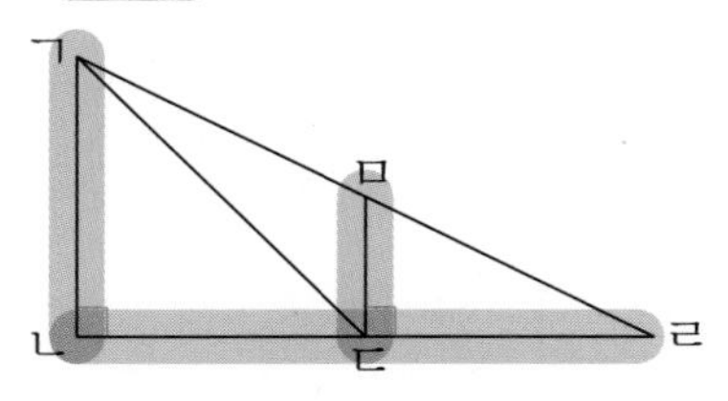

(2) 선분 ㄴㄹ에 대한 수선의 이름 쓰기 ➡ 선분 ㄱㄴ, 선분 ❷ [   ]

답 ❶ 직 ❷ ㅁㄷ

필수 예제 | 03 |

도형에서 변 ㄱㄴ에 대한 수선인 변을 찾아 쓰시오.

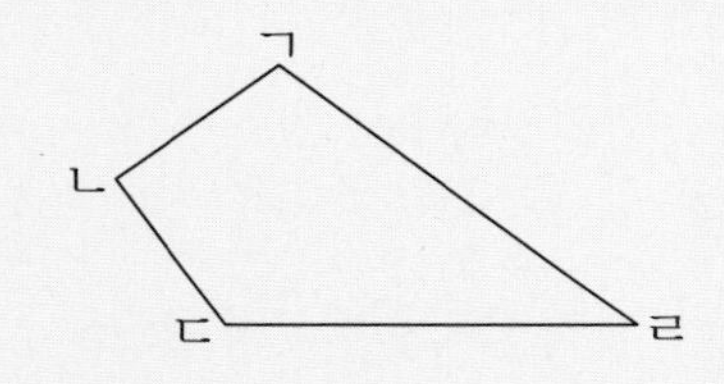

(   )

풀이 | 변 ㄱㄴ과 만나는 변은 변 ㄴㄷ과 변 ㄱㄹ입니다. 이 중 직각으로 만나는 변은 변 ㄴㄷ입니다.

확인 3-1

선분 ㄴㄹ에 대한 수선을 찾아 쓰시오.

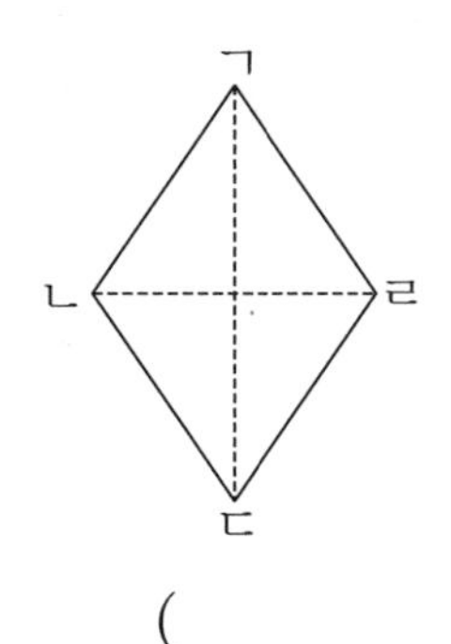

(   )

확인 3-2

육각형의 변 중에서 선분 ㄷㅅ에 대한 수선인 변을 모두 찾아 쓰시오.

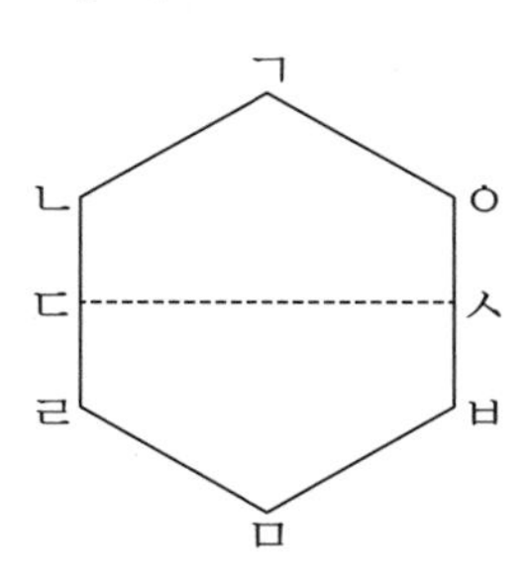

(   )

▶정답 및 풀이 11쪽

전략 4 마름모의 둘레의 길이 구하기

[관련 단원] 사각형

예 한 변의 길이가 11 cm인 마름모의 둘레의 길이 구하기

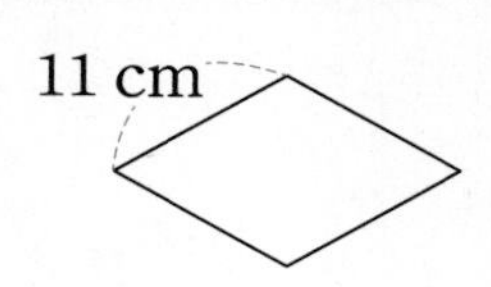

(1) 변의 길이 알아보기

➡ 마름모는 네 변의 길이가 모두 ❶☐ cm입니다.

둘레에 마름모의 변이 4개 있습니다.

(2) 마름모의 둘레의 길이 구하기

➡ 11 cm인 변이 4개이므로 곱셈으로 나타내어 구할 수 있습니다.

$11+11+11+11=$ ❷☐ $\times 4=44$ (cm)

답 ❶ 11 ❷ 11

2 주

필수 예제 04

마름모의 둘레의 길이를 구하시오.

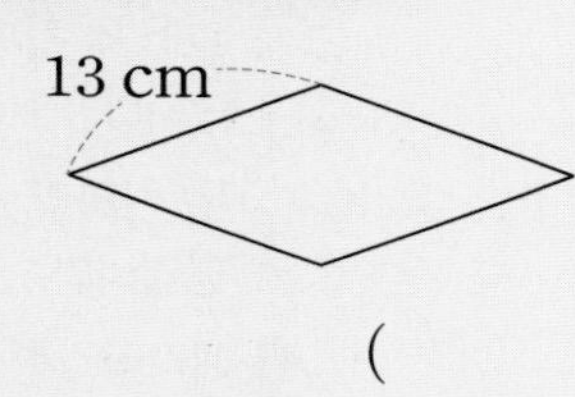

둘레에 13 cm인 변이 몇 개 있는지 세어 보세요.

(　　　　　　　　)

풀이 | 마름모는 네 변의 길이가 같습니다.
마름모의 둘레의 길이는 $13\times 4=52$ (cm)입니다.

확인 4-1

마름모의 둘레의 길이를 구하시오.

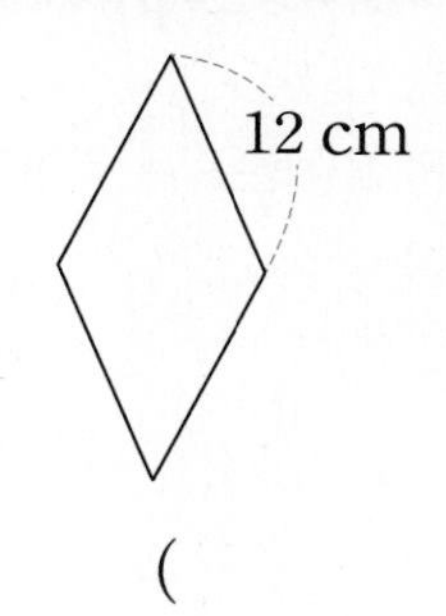

(　　　　　　　　)

확인 4-2

마름모의 둘레의 길이를 구하시오.

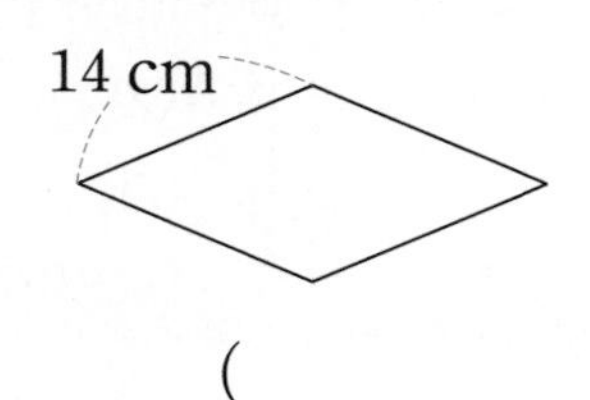

(　　　　　　　　)

[관련 단원] **삼각형**

1 삼각형 ㄱㄴㄷ은 정삼각형입니다. 각 ㄱㄴㄷ의 크기는 몇 도입니까?

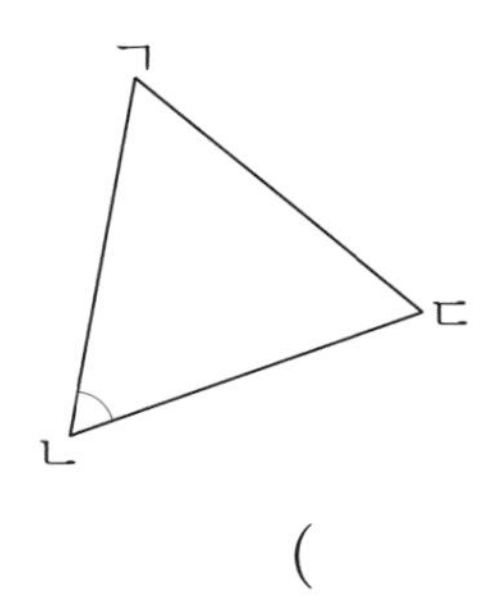

(　　　　　　　　　　)

Tip

정삼각형은 세 각의 크기가 같습니다.
삼각형의 세 각의 크기의 합은 ❶ [　　]°
이므로 한 각의 크기는 $180 \div 3 =$ ❷ [　　](°)
입니다.

답 ❶ 180 ❷ 60

[관련 단원] **삼각형**

2 그림에서 찾을 수 있는 ❶크고 작은 예각삼각형은 모두 ❸몇 개인지 구하시오.

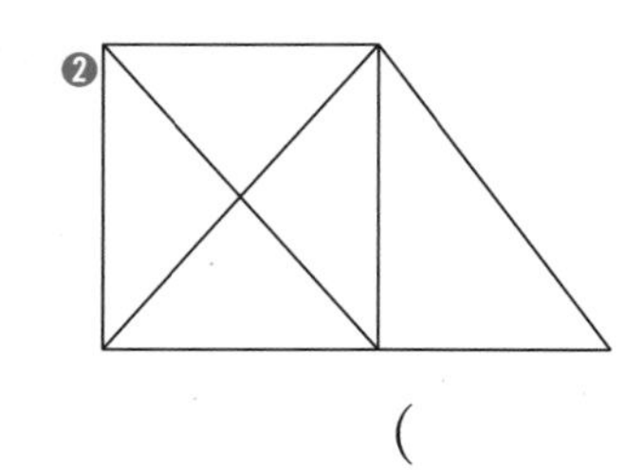

(　　　　　　　　　　)

Tip

❶ 예각삼각형은 세 각이 모두 [　　]입니다.
❷ 한 칸짜리 삼각형 5개, 두 칸짜리 삼각형 4개, 세 칸짜리 삼각형 1개를 찾을 수 있습니다.
두 칸짜리 삼각형은 모두 [　　]삼각형입니다.
❸ 예각삼각형이 몇 개인지 수를 셉니다.

답 ❶ 예각 ❷ 직각

[관련 단원] **삼각형**

3 옳은 설명이 쓰여 있는 골대에 V표 하시오.

한 각이 예각이면 예각삼각형입니다.

Tip

• 둔각삼각형은 한 각이 둔각인 삼각형입니다.
• 직각삼각형은 한 각이 ❶ [　　]인 삼각형입니다.
• 예각삼각형은 세 각이 모두 ❷ [　　]입니다.

답 ❶ 직각 ❷ 예각

▶정답 및 풀이 12쪽

[관련 단원] **사각형**

4 평행한 두 직선을 찾아 기호를 쓰시오.

가 나 다 라 마

(　　　　　　　　　　)

Tip

- 길게 늘여도 서로 만나지 ❶ 두 직선을 평행하다고 합니다.
- 이때 평행한 두 직선을 ❷ 선이라고 합니다.

답 ❶ 않는 ❷ 평행

[관련 단원] **사각형**

5 해당하는 사각형을 모두 찾아 기호를 쓰시오.

가 나 다

사다리꼴	
평행사변형	
직사각형	
정사각형	

Tip

- 가: 네 각이 모두 ❶ 인 사각형입니다.
- 나: 네 각이 모두 직각이고, 네 변의 길이가 모두 같은 사각형입니다.
- 다: 마주 보는 두 쌍의 변이 서로 ❷ 한 사각형입니다.

답 ❶ 직각 ❷ 평행

[관련 단원] **사각형**

6 ❶마름모의 네 변의 길이의 합은 48 cm입니다. □ 안에 알맞은 수를 써넣으시오.

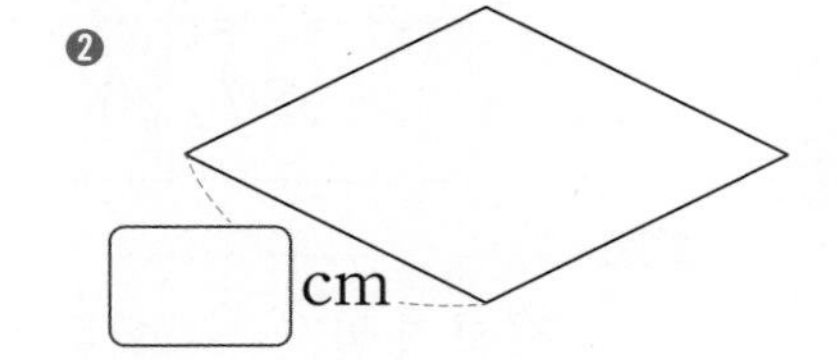

Tip

❶ 마름모는 ❶ 변의 길이가 같은 사각형입니다.

❷ 마름모의 한 변의 길이는 네 변의 길이의 합인 48을 ❷ 로 나눈 수와 같습니다. ➡ $48 \div 4$

답 ❶ 네 ❷ 4

2주

전략 1 두 각의 크기를 보고 삼각형의 이름 알아보기

[관련 단원] 삼각형

예 두 각의 크기를 보고 삼각형의 이름이 될 수 있는 것을 보기에서 모두 찾기

50°, 80°

보기: 둔각삼각형 예각삼각형 이등변삼각형

(1) 나머지 한 각의 크기 구하기
두 각의 크기의 합은 $50° + 80° = 130°$입니다.
삼각형의 세 각의 크기의 합은 180°이므로 180°에서 130°를 뺍니다. ➡ $180° - 130° =$ ❶ °

(2) 크기가 같은 두 각이 있으므로 이등변삼각형입니다. 모두 예각이므로 ❷ 각삼각형입니다.

답 ❶ 50 ❷ 예

필수 예제 01

두 각의 크기를 보고 삼각형의 이름이 될 수 있는 것을 보기에서 모두 찾아 쓰시오.

40°, 40°

보기: 정삼각형 이등변삼각형 예각삼각형 둔각삼각형

(1) 나머지 한 각의 크기를 구하시오. (   )

(2) 삼각형의 이름을 모두 찾아 쓰시오. (   )

풀이 | (1) 두 각의 크기의 합이 $40° + 40° = 80°$일 때 나머지 한 각의 크기는 $180° - 80° = 100°$입니다.
(2) 크기가 같은 두 각이 있으므로 이등변삼각형입니다. 둔각이 있으므로 둔각삼각형입니다.

확인 1-1

두 각의 크기를 보고 삼각형의 이름이 될 수 있는 것을 보기에서 모두 찾아 쓰시오.

50°, 60°

보기: 정삼각형 이등변삼각형 예각삼각형 둔각삼각형

(   )

확인 1-2

두 각의 크기를 보고 삼각형의 이름이 될 수 있는 것을 보기에서 모두 찾아 쓰시오.

80°, 20°

보기: 정삼각형 이등변삼각형 예각삼각형 둔각삼각형

(   )

▶정답 및 풀이 13쪽

전략 2 도형을 잘랐을 때 생긴 삼각형의 이름 알아보기

[관련 단원] 삼각형

예 그림과 같이 오각형의 꼭짓점을 이어 잘랐을 때 만들어지는 삼각형 알아보기

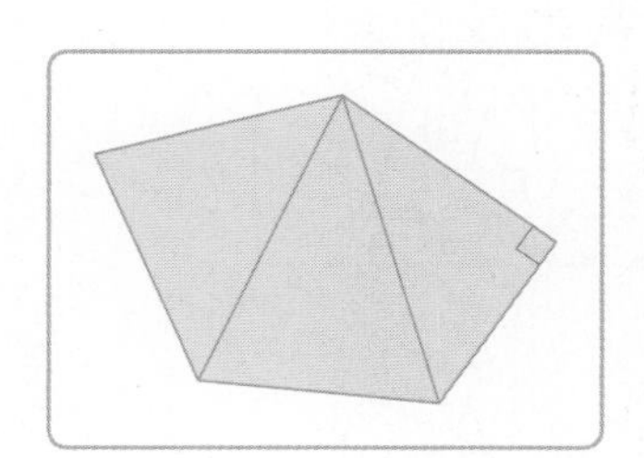

(1) 직각이 있는 삼각형의 이름

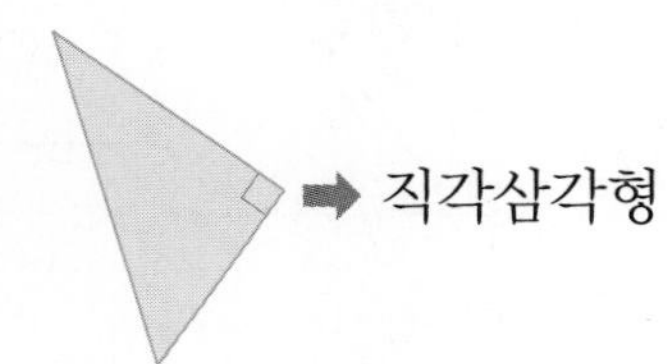

➡ 직각삼각형

(2) 예각만 있는 삼각형의 이름

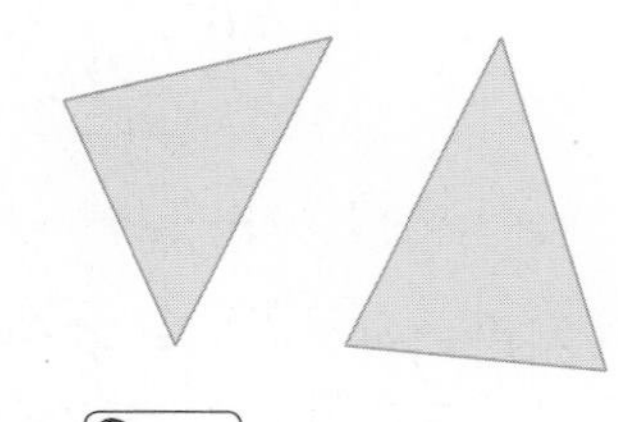

➡ ❶ ☐ 각삼각형

(3) 직각삼각형 1개, 예각삼각형 ❷ ☐ 개가 만들어집니다.

답 ❶ 예 ❷ 2

2주

필수 예제 02

그림과 같이 오각형의 꼭짓점을 이어 잘랐을 때 예각삼각형, 둔각삼각형, 직각삼각형이 각각 몇 개 만들어지는지 쓰시오.

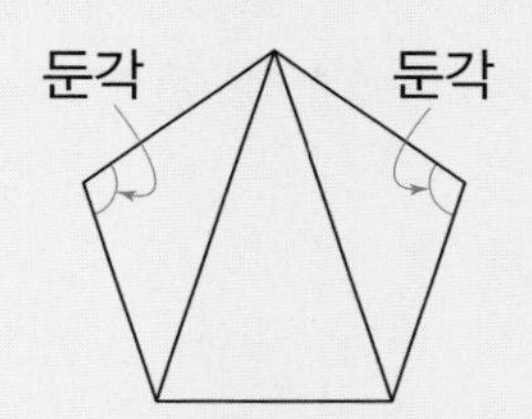

예각삼각형 ➡ (　　　　)

둔각삼각형 ➡ (　　　　)

직각삼각형 ➡ (　　　　)

풀이 | 위의 그림과 같이 오각형의 꼭짓점을 이어 잘랐을 때 만들어지는 삼각형은 3개입니다.
둔각이 있는 삼각형 2개는 둔각삼각형이고, 둔각이나 직각이 없는 삼각형 1개는 예각삼각형입니다.

확인 2-1

그림과 같이 육각형의 꼭짓점을 이어 잘랐을 때 예각삼각형이 몇 개 만들어지는지 쓰시오.

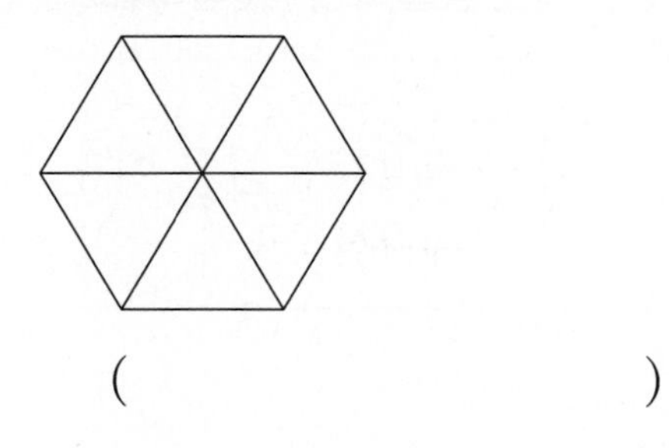

(　　　　)

확인 2-2

그림과 같이 오각형의 꼭짓점을 이어 잘랐을 때 둔각삼각형이 몇 개 만들어지는지 쓰시오.

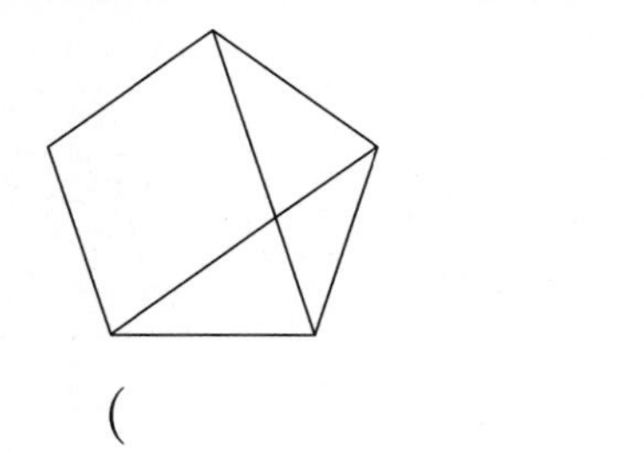

(　　　　)

전략 3 이름에 알맞은 사각형 찾기

[관련 단원] 사각형

예 사다리꼴과 평행사변형을 각각 찾아 기호 쓰기

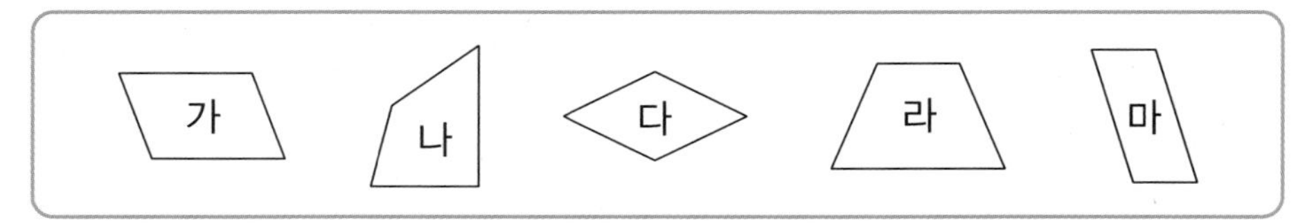

(1) 사다리꼴 찾기 ➡ 평행한 ❶ 변이 있는지 알아봅니다.

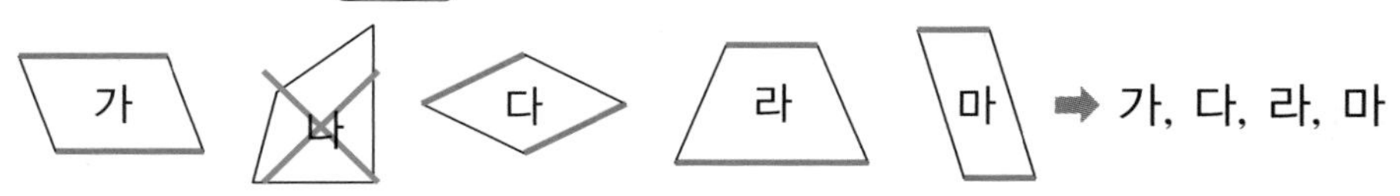

(2) 평행사변형 찾기 ➡ 찾은 사다리꼴 중에서 다른 두 변이 평행한지 알아봅니다.

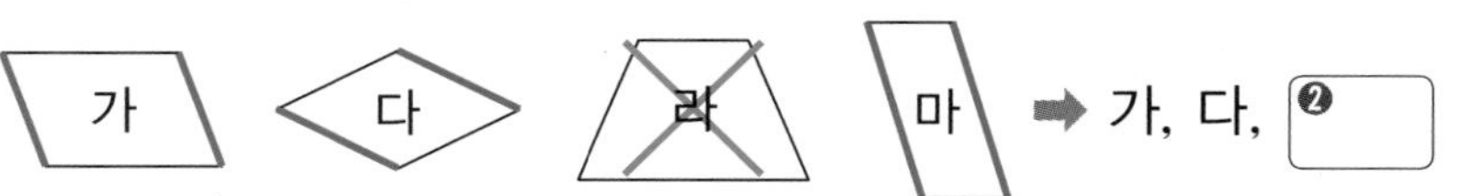

답 ❶ 두 ❷ 마

필수 예제 03

사다리꼴과 평행사변형을 찾아 각각 기호를 쓰시오.

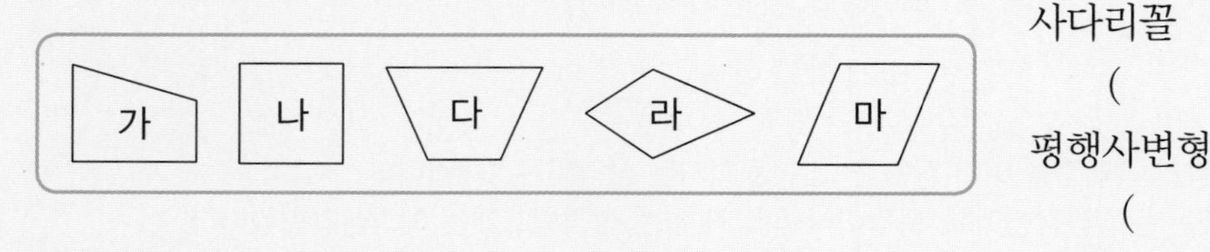

사다리꼴
( ),
평행사변형
( )

풀이 | 가는 왼쪽과 오른쪽 변이 평행하고, 다는 위와 아래의 변이 평행합니다. ➡ 사다리꼴
나와 마는 마주 보는 변끼리 평행합니다. ➡ 사다리꼴, 평행사변형

확인 3-1

사다리꼴을 모두 찾아 기호를 쓰시오.

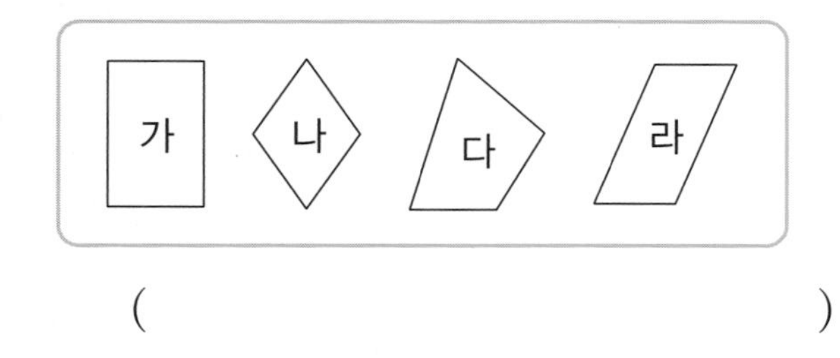

( )

확인 3-2

평행사변형을 모두 찾아 기호를 쓰시오.

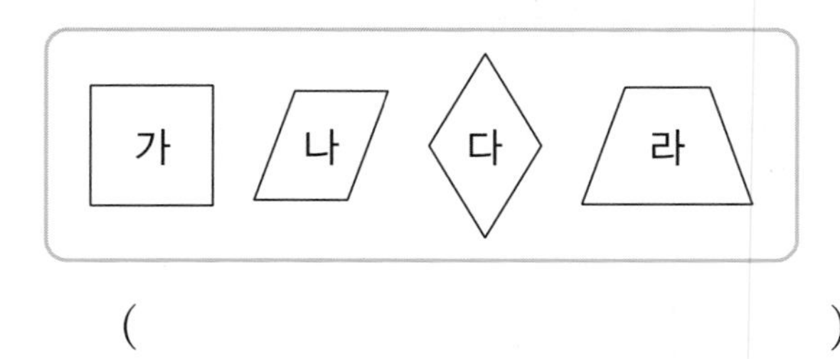

( )

▶정답 및 풀이 13쪽

전략 4 평행사변형의 변의 길이 구하기

[관련 단원] 사각형

예 네 변의 길이의 합이 주어진 평행사변형에서 변의 길이 구하기

네 변의 길이의 합이 62 cm인 평행사변형입니다.

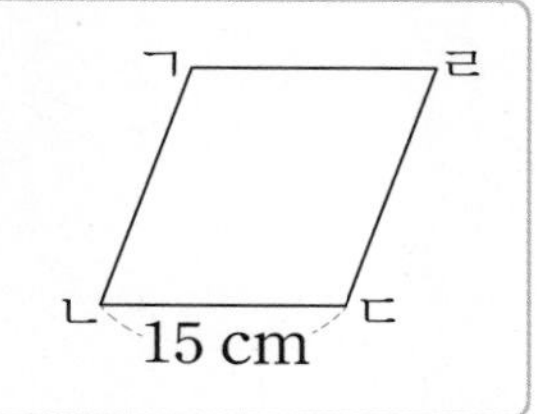

(1) 변 ㄱㄹ의 길이 구하기

평행사변형은 ❶ [ ] 보는 변의 길이가 같으므로 변 ㄴㄷ의 길이와 같습니다.

➡ 15 cm

(2) 변 ㄱㄴ, 변 ㄷㄹ의 길이 구하기

평행사변형은 마주 보는 변의 길이가 같으므로 두 변의 길이가 같습니다.

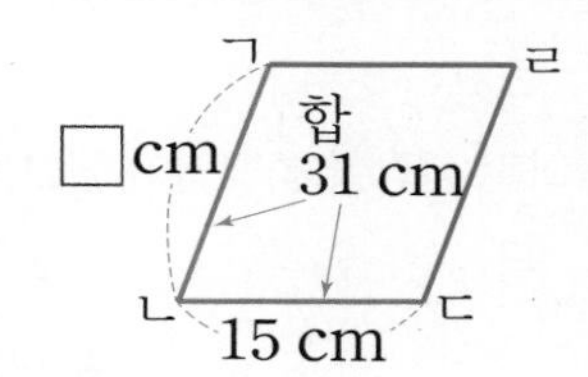

$62 \div 2 = 31$ (cm)이므로 변 ㄱㄴ의 길이를 □ (cm)라고 하면

$\square + 15 = 31$입니다. $\square = 31 - 15 = 16$

➡ 변 ㄱㄴ의 길이: 16 cm , 변 ㄷㄹ의 길이: ❷ [ ] cm

답 ❶ 마주 ❷ 16

필수 예제 04

네 변의 길이의 합이 32 cm인 평행사변형입니다. 변 ㄱㄹ의 길이를 구하시오.

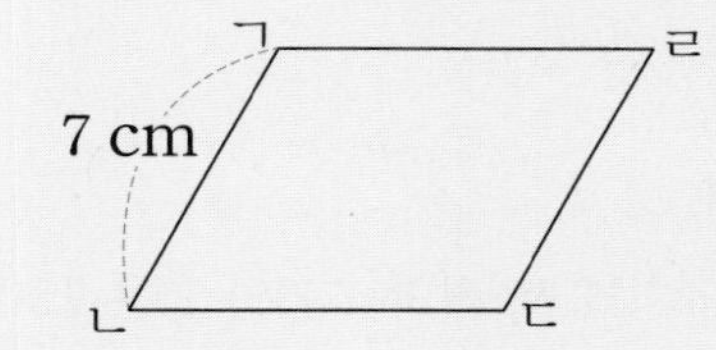

(1) 변 ㄱㄴ과 변 ㄱㄹ의 길이의 합을 구하시오.

( )

(2) 변 ㄱㄹ의 길이를 구하시오.

( )

풀이 | 변 ㄱㄴ과 변 ㄱㄹ의 합은 $32 \div 2 = 16$ (cm)입니다.
변 ㄱㄴ의 길이가 7 cm이므로 변 ㄱㄹ의 길이는 $16 - 7 = 9$ (cm)입니다.

확인 4-1

네 변의 길이의 합이 40 cm인 평행사변형입니다. 변 ㄱㄴ의 길이를 구하시오.

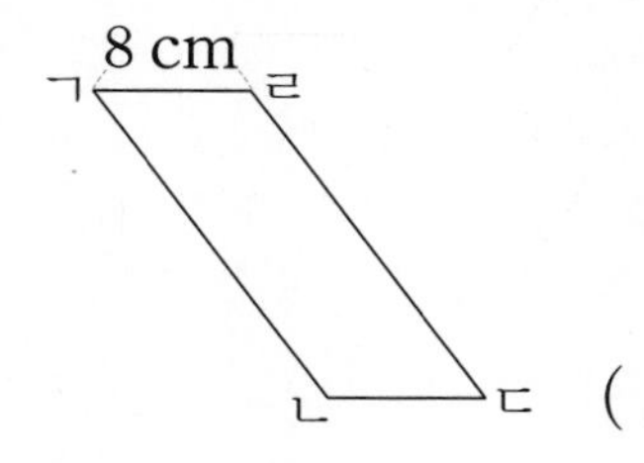

( )

확인 4-2

네 변의 길이의 합이 48 cm인 평행사변형입니다. 변 ㄱㄴ의 길이를 구하시오.

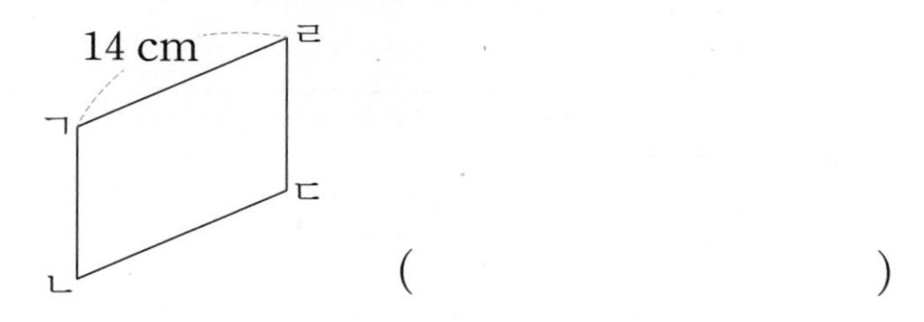

( )

2주 03일 필수 체크 전략 ❷

[관련 단원] **삼각형**

1 □ 안에 알맞은 수를 써넣으시오.

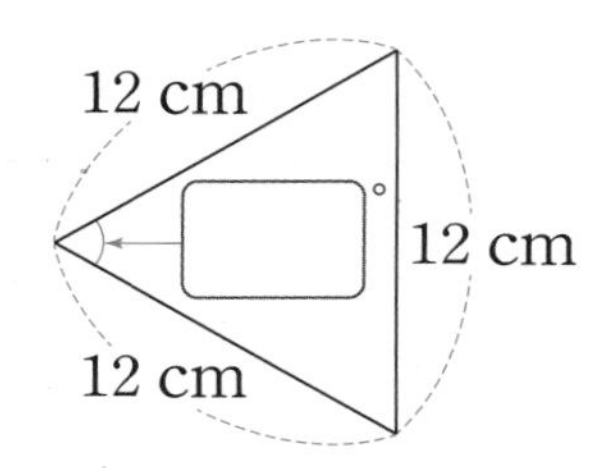

Tip

- 변의 길이가 모두 같으므로 ❶ □ 삼각형입니다.
- 정삼각형의 한 각의 크기는 ❷ □°입니다.

답 ❶ 정 ❷ 60

[관련 단원] **삼각형**

2 다음과 같이 정육각형에 선을 그은 다음 선을 따라 모두 잘랐습니다. 만들어지는 삼각형을 보고 □ 안에 알맞은 수를 써넣으시오.

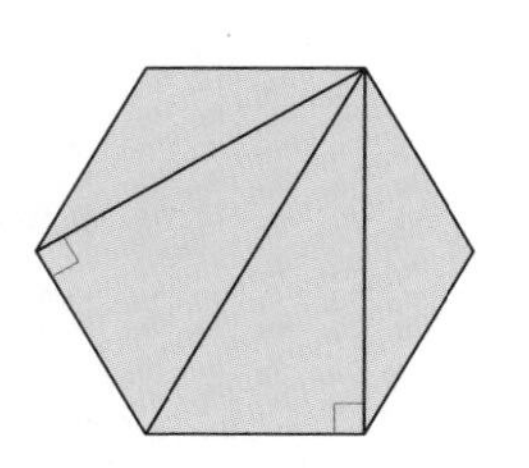

예각삼각형이 □개,
직각삼각형이 □개,
둔각삼각형이 □개
만들어집니다.

Tip

- 만들어진 삼각형에 둔각이 있으면 ❶ □각삼각형입니다.
- 만들어진 삼각형에 직각이 있으면 ❷ □각삼각형입니다.

답 ❶ 둔 ❷ 직

[관련 단원] **삼각형**

3 삼각형의 두 각의 크기를 나타낸 것입니다. ❷삼각형이 예각삼각형이면 '예', 직각삼각형이면 '직', 둔각삼각형이면 '둔'을 □ 안에 쓰시오.

(1)

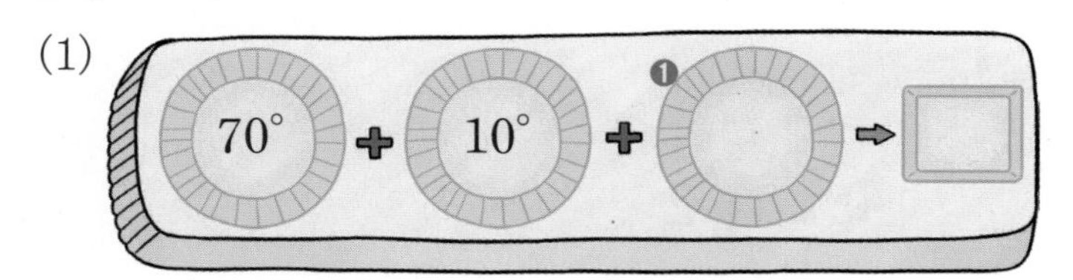

(2)

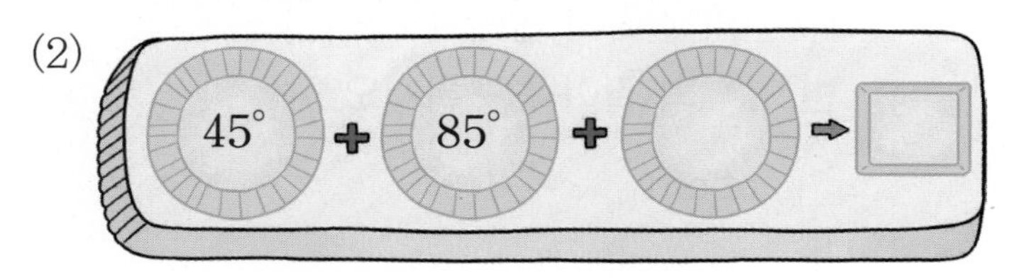

Tip

❶ 삼각형의 세 각의 크기의 합은 180°인 점을 이용하여 나머지 ❶ □ 각의 크기를 구합니다.

❷ 둔각이 있으면 ❷ □ 삼각형입니다.
직각이 있으면 직각삼각형입니다.
직각이나 둔각이 없으면 예각삼각형입니다.

답 ❶ 한 ❷ 둔각

▶정답 및 풀이 14쪽

[관련 단원] **사각형**

4 도형에서 평행선을 찾아 평행선 사이의 거리는 몇 cm인지 재어 보시오.

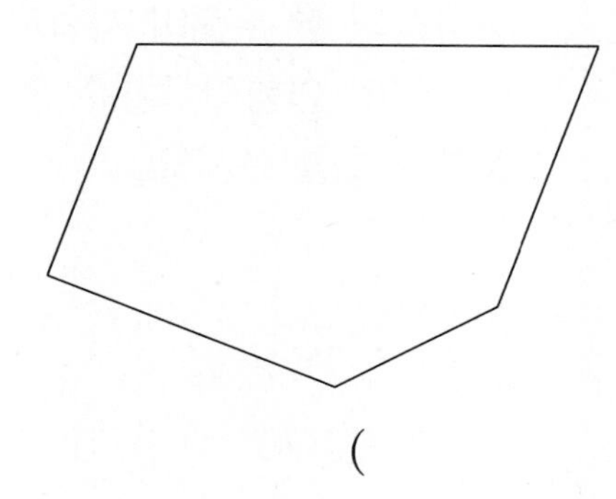

(　　　　　　　　　　)

Tip
- 평행한 ❶ 변을 찾습니다.
- 두 변과 ❷ 인 선분의 길이를 자로 재어 봅니다.

답 ❶ 두 ❷ 수직

[관련 단원] **사각형**

5 ❶정사각형이 아닌 것을 찾아 기호를 쓰고, ❷정사각형이 아닌 까닭을 쓰시오.

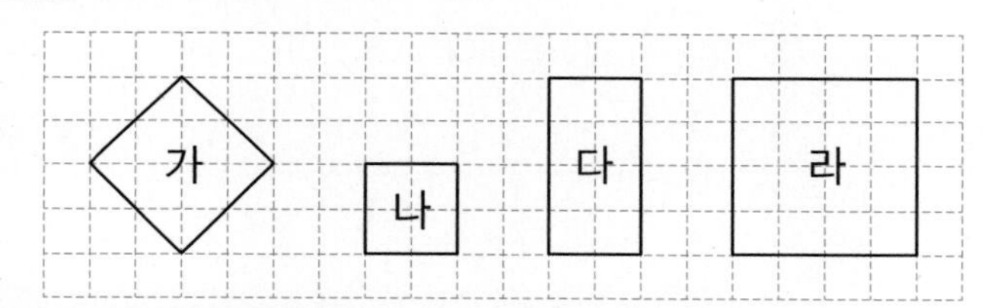

정사각형이 아닌 도형

까닭

Tip
❶ 네 각이 모두 직각인지 알아봅니다. 네 변의 ❶ 가 모두 같은지 알아봅니다.
❷ 도형 가, 나, 다, 라 중에서 ❷ 는 마주 보는 변끼리만 길이가 같으므로 정사각형이 아닙니다.

답 ❶ 길이 ❷ 다

[관련 단원] **사각형**

6 선분 ㄱㄹ과 선분 ㄴㄷ은 평행합니다. 도형에서 찾을 수 있는 크고 작은 사다리꼴은 모두 몇 개인지 구하시오.

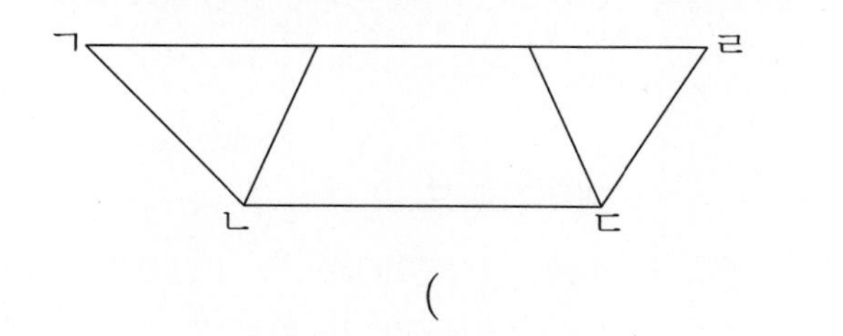

(　　　　　　　　　　)

Tip
- 평행한 변이 ❶ 쌍이라도 있으면 사다리꼴이 됩니다.
- 도형에서 찾을 수 있는 크고 작은 ❷ 각형에서 평행한 두 변을 찾을 수 있는지 알아봅니다.

답 ❶ 한 ❷ 사

2 주

대표 예제 01

삼각형의 세 변의 길이의 합은 24 cm입니다. 한 변의 길이는 몇 cm인지 구하시오.

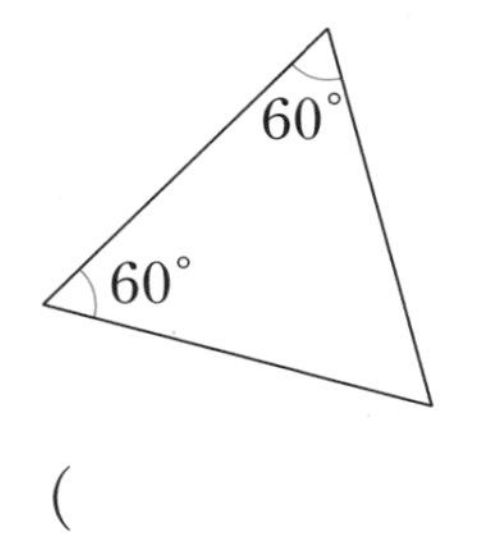

(　　　　　　　　)

개념가이드

삼각형의 세 각의 크기의 합은 180°입니다.
나머지 한 각의 크기를 구하면 ❶ °이므로 ❷ 삼각형이 됩니다.

[답] ❶ 60 ❷ 정

대표 예제 02

삼각형 ㄱㄴㄷ은 이등변삼각형입니다. 각 ㄱㄷㄴ의 크기는 몇 도인지 구하시오.

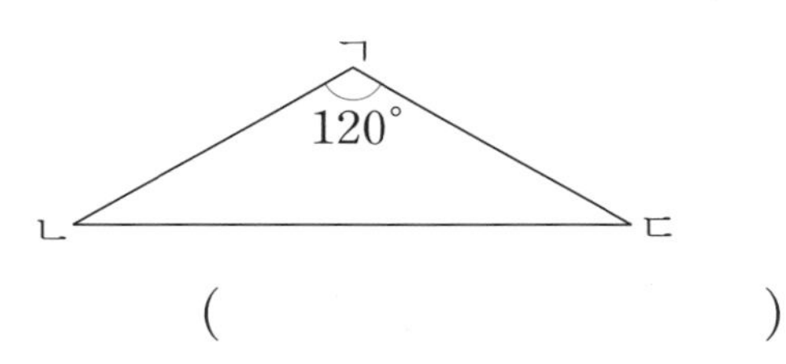

(　　　　　　　　)

개념가이드

이등변삼각형은 크기가 같은 ❶ 각이 있습니다.
각 ㄱㄷㄴ의 크기를 구할 때에는 삼각형의 세 각의 크기의 합인 ❷ °에서 120°를 뺀 다음 2로 나눕니다.

[답] ❶ 두 ❷ 180

대표 예제 03

삼각형의 한 부분이 지워져 있습니다. 이 삼각형의 이름이 될 수 있는 것을 모두 찾아 기호를 쓰시오.

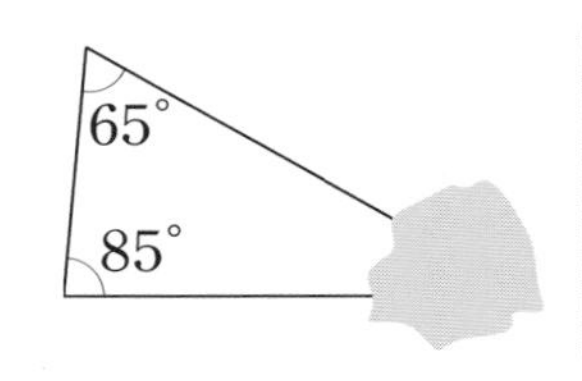

㉠ 이등변삼각형
㉡ 예각삼각형
㉢ 둔각삼각형

(　　　　　　　　)

개념가이드

나머지 ❶ 각의 크기를 구합니다.
❷ 등변삼각형인지 알아보려면 크기가 같은 두 각이 있는지 알아봅니다.

[답] ❶ 한 ❷ 이

대표 예제 04

다음에서 설명하는 삼각형을 1개 그리시오.

개념가이드

이등변삼각형이므로 ❶ 변의 길이가 같은 삼각형을 그립니다. 둔각이 있으므로 ❷ 삼각형을 그립니다.

[답] ❶ 두 ❷ 둔각

▶정답 및 풀이 14쪽

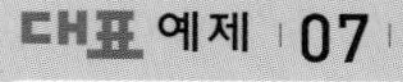

대표 예제 05

삼각형 ㄱㄴㄷ은 이등변삼각형입니다. 세 변의 길이의 합을 구하시오.

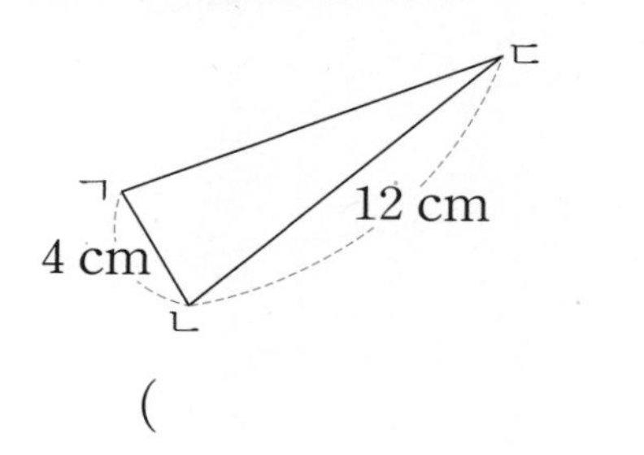

(　　　　　　　　　　)

개념가이드

이등변삼각형은 ❶ [　] 변의 길이가 같습니다.
따라서 변 ㄱㄷ의 길이는 ❷ [　] cm입니다.

[답] ❶ 두 ❷ 12

대표 예제 06

예각삼각형에 대해 바르게 말한 사람을 찾아 ○표 하시오.

예각삼각형에는 예각이 한 개만 있어요. [　]

한 각이 130°인 삼각형은 예각삼각형이 아니에요. [　]

개념가이드

예각삼각형은 ❶ [　] 각이 모두 예각입니다.
한 각이 둔각인 삼각형은 ❷ [　]각삼각형입니다.

[답] ❶ 세 ❷ 둔

대표 예제 07

다음 삼각형의 이름이 될 수 있는 것을 모두 찾아 기호를 쓰시오.

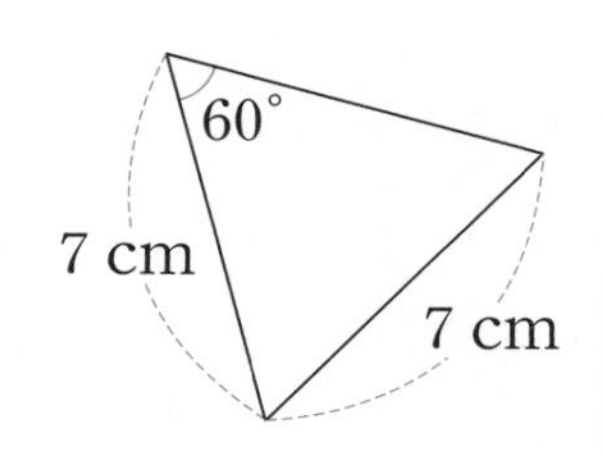

㉠ 이등변삼각형
㉡ 예각삼각형
㉢ 둔각삼각형
㉣ 정삼각형

(　　　　　　　　　　)

개념가이드

길이가 같은 두 변의 끝에 있는 각의 크기는 같으므로 각의 크기는 모두 ❶ [　]°입니다.
세 각의 크기가 모두 ❷ [　]므로 정삼각형입니다.

[답] ❶ 60 ❷ 같으

대표 예제 08

아래에 있는 이등변삼각형의 세 변의 길이의 합이 29 cm일 때 □ 안에 알맞은 수를 써넣으시오.

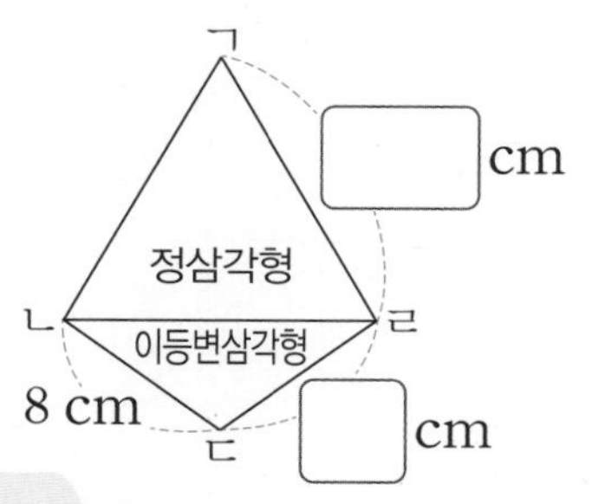

개념가이드

이등변삼각형에서 둔각을 끼고 있는 두 변의 길이가 같습니다. 따라서 변 ㄷㄹ의 길이는 ❶ [　] cm입니다.
변 ㄴㄹ의 길이는 $29-8-8=$ ❷ [　] (cm)입니다.

[답] ❶ 8 ❷ 13

2주

대표 예제 09

다음은 마름모입니다. □ 안에 알맞은 수를 써넣으시오.

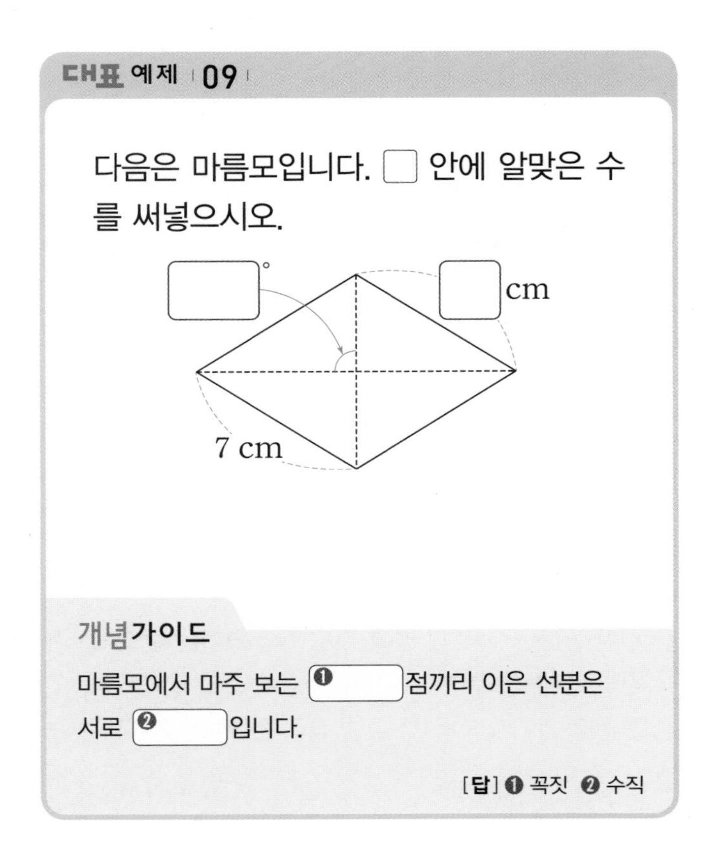

개념가이드

마름모에서 마주 보는 ❶ 점끼리 이은 선분은 서로 ❷ 입니다.

[답] ❶ 꼭짓 ❷ 수직

대표 예제 10

수선과 평행선이 모두 있는 글자를 찾아 ○표 하시오.

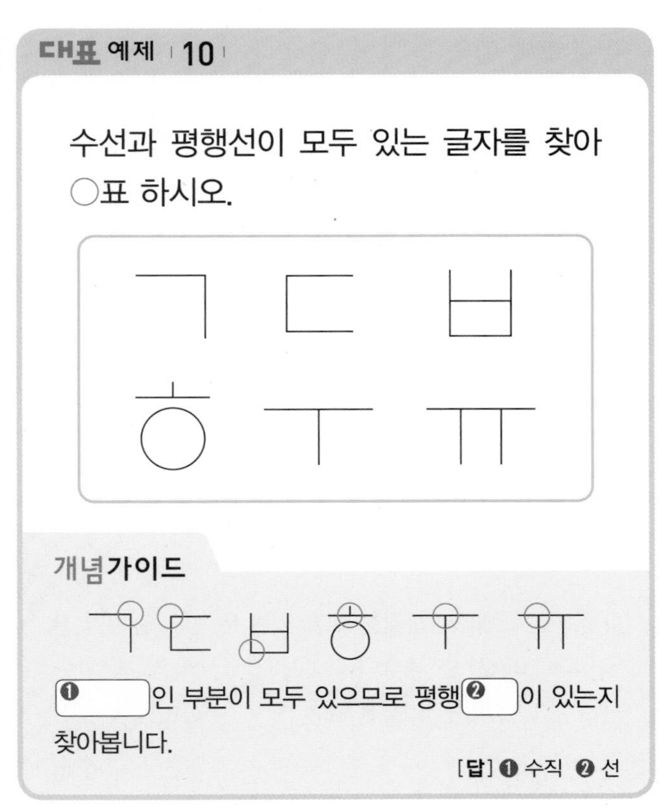

개념가이드

❶ 인 부분이 모두 있으므로 평행❷ 이 있는지 찾아봅니다.

[답] ❶ 수직 ❷ 선

대표 예제 11

평행사변형에서 ㉠과 ㉡의 합을 구하시오.

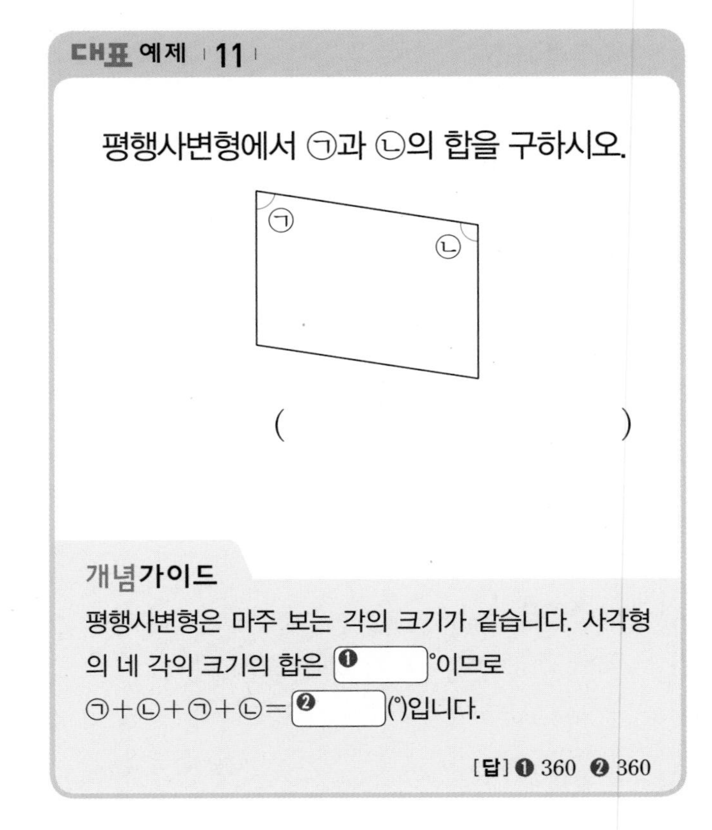

( )

개념가이드

평행사변형은 마주 보는 각의 크기가 같습니다. 사각형의 네 각의 크기의 합은 ❶ °이므로 ㉠+㉡+㉠+㉡=❷ (°)입니다.

[답] ❶ 360 ❷ 360

대표 예제 12

다음 설명이 틀린 까닭을 쓰시오.

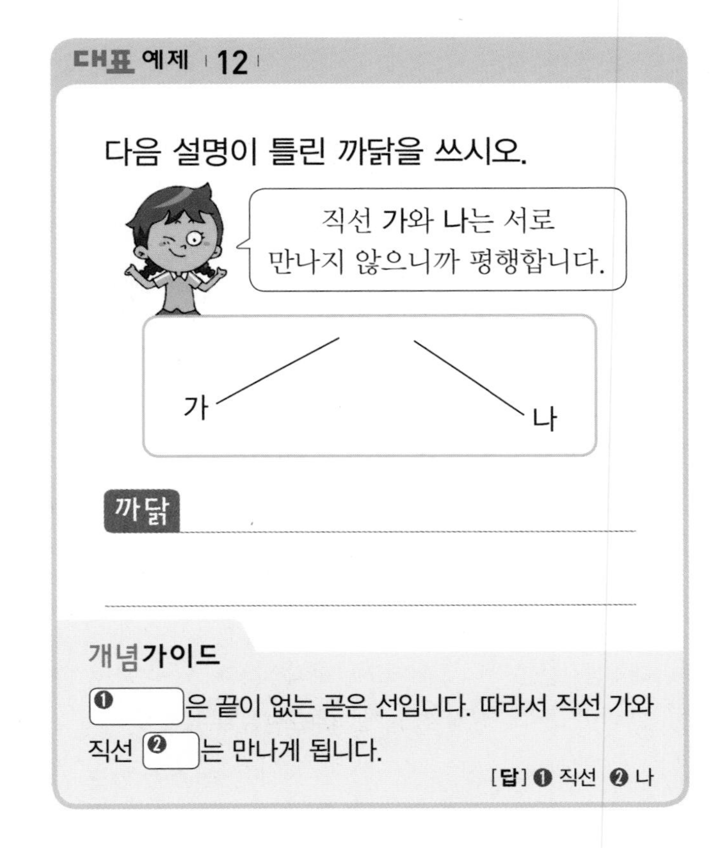

까닭

개념가이드

❶ 은 끝이 없는 곧은 선입니다. 따라서 직선 가와 직선 ❷ 는 만나게 됩니다.

[답] ❶ 직선 ❷ 나

▶정답 및 풀이 14쪽

대표 예제 13

다음 중 잘못된 것을 찾아 기호를 쓰시오.

㉠ 모든 마름모는 정사각형이라고 할 수 있습니다.
㉡ 모든 직사각형은 사다리꼴이라고 할 수 있습니다.

(　　　　　　　　)

개념가이드

정사각형은 네 변의 길이가 같으므로 ❶ ☐ 라고 할 수 있습니다. 모든 직사각형은 마주 보는 두 쌍의 변이 평행하므로 ❷ ☐ 사변형이라고 할 수 있습니다.

[답] ❶ 마름모 ❷ 평행

대표 예제 14

한 꼭짓점만 옮겨서 평행사변형을 만드시오.

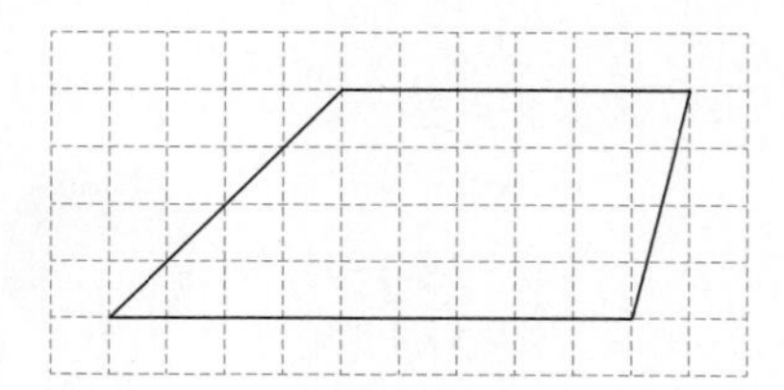

개념가이드

위와 아래의 변은 서로 ❶ ☐ 하므로 ❷ ☐ 과 오른쪽의 변이 서로 평행하도록 꼭짓점을 옮깁니다.

[답] ❶ 평행 ❷ 왼쪽

대표 예제 15

사각형 ㄱㄴㄷㄹ은 평행사변형입니다. 변 ㄱㄴ의 길이와 각 ㄱㄹㄷ의 크기를 각각 구하시오.

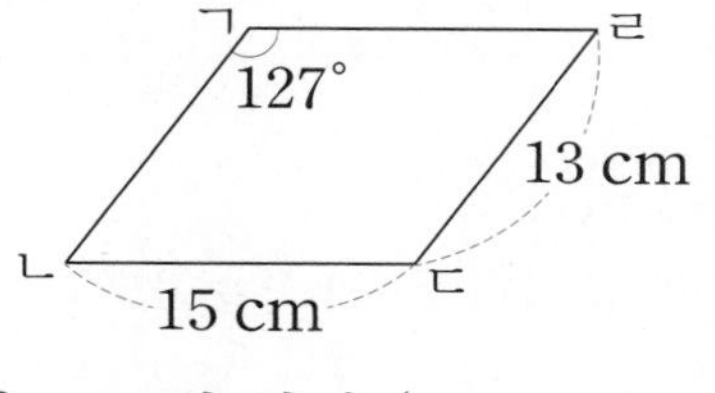

변 ㄱㄴ의 길이 (　　　　　　)

각 ㄱㄹㄷ의 크기 (　　　　　　)

개념가이드

평행사변형은 ❶ ☐ 보는 변끼리 길이가 같습니다. 평행사변형에서 이웃한 두 각의 크기의 합은 ❷ ☐° 입니다.

[답] ❶ 마주 ❷ 180

대표 예제 16

직사각형 가의 네 변의 길이의 합과 정사각형 나의 네 변의 길이의 합이 같습니다. 정사각형 나의 한 변의 길이를 구하시오.

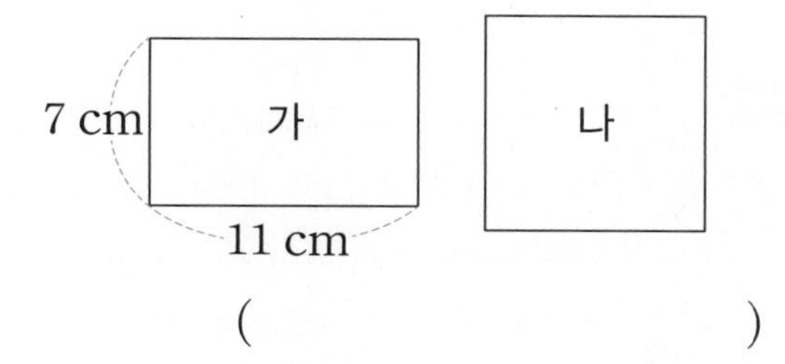

(　　　　　　)

개념가이드

정사각형은 ❶ ☐ 변의 길이가 모두 같으므로 한 변의 길이를 구할 때에는 네 변의 길이의 합을 ❷ ☐ 로 나눕니다.

[답] ❶ 네 ❷ 4

1 정삼각형은 예각삼각형입니다. 그 까닭을 쓰시오.

까닭

Tip

❶ 삼각형은 세 각의 크기가 모두 같습니다.
정삼각형은 한 각의 크기가 ❷ °입니다.

답 ❶ 정 ❷ 60

2 다음 삼각형의 세 변의 길이의 합을 구하시오.

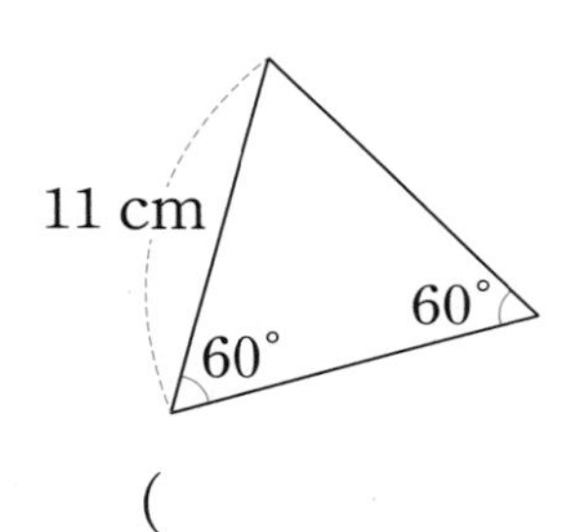

( )

Tip

나머지 한 각의 크기는 $180° - 60° - 60° =$ ❶ °입니다.
세 각의 크기가 모두 같은 삼각형은 정삼각형이므로
❷ 변의 길이가 모두 같습니다.

답 ❶ 60 ❷ 세

3 직사각형 모양의 색종이를 점선을 따라 모두 잘랐습니다. 둔각삼각형의 개수를 구하시오.

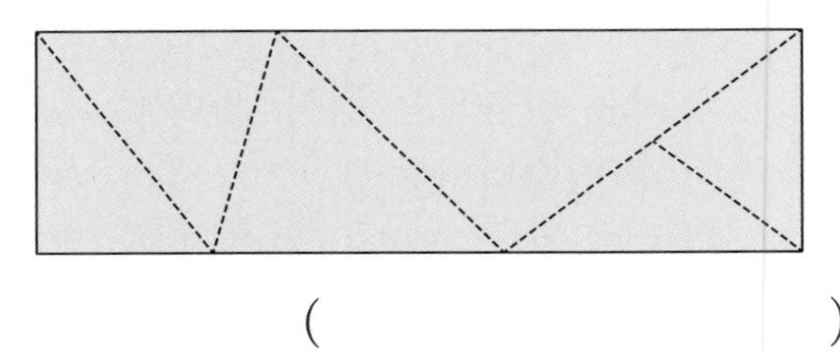

( )

Tip

잘린 삼각형에 ❶ 이 있으면 직각삼각형입니다.
잘린 삼각형에 둔각이 있으면 ❷ 삼각형입니다.

답 ❶ 직각 ❷ 둔각

4 두 삼각형의 세 변의 길이의 합이 서로 같습니다. □ 안에 알맞은 수를 써넣으시오.

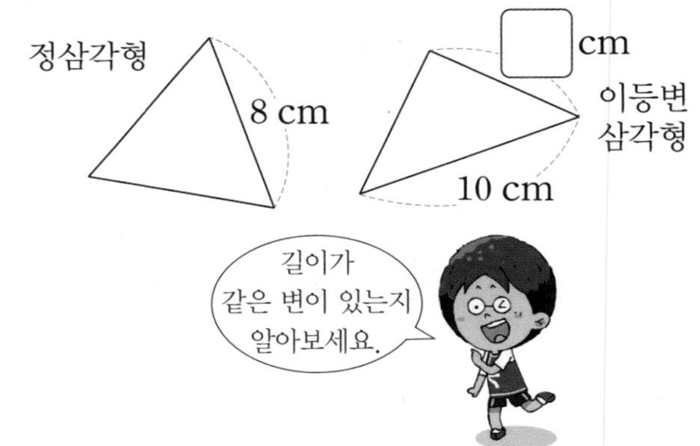

Tip

정삼각형은 세 변의 길이가 같으므로 세 변의 길이의 합은
$8+8+8=$ ❶ (cm)입니다.
이등변삼각형에서 길이가 같은 두 변의 길이의 합은
$24-10=$ ❷ (cm)입니다.

답 ❶ 24 ❷ 14

▶정답 및 풀이 15쪽

5 마름모에서 각 ㄱㄹㄷ의 크기를 구하시오.

(　　　　　　　　　　)

Tip

마름모는 마주 보는 각의 크기가 같고, 이웃한 두 각의 크기의 합은 ❶ [　　]°입니다. 따라서 각 ㄱㄹㄷ의 크기는 ❷ [　　]°$-110°=70°$입니다.

답 ❶ 180 ❷ 180

6 두 사각형은 모두 정사각형입니다.
선분 ㄱㄴ의 길이를 구하시오.

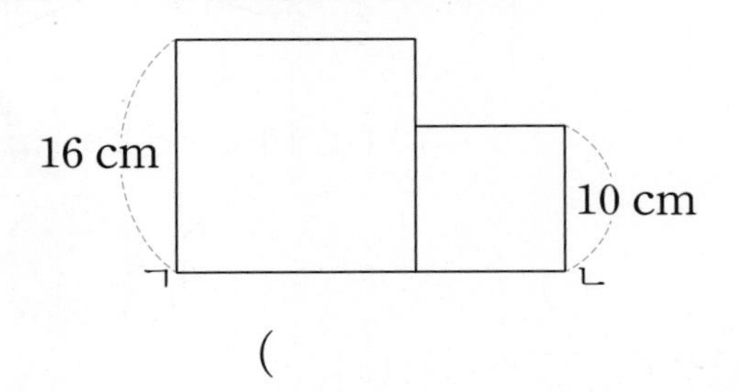

(　　　　　　　　　　)

Tip

왼쪽 정사각형의 한 변의 길이는 16 cm이고, 오른쪽 정사각형의 한 변의 길이는 ❶ [　　] cm입니다.
변 ㄱㄴ의 길이는 $16+10=$ ❷ [　　] (cm)입니다.

답 ❶ 10 ❷ 26

7 사각형 ㄱㄴㄷㄹ은 사다리꼴입니다.
변 ㄱㄴ에 평행한 선분 ㄹㅁ을 그었습니다.
선분 ㅁㄷ의 길이를 구하시오.

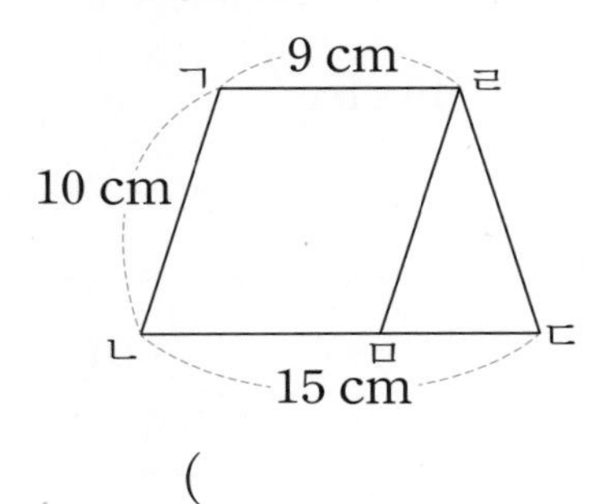

(　　　　　　　　　　)

Tip

사각형 ㄱㄴㅁㄹ은 ❶ [　　]사변형입니다. 평행사변형은 마주 보는 변의 길이가 같으므로 선분 ㄴㅁ의 길이는 ❷ [　　] cm입니다.

답 ❶ 평행 ❷ 9

8 사각형 ㄱㄴㄷㄹ은 평행사변형입니다.
각 ㄹㄴㄷ의 크기를 구하시오.

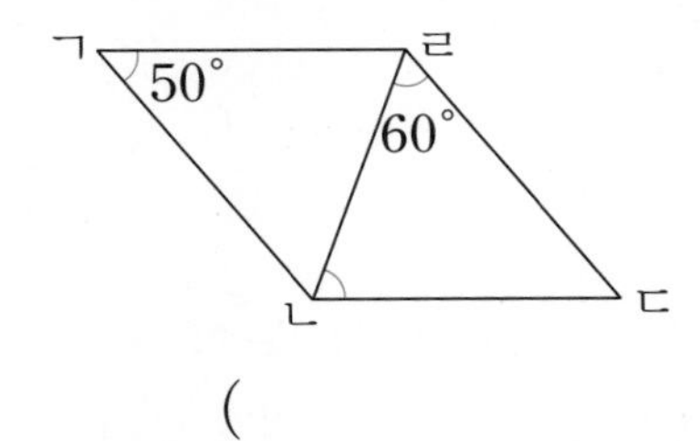

(　　　　　　　　　　)

Tip

평행사변형은 마주 보는 각의 크기가 같으므로 각 ㄴㄷㄹ의 크기는 ❶ [　　]°입니다. 삼각형 ㄹㄴㄷ의 세 각의 크기의 합은 ❷ [　　]°입니다.

답 ❶ 50 ❷ 180

2 주

누구나 만점 전략

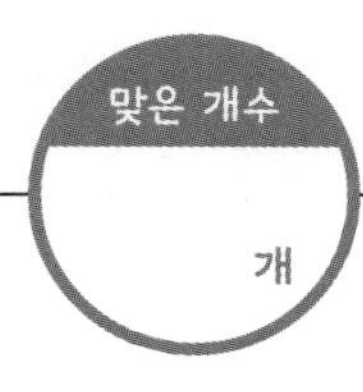

01 다음은 정삼각형입니다. □ 안에 알맞은 수를 써넣으시오.

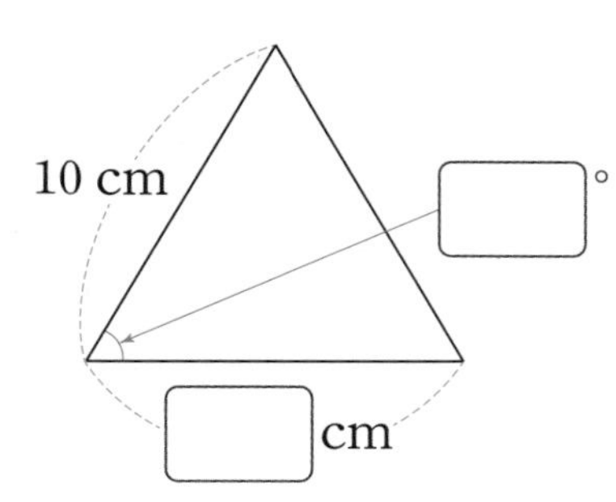

02 예각삼각형은 '예', 둔각삼각형은 '둔'이라고 □ 안에 써넣으시오.

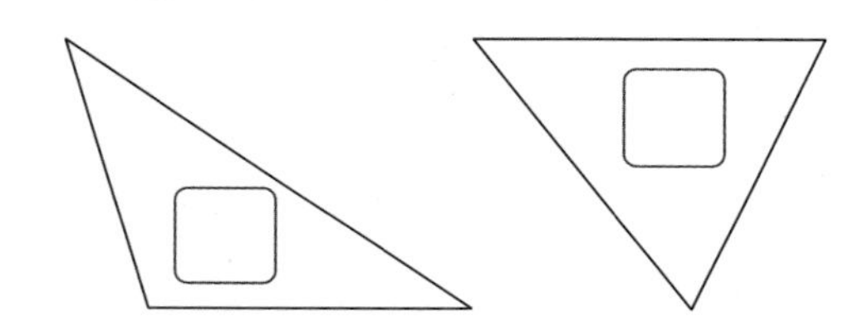

03 삼각형의 세 각 중 두 각의 크기를 나타낸 것입니다. 둔각삼각형은 어느 것입니까? (　　)

① 60°, 60°
② 90°, 10°
③ 70°, 80°
④ 30°, 60°
⑤ 20°, 50°

04 사각형에 선분 1개를 그어 예각삼각형과 둔각삼각형으로 나누시오.

05 다음 이등변삼각형의 세 변의 길이의 합은 몇 cm인지 구하시오.

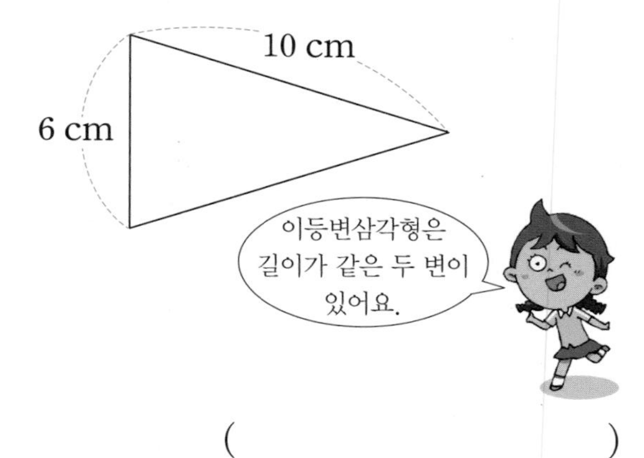

(　　　　　　)

▶정답 및 풀이 16쪽

06 선분 ㄴㄷ에 대한 수선을 찾아 쓰시오.

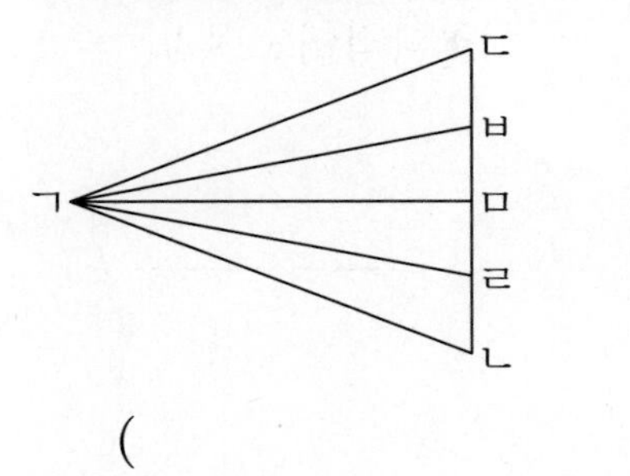

( )

07 점 ㄱ을 지나고 직선 가에 수직인 직선을 그으시오.

•ㄱ

가 ————————————

08 다음 도형의 이름이 될 수 있는 것을 모두 고르시오. ( )

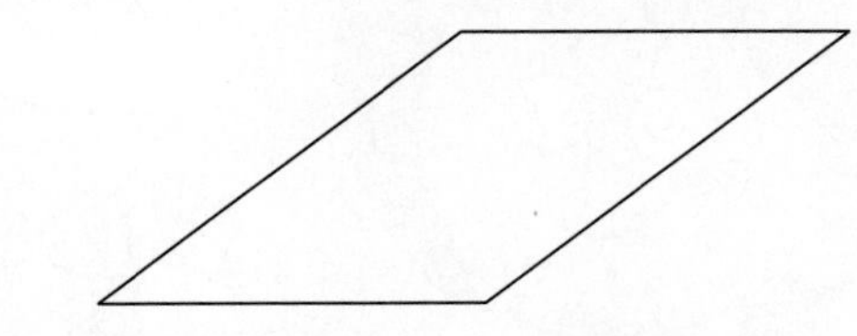

① 사다리꼴 ② 평행사변형
③ 마름모 ④ 정사각형
⑤ 직사각형

09 도형판에서 한 꼭짓점만 옮겨서 평행사변형을 만드시오.

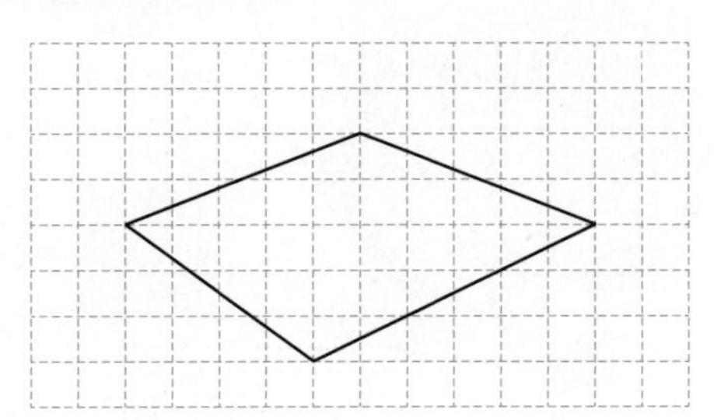

10 두 사람의 대화를 완성하시오.

2 주

창의·융합·코딩 전략 ❶

창의 융합

1 정삼각형의 한 각의 크기는 몇 도인지 구하시오.

삼각형의 세 각의 크기의 합은 180°예요.
한 각의 크기는 몇 도일까요?

(　　　　　　　　　　)

▶정답 및 풀이 17쪽

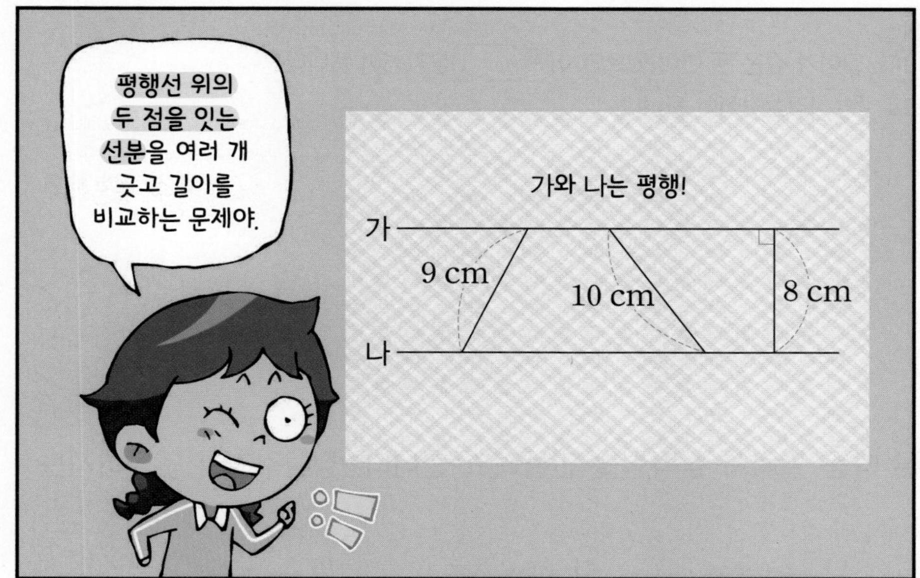

창의 융합

2 위의 평행선 가와 나 사이에 그은 선분 중에서 가장 짧은 선분의 길이를 구하고, 그러한 선분을 무엇이라고 하는지 쓰시오.

길이 (　　　　　　　　　　)

이름 (　　　　　　　　　　)

창의·융합·코딩 전략 ❷

창의 융합

1 길이가 다음과 같은 막대를 변으로 하여 삼각형을 만들었습니다. 이 삼각형의 이름으로 알맞은 것에 ○표 하시오.

20 cm
20 cm
9 cm

정삼각형 (　　　)
이등변삼각형 (　　　)
예각삼각형 (　　　)
둔각삼각형 (　　　)

Tip

길이가 같은 변이 있는지 알아봅니다. 길이가 같은 두 변이 있으면 이 ❶ 삼각형이 됩니다.
그림을 그려 보면 오른쪽과 같으므로 ❷ 각삼각형이 됩니다.

[답] ❶ 등변 ❷ 예

추론

2 색종이를 접어 가위로 자른 다음 펼쳐서 삼각형을 만들려고 합니다. 정삼각형이 만들어지는 것을 찾으시오.

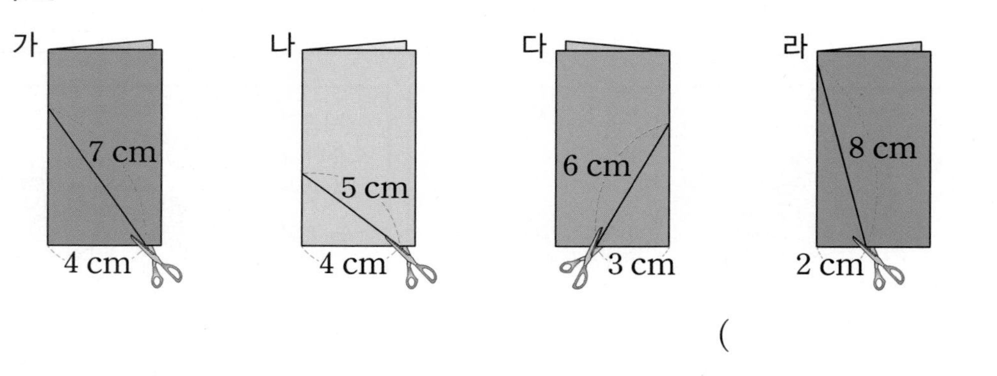

(　　　　　)

Tip

펼쳤을 때 아래에 놓인 변의 길이를 알아봅니다.
가: $4\times2=8$ (cm), 나: $4\times2=8$ (cm), 다: $3\times2=$ ❶ (cm), 라: $2\times2=4$ (cm)
세 변의 길이가 모두 같은지 확인하여 ❷ 삼각형을 찾습니다.

[답] ❶ 6 ❷ 정

▶정답 및 풀이 17쪽

추론

3 이등변삼각형을 세 조각으로 잘랐습니다. 다음 중 잘린 세 조각을 찾아 ○표 하시오.

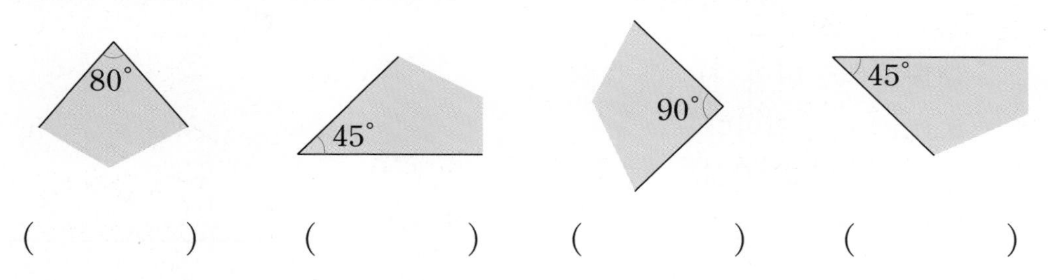

( ) ( ) ( ) ( )

Tip

이등변삼각형에는 크기가 ❶ [ ] 각이 있습니다. 크기가 같은 두 각을 찾은 다음 삼각형의 세 각의 크기가 180°인 점을 이용하여 나머지 한 ❷ [ ]의 크기를 구합니다.

[답] ❶ 같은 ❷ 각

4 카드에 적힌 내용을 보고 분류하여 알맞은 곳에 기호를 쓰시오.

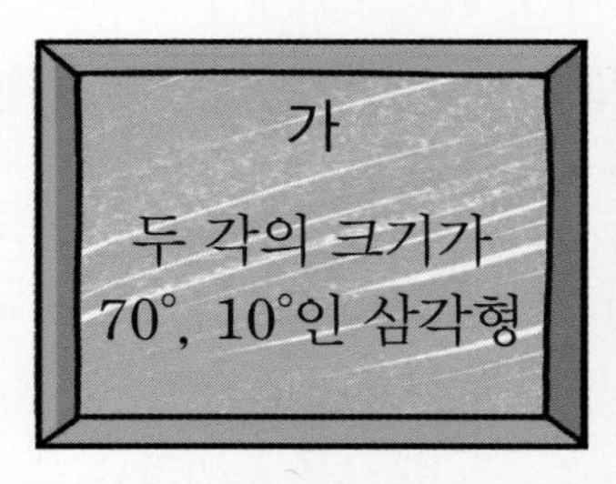

다
두 각의 크기가
50°, 60°인 삼각형

라
세 각의 크기가
30°, 30°, 120°인
삼각형

예각삼각형이면서 이등변삼각형인 도형	둔각삼각형이면서 이등변삼각형인 도형
예각삼각형이면서 이등변삼각형이 아닌 도형	**둔각삼각형이면서 이등변삼각형이 아닌 도형**

Tip

길이가 같은 변이 있는지 둔각이나 직각이 있는지 알아봅니다.
가: 나머지 한 각의 크기를 구하면 $180° - 70° - 10° =$ ❶ [ ]°입니다.
다: 나머지 한 각의 크기를 구하면 $180° - 50° - 60° =$ ❷ [ ]°입니다.

[답] ❶ 100 ❷ 70

5 조건에 따라 주어진 선분을 한 변으로 하는 사다리꼴을 완성하시오.

조건
- 평행한 두 변의 길이는 각각 5 cm, 6 cm입니다.
- 평행선 사이의 거리는 4 cm입니다.

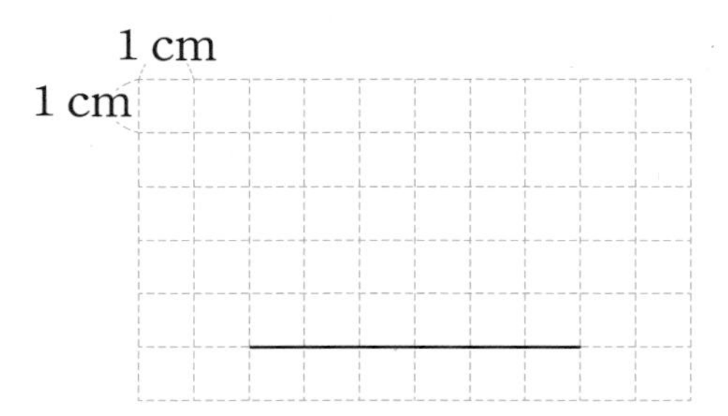

Tip

주어진 선분의 길이는 ❶ cm이므로 주어진 선분과 평행한 변이 5 cm가 되도록 그리는 것이 편리합니다. 평행선 사이의 거리가 4 cm이므로 6 cm인 변과 5 cm인 변 사이의 거리가 ❷ cm가 되도록 그립니다.

[답] ❶ 6 ❷ 4

6 설명이 옳은 곳을 한 번씩 지나 도착 지점까지 가려고 합니다. 가는 길을 나타내시오.

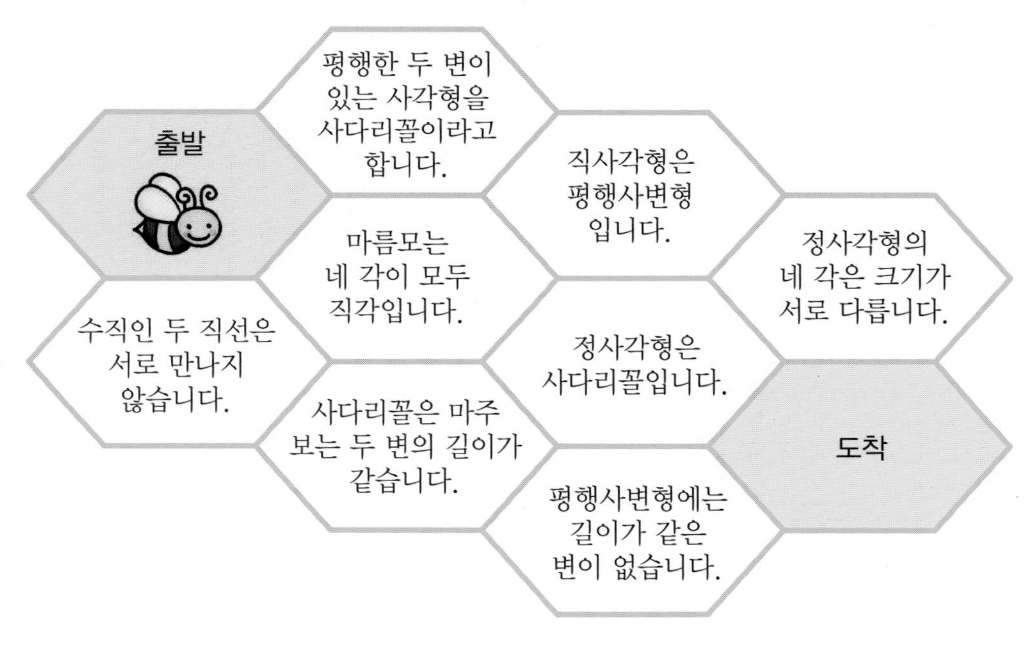

Tip

❶ 사각형은 마름모이면서 직사각형입니다.
마름모와 직사각형은 평행사변형입니다. 평행사변형은 사다리꼴입니다.
❷ 한 두 직선은 서로 만나지 않습니다. 수직인 두 직선은 서로 만납니다.

[답] ❶ 정 ❷ 평행

▶정답 및 풀이 17쪽

7 못이 꽂혀 있는 도형판에 고무줄을 걸어 평행사변형을 만들려고 합니다. 세 꼭짓점이 정해져 있을 때 마지막 꼭짓점을 찾아 평행사변형을 완성하시오.

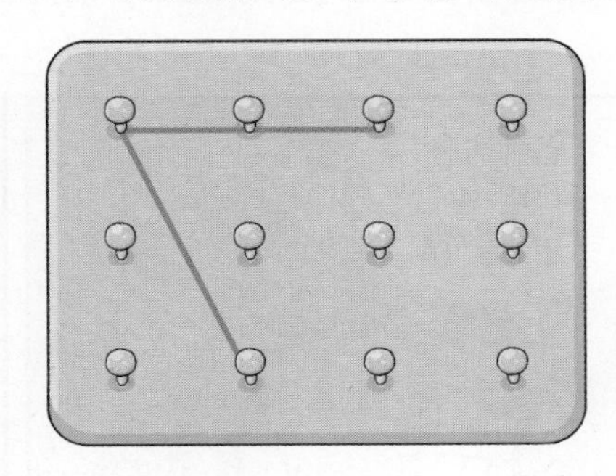

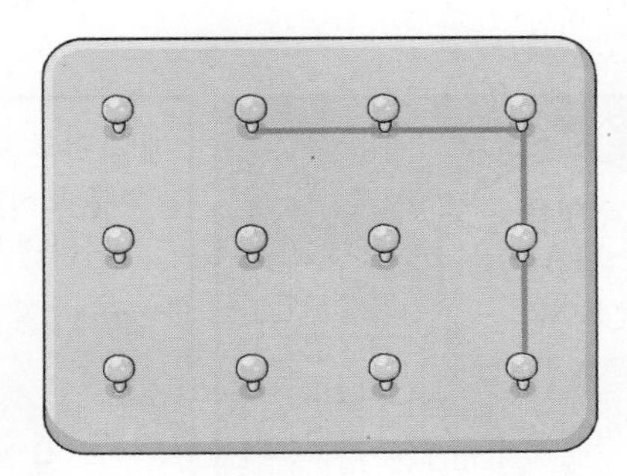

Tip

평행사변형은 ❶ (　　) 보는 변끼리 길이가 같고 ❷ (　　) 합니다.

세 꼭짓점의 위치가 정해져 있으므로 마지막 한 꼭짓점의 위치를 알맞게 찾습니다.

[답] ❶ 마주 ❷ 평행

코딩

8 위치를 가(2, 1)로 나타내면 기준점에서 오른쪽으로 2칸 간 뒤, 위로 1칸 간 지점을 나타냅니다. 직선을 그렸을 때 두 직선이 평행한지 수직인지 쓰시오.

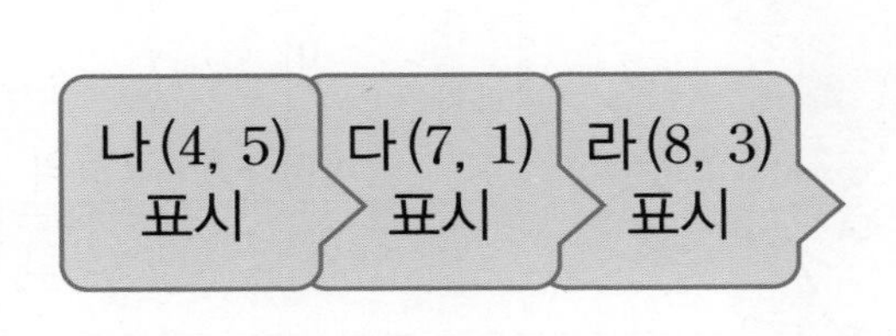

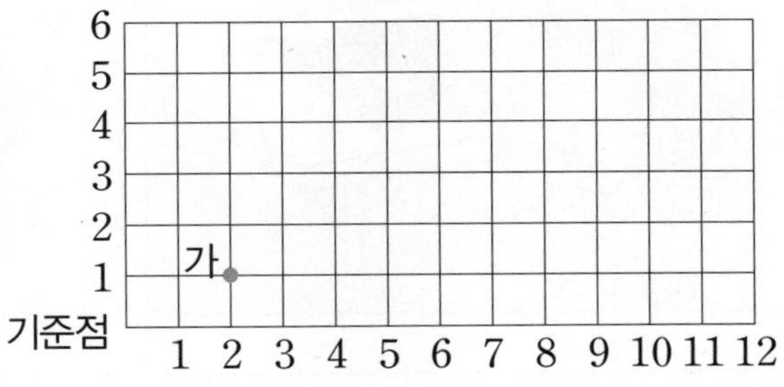

(1)

가와 나를 이은 직선,
나와 라를 이은 직선

(　　　　　　　　)

(2)

가와 나를 이은 직선,
다와 라를 이은 직선

(　　　　　　　　)

Tip

① 나, 다, 라의 위치를 찾아 점을 찍습니다. ② 점 가와 나를 지나는 직선과 점 나와 라를 지나는 직선을 긋습니다.
③ 점 다와 라를 지나는 직선을 긋습니다.

두 직선이 직각으로 만나면 ❶ (　　) 이고, 길게 늘여도 만나지 않으면 ❷ (　　) 합니다.

[답] ❶ 수직 ❷ 평행

주

다각형, 꺾은선그래프

무엇을 나타낸 표야?

매달 먹은 과자의 수를 조사하여 나타냈어.
언제 먹은 과자의 수가 늘었을까?

꺾은선그래프로 나타내면 한눈에 볼 수 있어.

그래프를 꺾는다구?

연속적으로 변화하는 양을 점으로 표시하고 그 점들을 선분으로 이어 그린 그래프를 꺾은선그래프라고 해.
먹은 과자의 수
(개)
10
5
0
과자 수
월
2
3
4
(월)

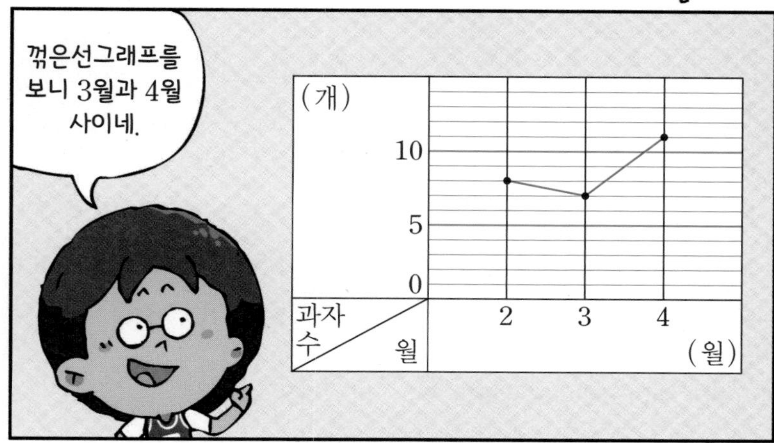

꺾은선그래프를 보니 3월과 4월 사이네.
(개)
10
5
0
과자 수
월
2
3
4
(월)

충치가 생길 수 있으니 과자를 줄여야겠어.
우리 엄마랑 똑같은 얘기를 하는구나.

학습할 내용

❶ 다각형, 정다각형 알아보기
❷ 대각선 알아보기
❸ 꺾은선그래프 알아보기
❹ 꺾은선그래프 그리기

개념 1 다각형 알아보기

[관련 단원] **다각형**

- **다각형:** 선분으로만 둘러싸인 도형

다각형			
변의 수(개)	4	5	6
이름	사각형	오각형	육각형

- **다각형이 아닌 경우**

곡선이 포함되었습니다.

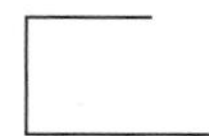

선분으로 둘러싸여 있지 않습니다.

• 변이 7개인 다각형은 ❶ ☐ 이고, 변이 8개인 다각형은 ❷ ☐ 입니다.

답 ❶ 칠각형 ❷ 팔각형

개념 2 정다각형 알아보기

[관련 단원] **다각형**

- **정다각형:** 변의 길이가 모두 같고, 각의 크기가 모두 같은 다각형

정다각형			
변의 수(개)	4	5	6
이름	정사각형	정오각형	정육각형

• 변이 5개인 정다각형은 ❶ ☐ 이고, 변이 6개인 정다각형은 ❷ ☐ 입니다.

답 ❶ 정오각형 ❷ 정육각형

개념 3 대각선 알아보기

[관련 단원] **다각형**

- **대각선:** 다각형에서 서로 이웃하지 않는 두 꼭짓점을 이은 선분

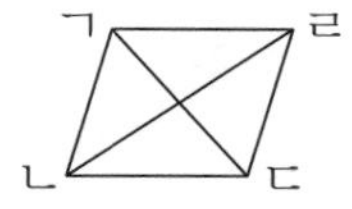

대각선 ⇨ 선분 ㄱㄷ, 선분 ㄴㄹ

- **사각형에서 대각선의 성질**

대각선의 성질	사각형
두 대각선의 길이가 같은 사각형	직사각형, 정사각형
두 대각선이 서로 수직으로 만나는 사각형	마름모, 정사각형

• 대각선은 다각형에서 서로 이웃하지 않는 두 ❶ ☐ 을 이은 ❷ ☐ 입니다.

삼각형은 대각선이 없습니다.

답 ❶ 꼭짓점 ❷ 선분

개념 기초 확인

▶정답 및 풀이 19쪽

1-1 다각형에 ○표 하시오.

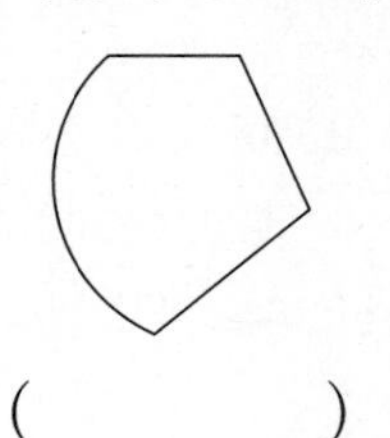 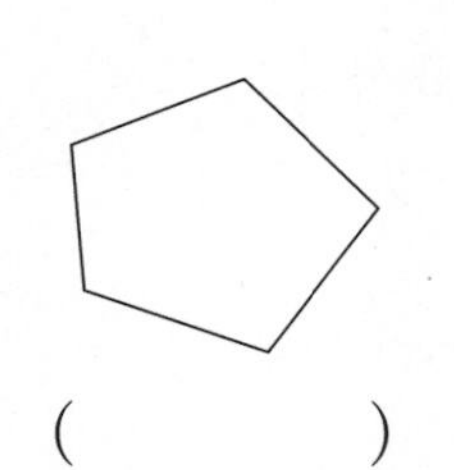

( ) ( )

• **풀이** • ❶ [ ] 으로만 둘러싸인 ❷ [ ] 을 다각형이라고 합니다.

답 ❶ 선분 ❷ 도형

1-2 다각형을 찾아 기호를 쓰시오.

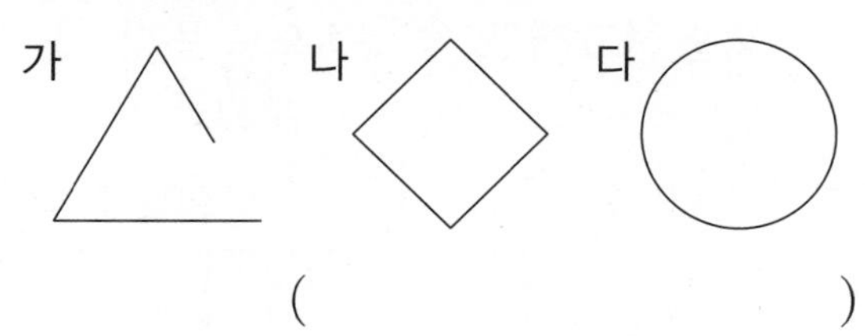

( )

2-1 정다각형의 이름을 쓰시오.

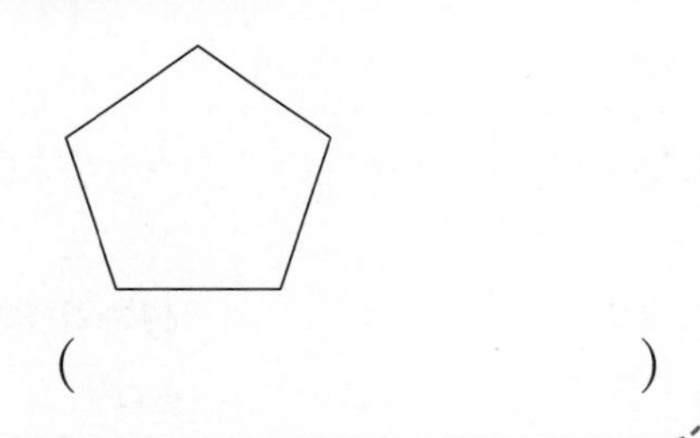

( )

• **풀이** • 변이 ❶ [ ] 개인 정다각형은 정 ❷ [ ] 각형입니다.

답 ❶ 5 ❷ 오

2-2 정다각형의 이름을 쓰시오.

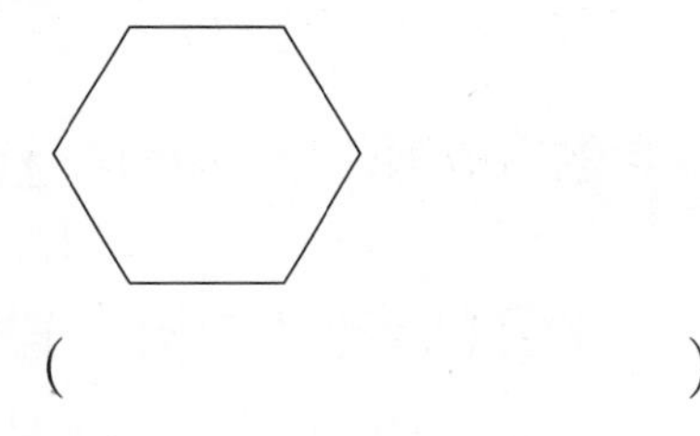

( )

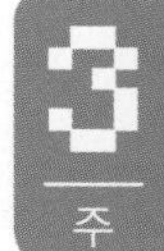

3-1 대각선을 바르게 그은 것에 ○표 하시오.

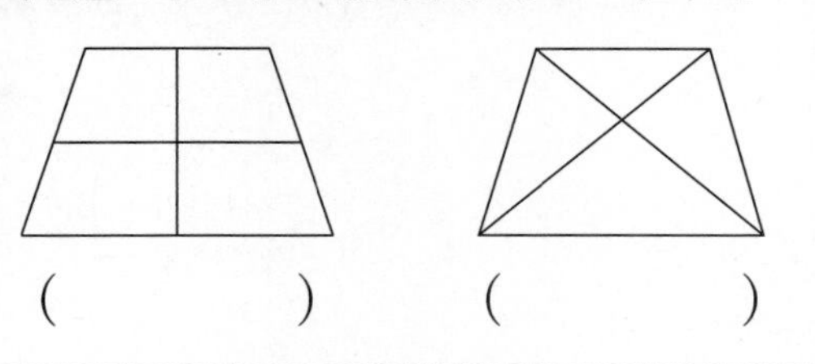

( ) ( )

• **풀이** • 다각형에서 서로 ❶ [ ] 하지 않는 두 ❷ [ ] 을 이은 선분을 대각선이라고 합니다.

답 ❶ 이웃 ❷ 꼭짓점

3-2 대각선을 바르게 그었으면 ○표, 아니면 ×표 하시오.

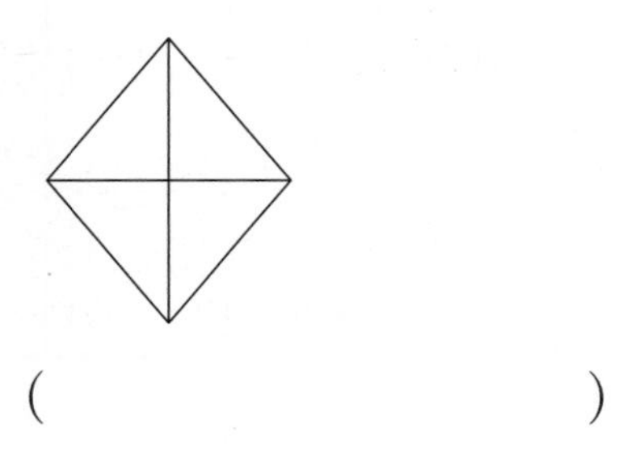

( )

개념 4 꺾은선그래프 알아보기

[관련 단원] 꺾은선그래프

꺾은선그래프: 연속적으로 변화하는 양을 점으로 표시하고 그 점들을 선분으로 이어 그린 그래프

연필의 길이

(cm) 10 0 길이 / 날짜 1 3 5 7 9 (일)

- 가로는 날짜, 세로는 길이를 나타냅니다.
- 세로 눈금 한 칸은 2 cm를 나타냅니다.

- 연속적으로 변화하는 양을 ❶ [ ] 으로 표시하고, 그 점들을 ❷ [ ] 으로 이어 그린그래프를 꺾은선그래프라고 합니다.

답 ❶ 점 ❷ 선분

개념 5 꺾은선그래프 그리기

[관련 단원] 꺾은선그래프

꺾은선그래프 그리는 방법

① 가로와 세로에 각각 무엇을 나타낼지 정합니다.
② 세로 눈금 한 칸의 크기를 정합니다.
물결선을 사용할 경우에는 물결선 위로 시작할 수를 정하고 필요 없는 부분을 물결선으로 나타냅니다.
③ 가로 눈금과 세로 눈금이 만나는 자리에 점을 찍습니다.
④ 점들을 선분으로 이어 꺾은선그래프로 나타냅니다.
⑤ 꺾은선그래프에 알맞은 제목을 붙입니다.

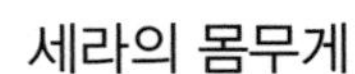

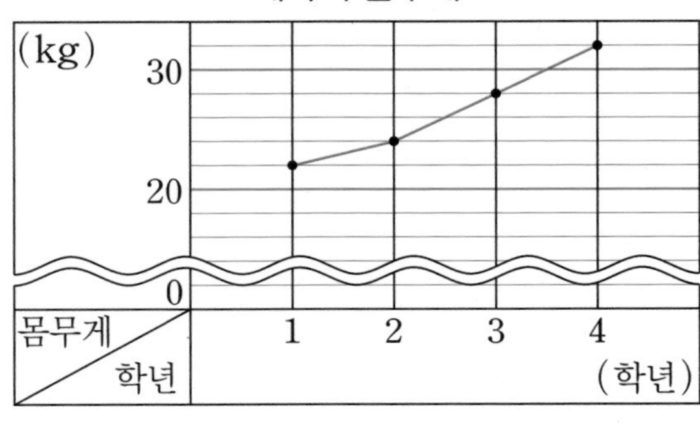

- 왼쪽의 꺾은선그래프에서 가로에는 ❶ [ ] 을, 세로에는 세라의 ❷ [ ] 를 나타내었습니다.

답 ❶ 학년 ❷ 몸무게

개념 기초 확인

▶정답 및 풀이 19쪽

4-1 하루 동안 운동장의 온도를 조사하여 나타낸 꺾은선그래프입니다. 세로 눈금 한 칸은 몇 ℃를 나타냅니까?

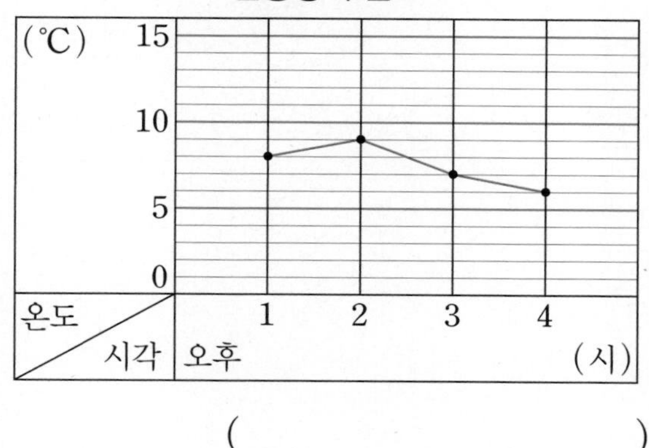

(   )

• **풀이** • 세로 눈금 5칸이 ❶ ℃이므로 세로 눈금 한 칸은 ❷ ℃를 나타냅니다.

답 ❶ 5 ❷ 1

4-2 하루 동안 교실의 온도를 조사하여 나타낸 꺾은선그래프입니다. 세로 눈금 한 칸은 몇 ℃를 나타냅니까?

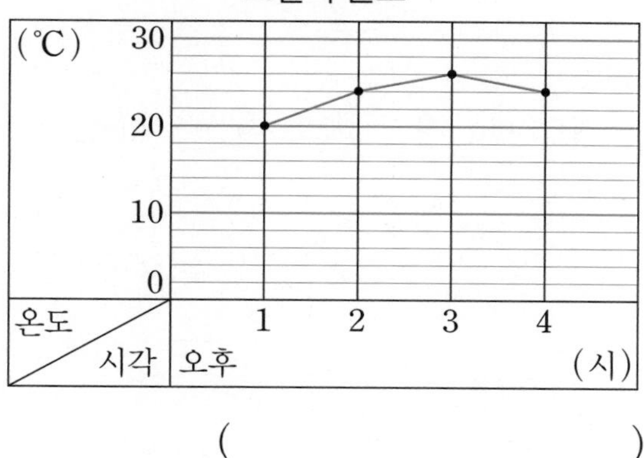

(   )

5-1 강낭콩의 키를 조사하여 나타낸 표입니다. 표를 보고 꺾은선그래프를 완성하시오.

강낭콩의 키

날짜(일)	1	2	3	4
키(mm)	5	7	10	12

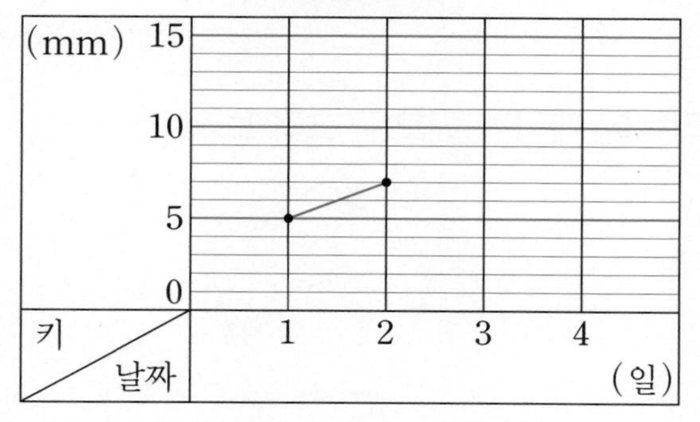

• **풀이** • 점을 찍을 때 ❶ 눈금과 세로 눈금이 만나는 자리에 점을 찍고 ❷ 으로 잇습니다.

답 ❶ 가로 ❷ 선분

5-2 수진이의 키를 조사하여 나타낸 표입니다. 표를 보고 꺾은선그래프를 완성하시오.

수진이의 키

월	3	4	5	6
키(cm)	130.2	130.5	130.6	130.8

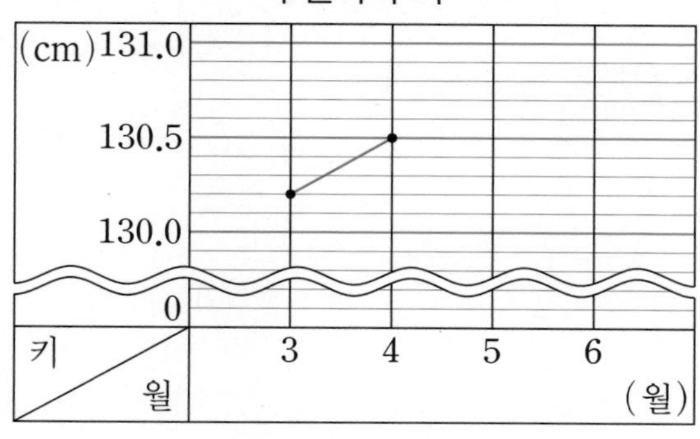

3 주

개념 돌파 전략 ❷

예제 1 다각형 알아보기

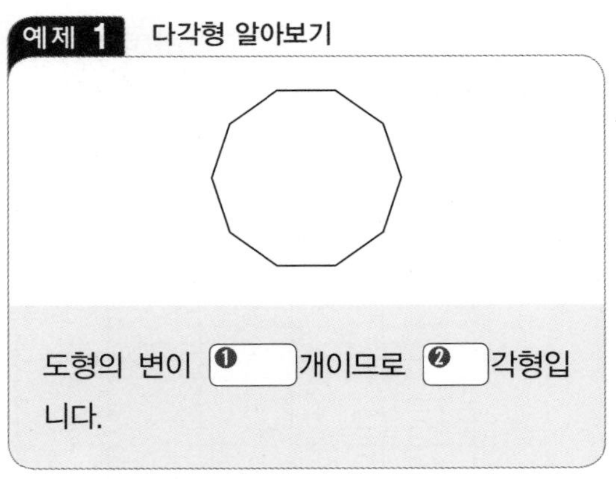

도형의 변이 ❶ ☐ 개이므로 ❷ ☐ 각형입니다.

[답] ❶ 10 ❷ 십

1 도형의 이름을 쓰시오.

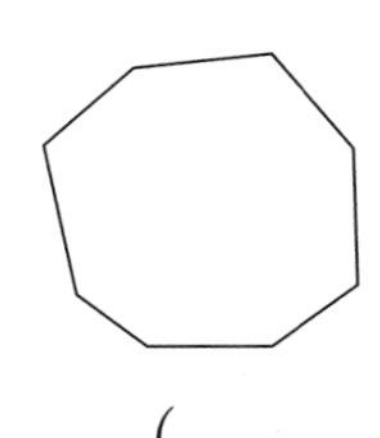

(   )

예제 2 정다각형 알아보기

정오각형　　　　정육각형

정다각형은 ❶ ☐ 의 길이가 모두 같고, ❷ ☐ 의 크기가 모두 같습니다.

[답] ❶ 변 ❷ 각

2 정다각형을 찾아 ○표 하시오.

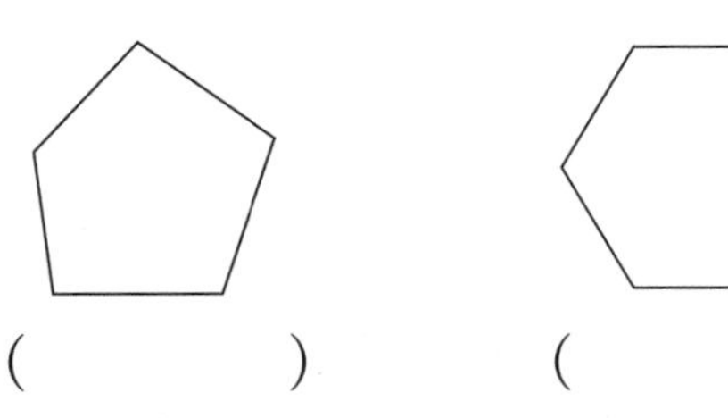

(   )　　(   )

예제 3 대각선 알아보기

대각선
대각선

대각선을 그을 때에는 서로 ❶ ☐ 하지 않는 두 ❷ ☐ 을 선으로 잇습니다.

[답] ❶ 이웃 ❷ 꼭짓점

3 오각형에 대각선을 모두 그어 보시오.

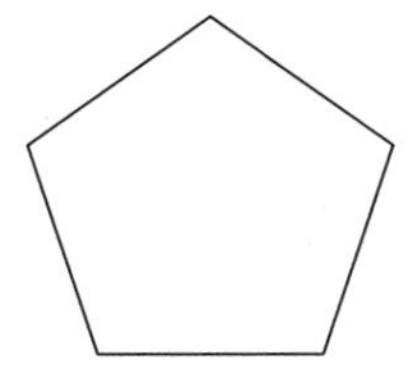

▶정답 및 풀이 19쪽

예제 4 꺾은선그래프 알아보기

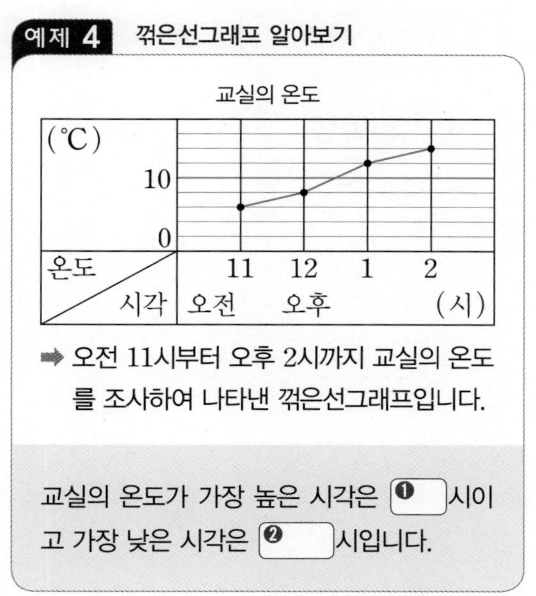

➡ 오전 11시부터 오후 2시까지 교실의 온도를 조사하여 나타낸 꺾은선그래프입니다.

교실의 온도가 가장 높은 시각은 ❶ ☐ 시이고 가장 낮은 시각은 ❷ ☐ 시입니다.

[답] ❶ 2 ❷ 11

4 우진이의 몸무게를 조사하여 나타낸 꺾은선그래프입니다. 몸무게가 가장 무거운 달은 몇 월입니까?

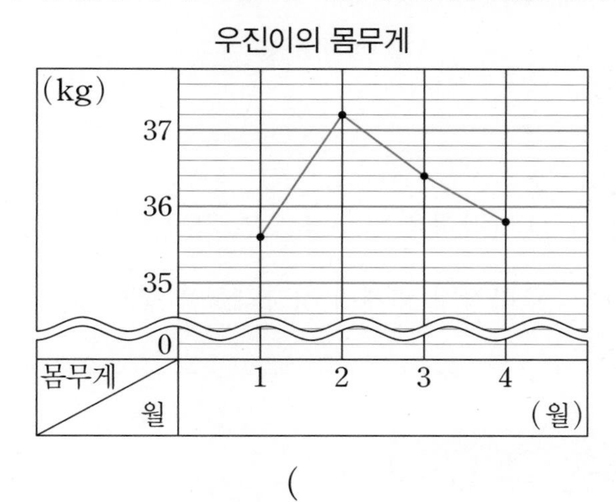

(　　　　　　　　)

예제 5 꺾은선그래프 그리기

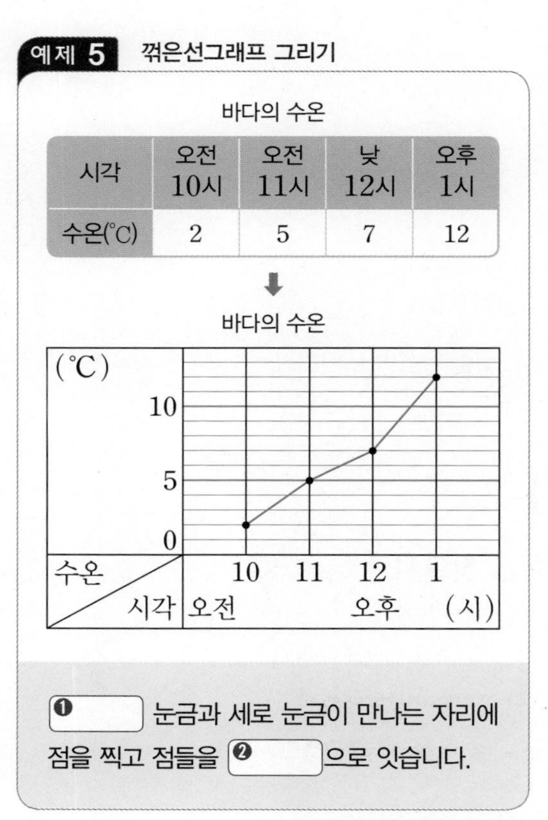

❶ ☐ 눈금과 세로 눈금이 만나는 자리에 점을 찍고 점들을 ❷ ☐ 으로 잇습니다.

[답] ❶ 가로 ❷ 선분

5 주현이의 키를 조사하여 나타낸 표입니다. 표를 보고 꺾은선그래프로 나타내시오.

주현이의 키

월	6	7	8	9
키(cm)	130.2	130.6	130.8	140.6

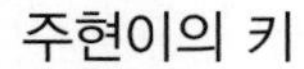

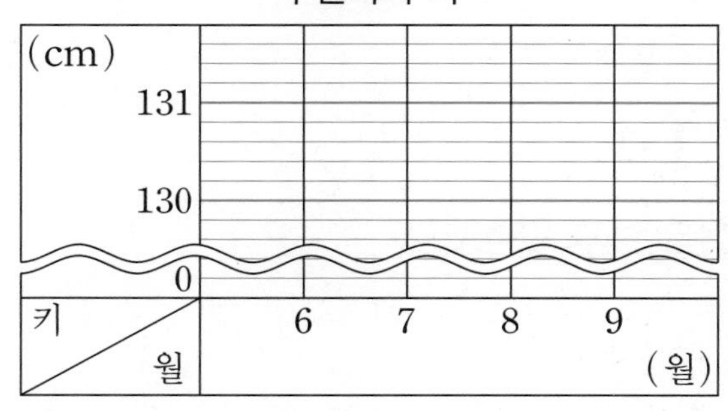

3 주

전략 1 다각형, 정다각형 분류하기

[관련 단원] 다각형

예 다각형과 정다각형 찾기

가 나 다 라 마

(1) 다각형을 모두 찾으면 가, 다, ❶ [ ] 입니다.

(2) 다각형 중에서 정다각형을 찾으면 ❷ [ ] 입니다.

답 ❶ 마 ❷ 마

필수 예제 01

다각형과 정다각형을 찾으시오.

가 나 다 라 마 바

(1) 다각형을 모두 찾으시오.

( )

(2) 정다각형을 찾으시오.

( )

풀이 | (1) 선분으로만 둘러싸인 도형은 나, 다, 바입니다.
(2) 다각형 중에서 변의 길이가 모두 같고 각의 크기가 모두 같은 다각형을 찾으면 바입니다.

확인 1-1

다각형을 모두 찾으시오.

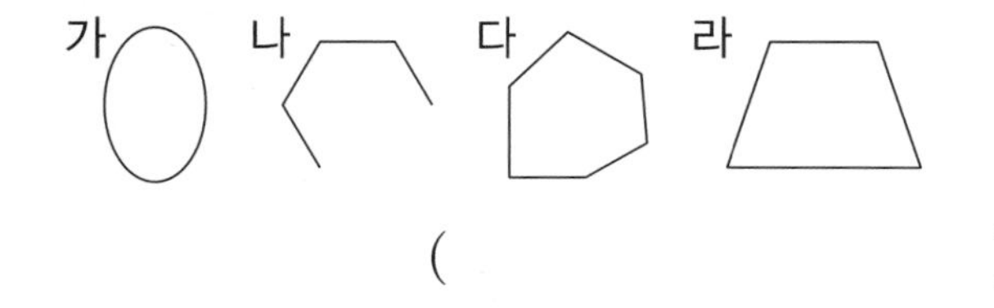

( )

확인 1-2

정다각형을 찾으시오.

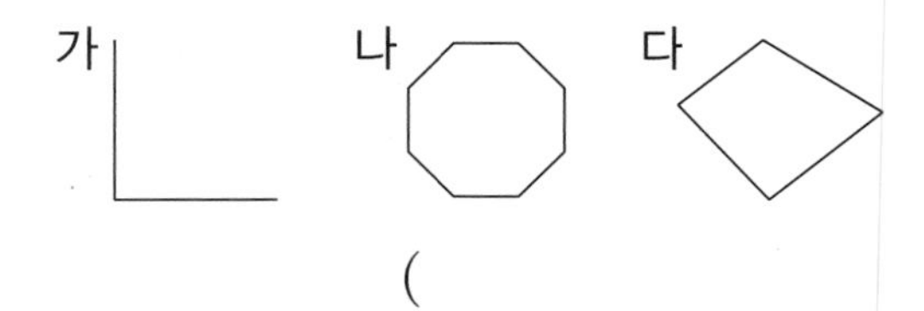

( )

▶정답 및 풀이 20쪽

전략 2 대각선의 개수 구하기

[관련 단원] 다각형

예 사각형의 대각선 개수 구하기

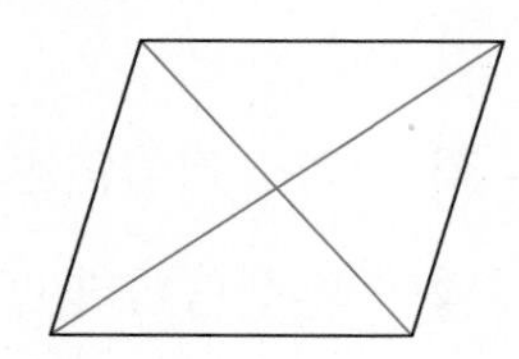

(1) 대각선 모두 찾기

위의 사각형에서 ❶ [ ]색 선이 대각선입니다.

(2) 대각선 개수 구하기

❷ [ ]색 선의 개수를 세어 보면 모두 ❸ [ ]개입니다.

답 ❶ 빨간 ❷ 빨간 ❸ 2

필수 예제 02

육각형의 대각선의 개수를 구하시오.

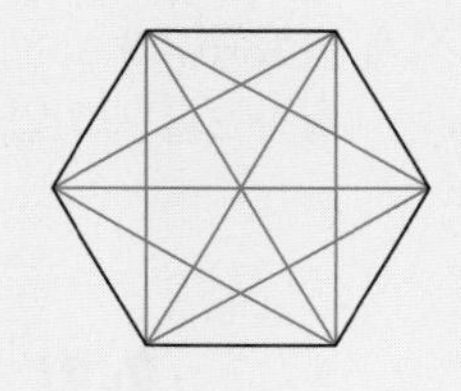

( )

풀이 | 서로 이웃하지 않은 두 꼭짓점을 이은 선분이 대각선입니다. 그림에서 빨간색 선이 대각선이므로 빨간색 선의 개수를 모두 세어 보면 9개입니다.

확인 2-1

삼각형의 대각선의 개수를 구하시오.

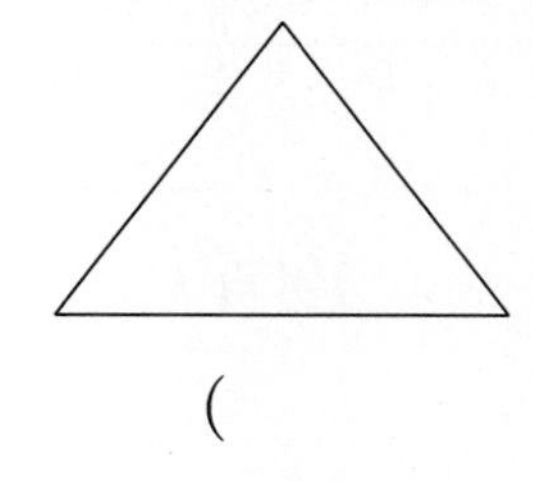

( )

확인 2-2

오각형의 대각선의 개수를 구하시오.

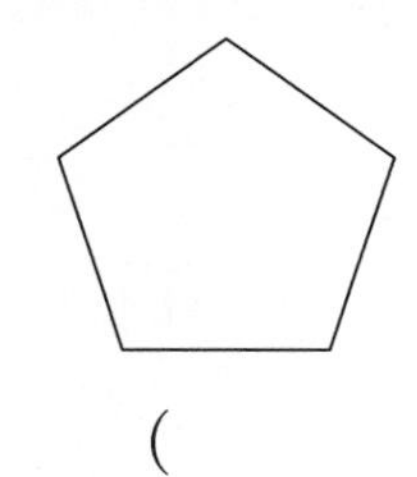

( )

3 주

전략 3 꺾은선그래프의 내용 알아보기

[관련 단원] 꺾은선그래프

예 강아지의 무게가 가장 많이 변한 때 알아보기

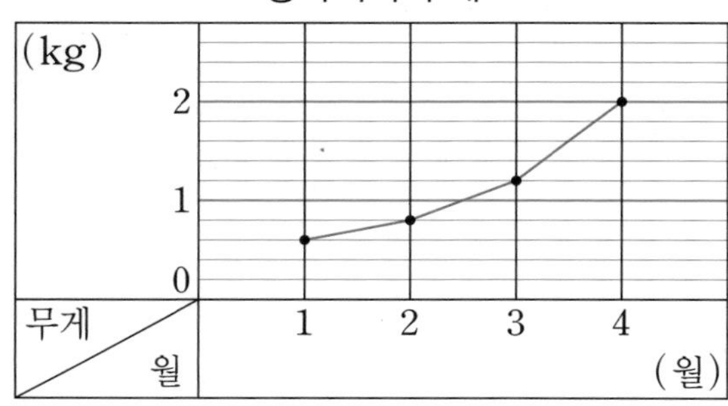

(1) 꺾은선이 기울어진 것이 클수록 ❶ ☐ 가 많이 변했습니다.

(2) 강아지의 무게가 가장 많이 변한 때는 ❷ ☐ 월과 ❸ ☐ 월 사이입니다.

답 ❶ 무게 ❷ 3 ❸ 4

필수 예제 | 03

위 전략 3의 꺾은선그래프에서 강아지의 무게가 가장 적게 변한 때를 구하시오.

( )월과 ( )월 사이

풀이 | 꺾은선이 기울어진 것이 작을수록 무게가 적게 변했습니다.
따라서 강아지의 무게가 가장 적게 변한 때는 1월과 2월 사이입니다.

확인 3-1

나팔꽃의 키가 가장 많이 변한 때를 구하시오.

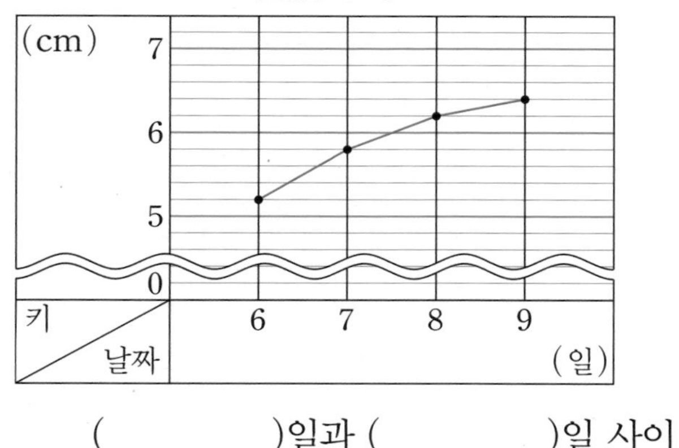

( )일과 ( )일 사이

확인 3-2

고양이의 키가 가장 적게 변한 때를 구하시오.

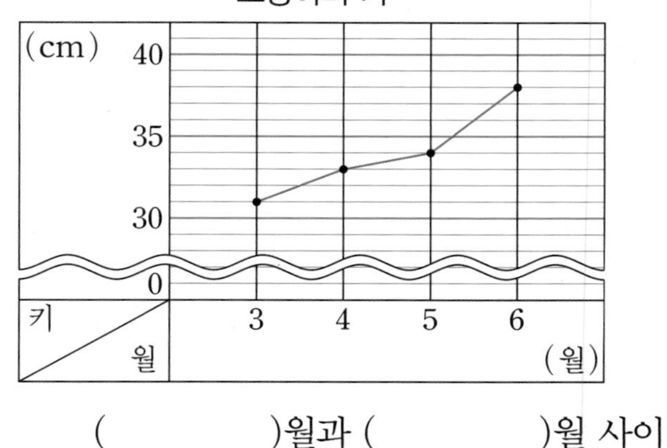

( )월과 ( )월 사이

▶정답 및 풀이 20쪽

전략 4 꺾은선그래프의 세로 눈금 한 칸의 크기 알아보기

[관련 단원] 꺾은선그래프

예 턱걸이 횟수를 나타낸 꺾은선그래프의 세로 눈금 한 칸의 크기 알아보기

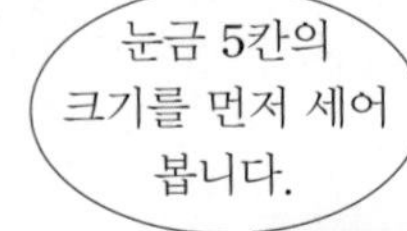

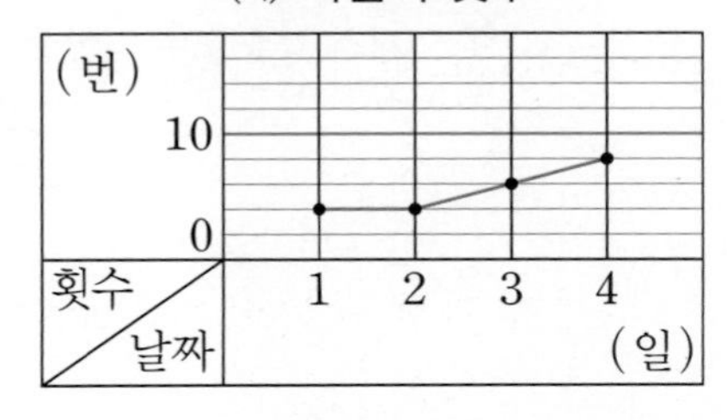

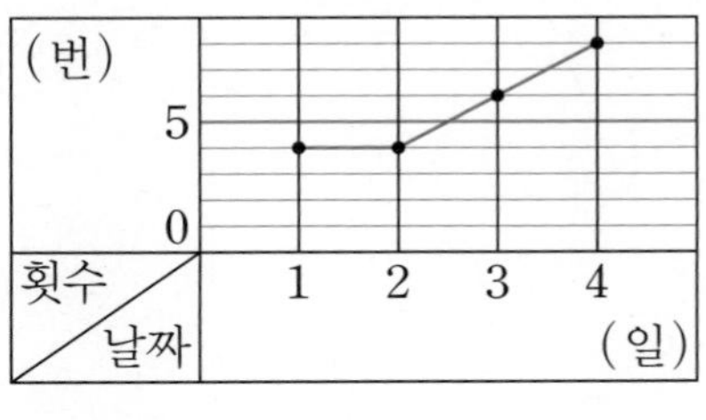

(1) (가) 그래프의 세로 눈금 5칸의 크기는 ❶ ☐ 번입니다.

(2) (가) 그래프의 세로 눈금 한 칸의 크기는 $10 \div 5 =$ ❷ ☐ (번)입니다.

답 ❶ 10 ❷ 2

필수 예제 04

위 전략 4의 (나) 꺾은선그래프를 보고 ☐ 안에 알맞은 수를 써넣으시오.

(1) (나) 그래프의 세로 눈금 5칸의 크기는 ☐ 번입니다.

(2) (나) 그래프의 세로 눈금 한 칸의 크기는 ☐ 번입니다.

풀이 | (나) 그래프의 세로 눈금 5칸의 크기는 5번이므로 세로 눈금 한 칸의 크기는 $5 \div 5 = 1$(번)입니다.

확인 4-1

꺾은선그래프를 보고 세로 눈금 한 칸은 몇 번인지 구하시오.

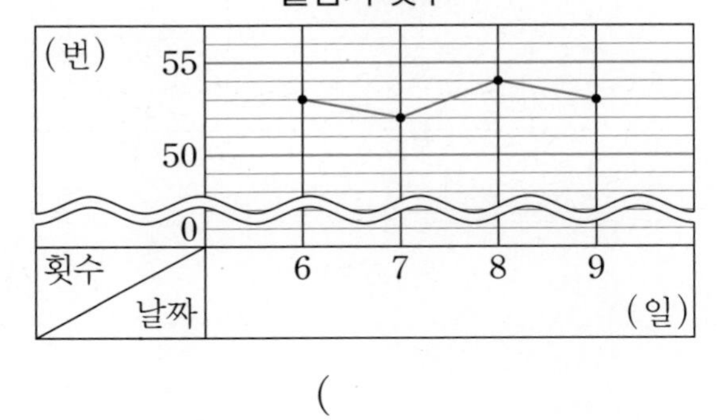

( )

확인 4-2

꺾은선그래프를 보고 세로 눈금 한 칸은 몇 번인지 구하시오.

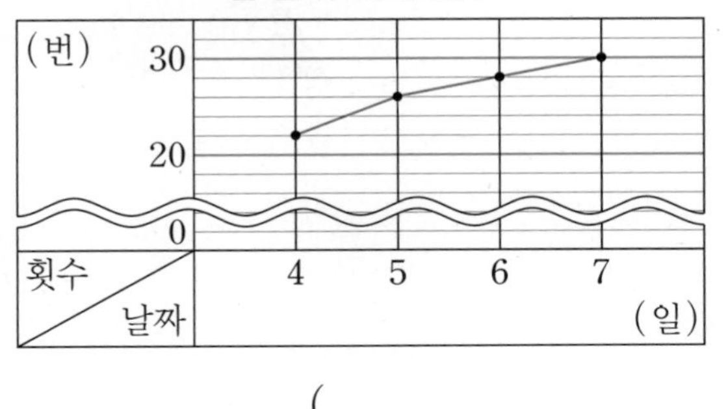

( )

[관련 단원] **다각형**

1 ❶오각형을 삼각형 3개로 나누었습니다. ❷오각형의 모든 각의 크기의 합을 구하시오.

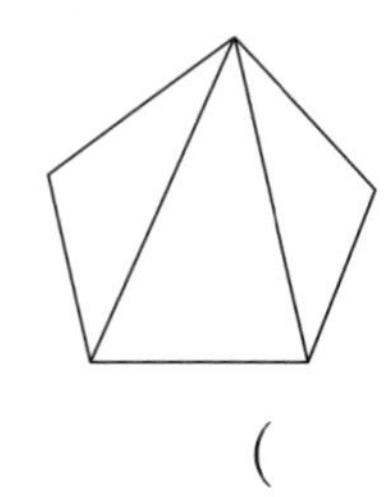

(　　　　　　　　　　)

Tip

❶ 삼각형의 세 각의 크기의 합은 ❶[　　]°입니다.

❷ 오각형의 모든 각의 크기의 합은 삼각형 ❷[　　]개의 각을 모두 더한 것과 같습니다.

답 ❶ 180 ❷ 3

[관련 단원] **다각형**

2 직사각형입니다. □ 안에 알맞은 수를 구하시오.

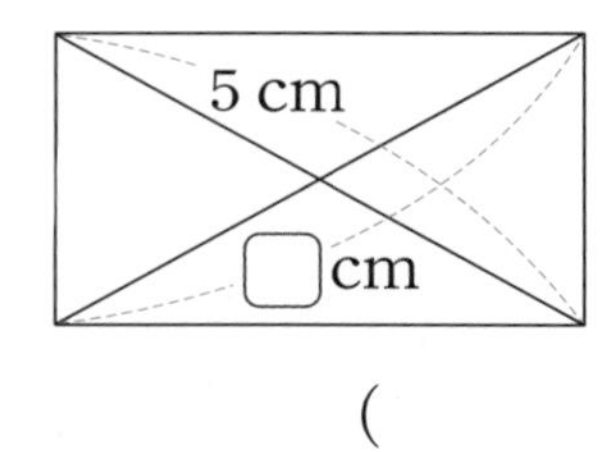

(　　　　　　　　　　)

Tip

- 직사각형에서 두 대각선의 길이는 ❶[　　　　].
- 한 대각선의 길이는 ❷[　　] cm입니다.

답 ❶ 같습니다 ❷ 5

[관련 단원] **다각형**

3 모양 조각 2개를 사용하여 모양을 만들었습니다. 두 모양 조각이 어떤 다각형인지 각각 쓰시오.

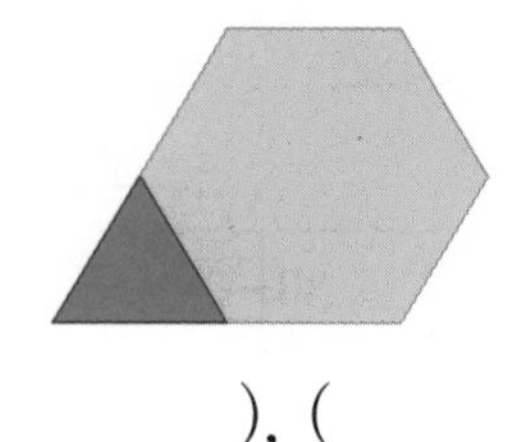

(　　　　　　　　　　), (　　　　　　　　　　)

Tip

- 초록색 모양 조각은 변이 ❶[　　]개입니다.
- 노란색 모양 조각은 변이 ❷[　　]개입니다.

답 ❶ 3 ❷ 6

▶정답 및 풀이 20쪽

[관련 단원] **꺾은선그래프**

4 어느 과수원의 배 생산량을 2년마다 조사하여 나타낸 꺾은선그래프입니다. 2018년의 배 생산량은 몇 상자였을지 예상하시오.

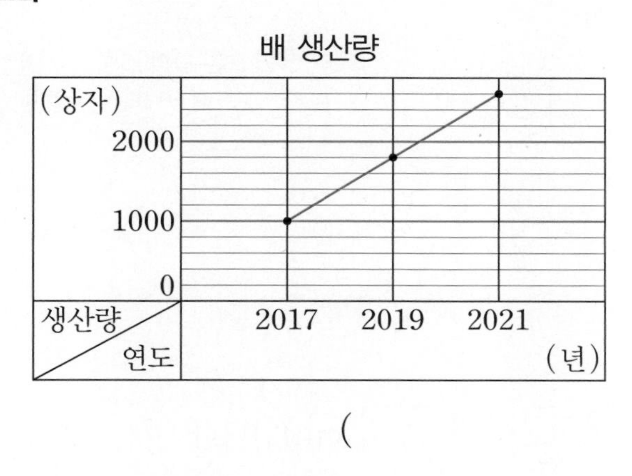

(　　　　　　　　　　)

Tip

- 2017년은 ❶ ☐ 상자, 2019년은 1800상자입니다.
- 2018년의 생산량은 2017년과 ❷ ☐ 년의 중간쯤 될 것으로 예상할 수 있습니다.

답 ❶ 1000 ❷ 2019

3주

[관련 단원] **꺾은선그래프**

5 표를 보고 물결선이 있는 꺾은선그래프를 그리시오.

사과 생산량

연도(년)	2015	2017	2019	2021
생산량(상자)	1540	1520	1560	1570

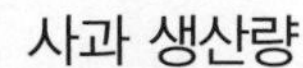

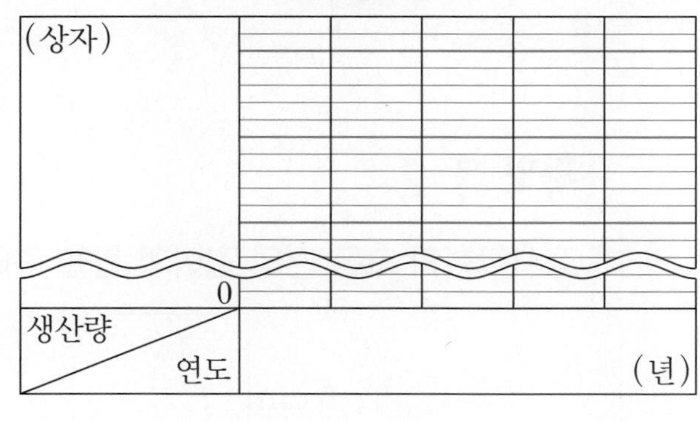

Tip

- 꺾은선그래프에서 필요 없는 부분은 ❶ ☐ 으로 나타낼 수 있습니다.
- 가장 적은 생산량은 ❷ ☐ 상자입니다.

답 ❶ 물결선 ❷ 1520

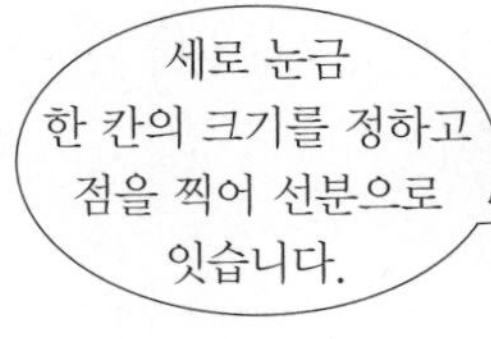

3주 03일 필수 체크 전략 ❶

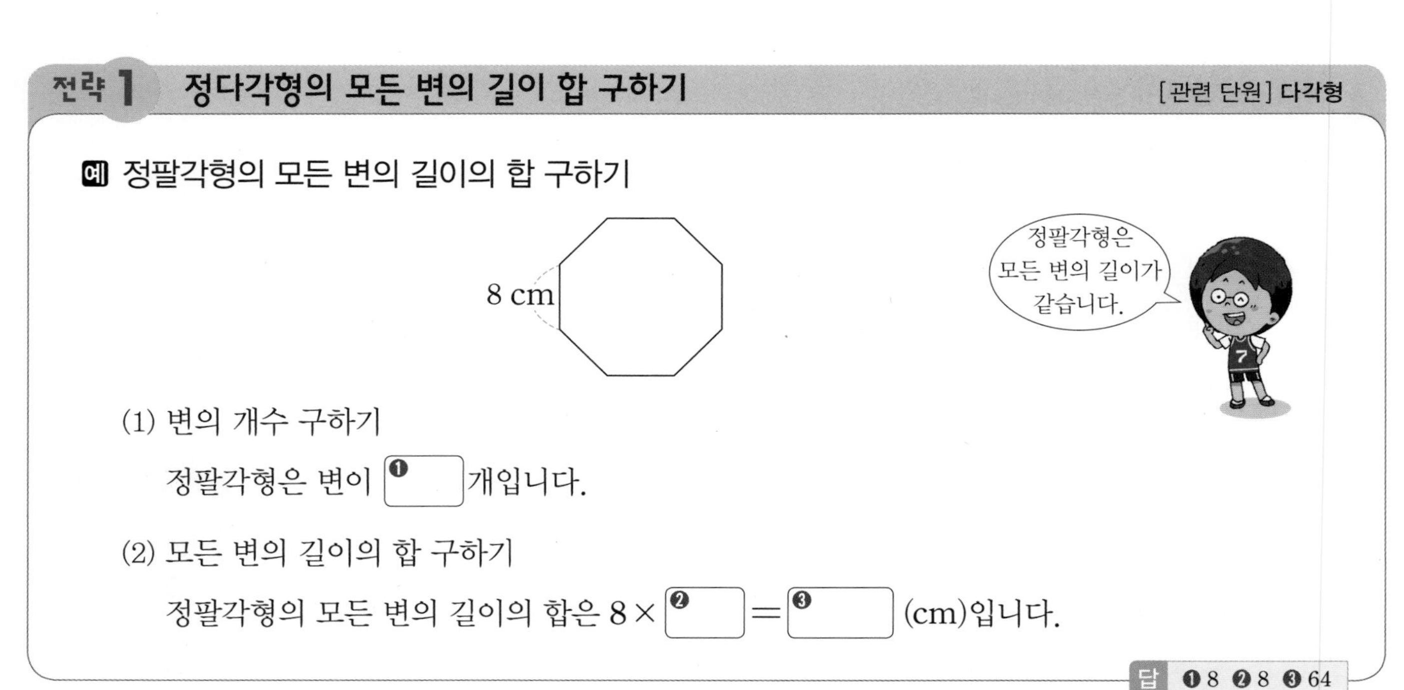

전략 1 정다각형의 모든 변의 길이 합 구하기

[관련 단원] 다각형

예 정팔각형의 모든 변의 길이의 합 구하기

8 cm

(1) 변의 개수 구하기

정팔각형은 변이 ❶ ☐ 개입니다.

(2) 모든 변의 길이의 합 구하기

정팔각형의 모든 변의 길이의 합은 $8 \times$ ❷ ☐ $=$ ❸ ☐ (cm)입니다.

답 ❶ 8 ❷ 8 ❸ 64

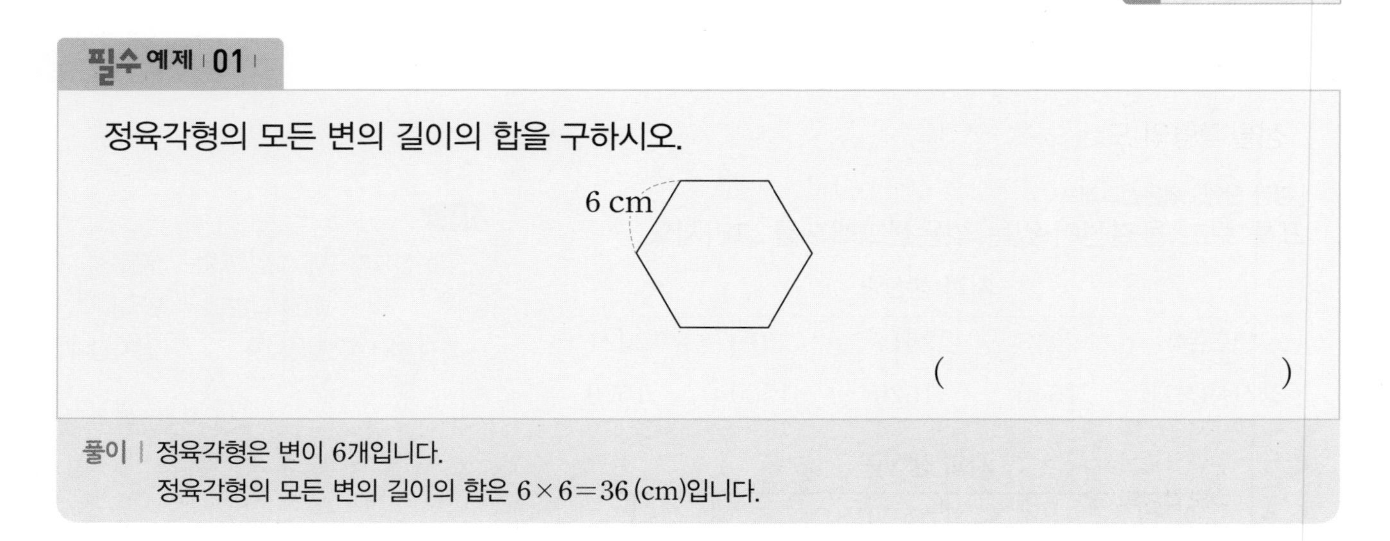

필수 예제 01

정육각형의 모든 변의 길이의 합을 구하시오.

6 cm

(　　　　　　　　　　)

풀이 | 정육각형은 변이 6개입니다.
정육각형의 모든 변의 길이의 합은 $6 \times 6 = 36$ (cm)입니다.

확인 1-1

정오각형의 모든 변의 길이의 합을 구하시오.

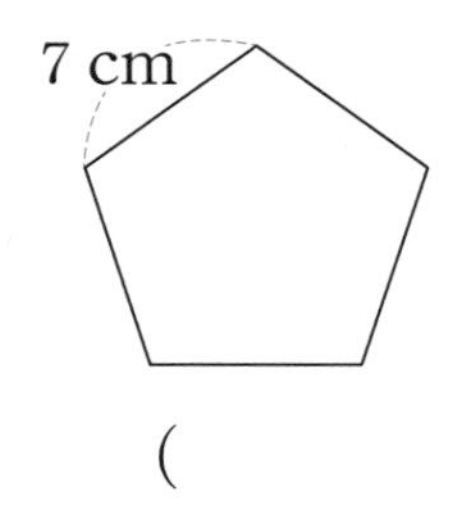

(　　　　　　　　　　)

확인 1-2

정사각형의 모든 변의 길이의 합을 구하시오.

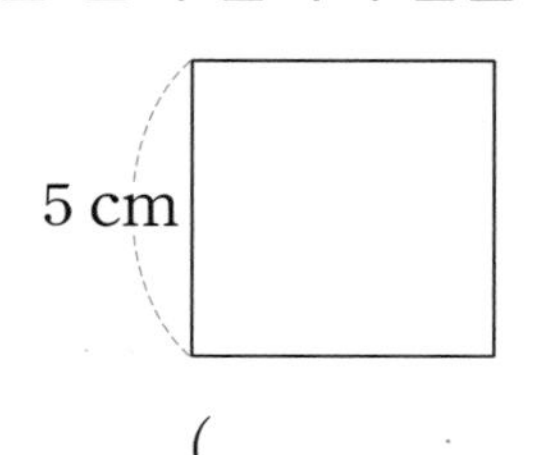

(　　　　　　　　　　)

▶정답 및 풀이 21쪽

전략 2 정다각형의 각의 크기의 합 구하기

[관련 단원] 다각형

예 정오각형의 각의 크기의 합 구하기

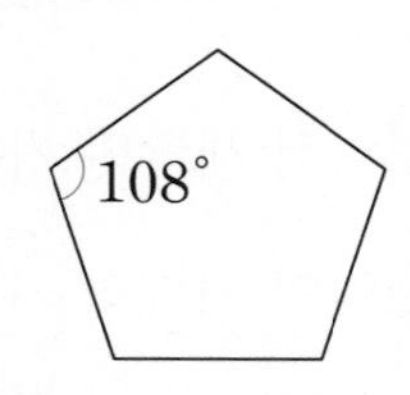

정오각형은 모든 각의 크기가 같습니다.

(1) 각의 개수 구하기

정오각형은 각이 ❶ □ 개입니다.

(2) 각의 크기의 합 구하기

정오각형의 모든 각의 크기의 합은 $108° \times$ ❷ □ $=$ ❸ □ °입니다.

답 ❶ 5 ❷ 5 ❸ 540

필수 예제 02

정팔각형의 모든 각의 크기의 합을 구하시오.

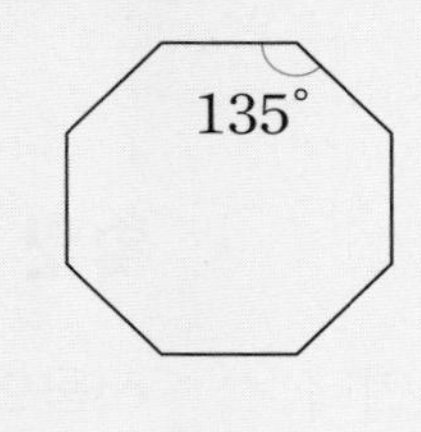

( )

풀이 | 정팔각형은 각이 8개입니다.
정오각형의 모든 각의 크기의 합은 $135° \times 8 = 1080°$입니다.

확인 2-1

정육각형의 모든 각의 크기의 합을 구하시오.

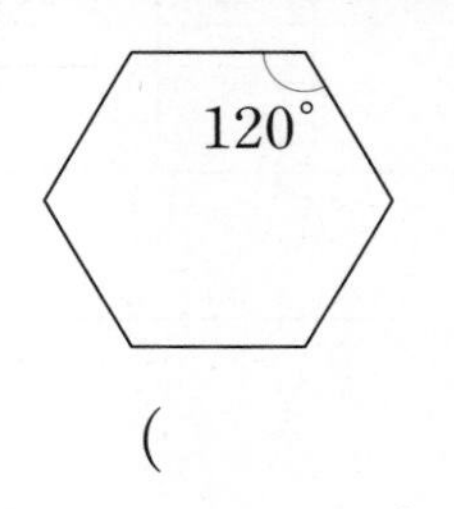

( )

확인 2-2

정사각형의 모든 각의 크기의 합을 구하시오.

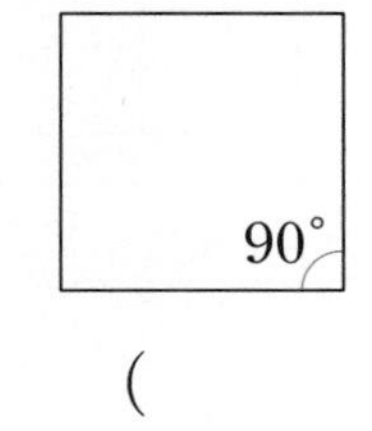

( )

전략 3 변화한 양 알아보기

[관련 단원] 꺾은선그래프

예 새싹의 키가 2일부터 9일까지 몇 cm 자랐는지 알아보기

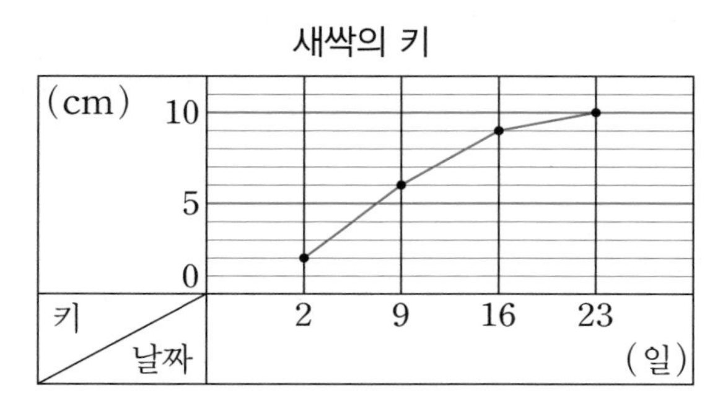

(1) 2일의 새싹의 키는 ❶ cm입니다.

(2) 9일의 새싹의 키는 ❷ cm입니다.

(3) 새싹의 키는 2일부터 9일까지
$6-2=$ ❸ (cm) 자랐습니다.

답 ❶ 2 ❷ 6 ❸ 4

필수 예제 | 03 |

위 전략 3의 꺾은선그래프를 보고 새싹의 키가 9일부터 16일까지 몇 cm 자랐는지 구하시오.

( )

풀이 | 9일의 새싹의 키는 6 cm이고, 16일의 새싹의 키는 9 cm이므로 $9-6=3$ (cm) 자랐습니다.

확인 3-1

연필의 길이를 조사하여 나타낸 꺾은선그래프입니다. 연필의 길이가 3일부터 5일까지 몇 cm 줄어들었는지 구하시오.

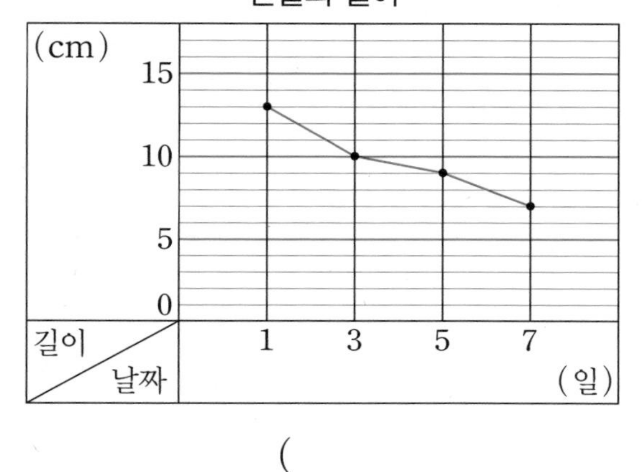

( )

확인 3-2

식물의 키를 조사하여 나타낸 꺾은선그래프입니다. 식물의 키가 10일부터 17일까지 몇 cm 자랐는지 구하시오.

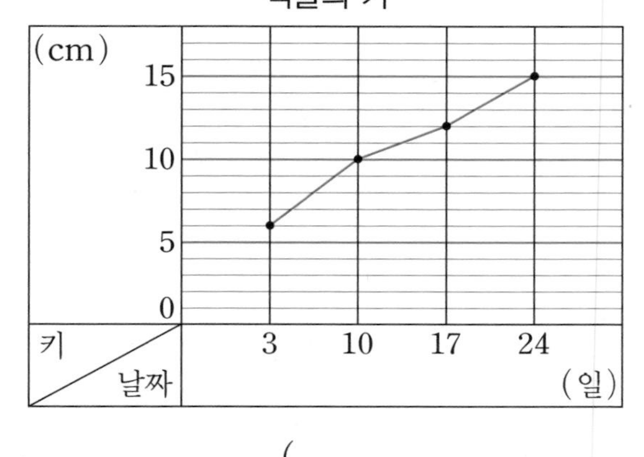

( )

▶정답 및 풀이 21쪽

전략 4 값 예상하기

[관련 단원] 꺾은선그래프

예 4분 후 양초의 길이가 몇 mm가 될지 예상하기

양초의 길이

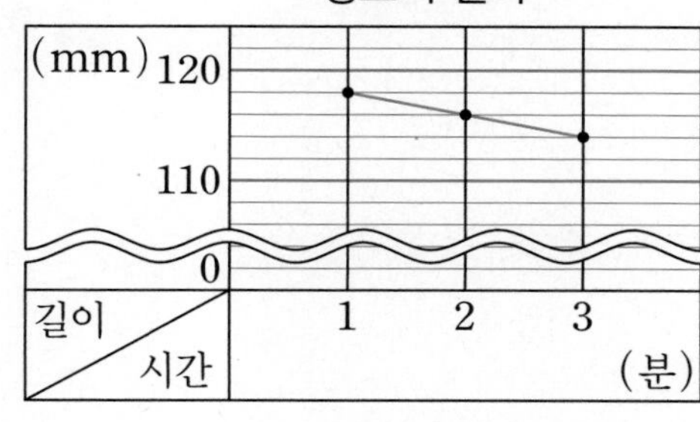

(1) 양초가 1분마다 ❶[　　] mm씩 줄어들고 있습니다.

(2) 4분 후 양초의 길이는

114 mm − ❷[　　] mm = ❸[　　] mm로

예상할 수 있습니다.

답 ❶ 2 ❷ 2 ❸ 112

필수 예제 | 04

위 전략 4의 꺾은선그래프를 보고 5분 후 양초의 길이가 몇 mm가 될지 예상하시오.

(　　　　　　　　　　)

풀이 | 1분마다 2 mm씩 일정하게 줄어들고 있습니다.

➡ 114 mm − 2 mm − 2 mm = 110 mm로 예상할 수 있습니다.

확인 4-1

3월 한 달 동안 어느 지역의 해 뜨는 시각을 조사하여 나타낸 꺾은선그래프입니다. 3월 24일의 해 뜨는 시각을 예상하시오.

해 뜨는 시각

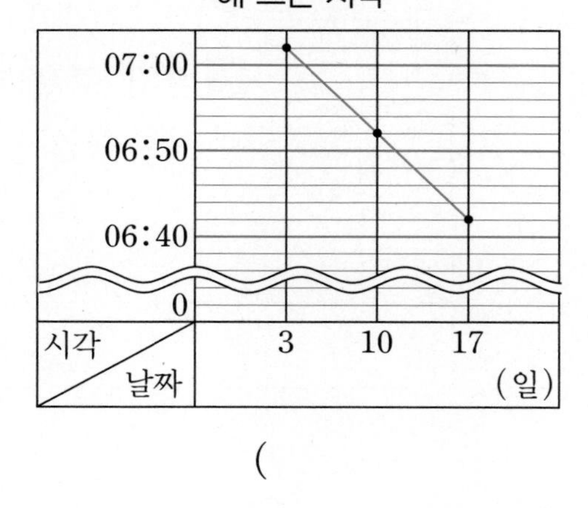

(　　　　　　　　　　)

확인 4-2

확인 4-1의 꺾은선그래프를 보고 3월 31일의 해 뜨는 시각을 예상하시오.

(　　　　　　　　　　)

3
주

[관련 단원] **다각형**

1 두 도형의 모든 변의 길이의 합을 구하시오.

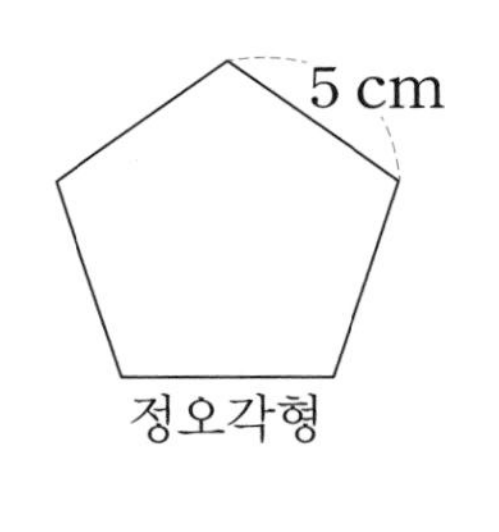

(　　　　　　　　　　　　　　)

Tip

- 정오각형의 변의 수는 ❶ 개입니다.
- 정칠각형의 변의 수는 ❷ 개입니다.

답 ❶ 5 ❷ 7

[관련 단원] **다각형**

2 도형에서 꼭짓점을 1개 옮겨서 정사각형을 만드시오.

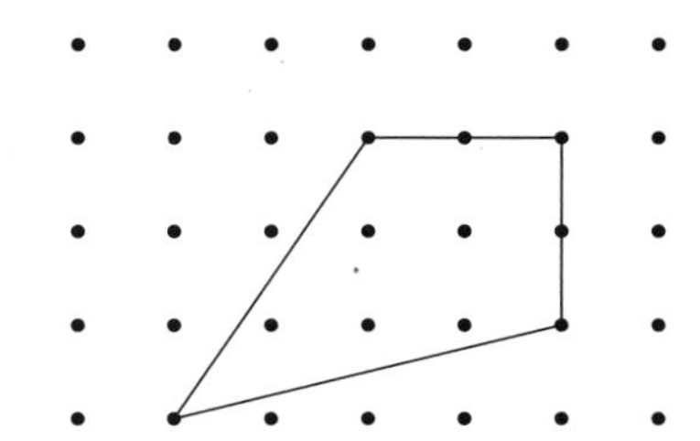

Tip

- 정사각형은 네 ❶ 의 길이가 같고, 네 ❷ 의 크기가 모두 같습니다.

답 ❶ 변 ❷ 각

[관련 단원] **다각형**

3 모양 조각을 모두 사용하여 다음 도형을 채우시오.

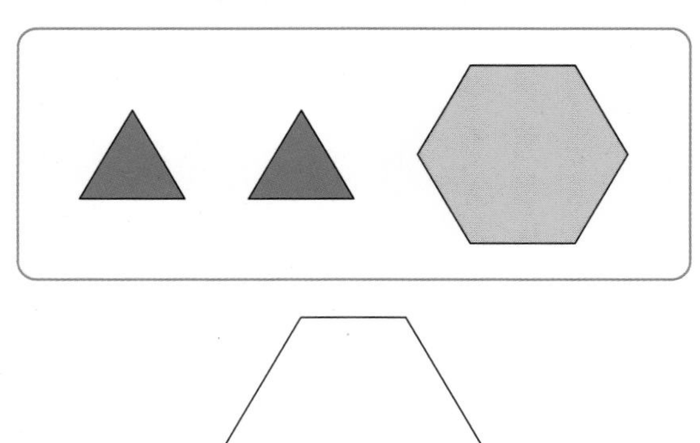

Tip

- 크기가 큰 ❶ 모양 조각을 먼저 놓고 남은 부분에 작은 ❷ 모양 조각을 놓습니다.

답 ❶ 정육각형 ❷ 정삼각형

▶정답 및 풀이 21쪽

[관련 단원] **꺾은선그래프**

4 식물의 키를 조사하여 나타낸 꺾은선그래프입니다. 식물의 키의 변화가 가장 큰 때는 몇 cm 자랐습니까?

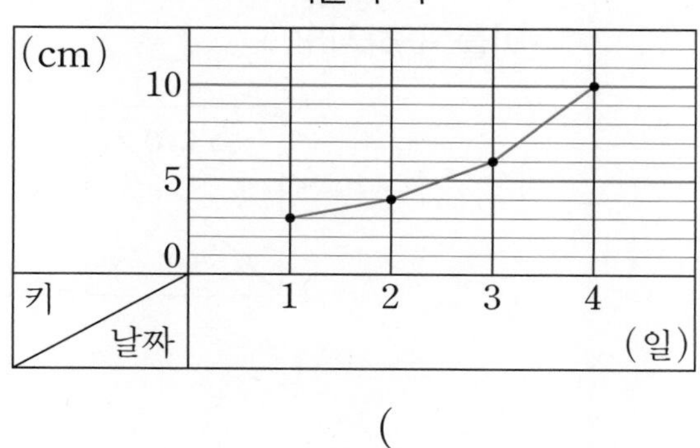

( )

Tip

• 식물의 키의 변화가 가장 큰 때는 ❶ 일과 ❷ 일 사이입니다.

답 ❶ 3 ❷ 4

꺾은선이 기울어진 것이 클수록 많이 변한 것입니다.

[관련 단원] **꺾은선그래프**

5 위 **4**의 꺾은선그래프에서 식물의 키의 변화가 가장 작은 때는 몇 cm 자랐습니까?

( )

Tip

• 식물의 키의 변화가 가장 작은 때는 ❶ 일과 ❷ 일 사이입니다.

답 ❶ 1 ❷ 2

[관련 단원] **꺾은선그래프**

6 표를 보고 꺾은선그래프로 나타내려고 합니다. 세로 눈금에 물결선은 몇 ℃와 몇 ℃ 사이에 넣는 것이 좋을지 쓰시오.

방의 온도

시각(시)	6	7	8	9
온도(℃)	22.0 ℃	21.8 ℃	21.1 ℃	20.5 ℃

( ) ℃와 ( ) ℃ 사이

Tip

• 표에서 가장 작은 숫자는 ❶ ℃이므로 ❷ ℃보다는 아래에 물결선을 넣는 것이 좋습니다.

답 ❶ 20.5 ❷ 20.5

3주

3주 04일 교과서 대표 전략 ①

대표 예제 01

다각형이 아닌 도형을 모두 찾아 기호를 쓰시오.

가 나 다

( )

개념가이드

❶ [ ]으로만 둘러싸인 도형을 ❷ [ ]이라고 합니다.

[답] ❶ 선분 ❷ 다각형

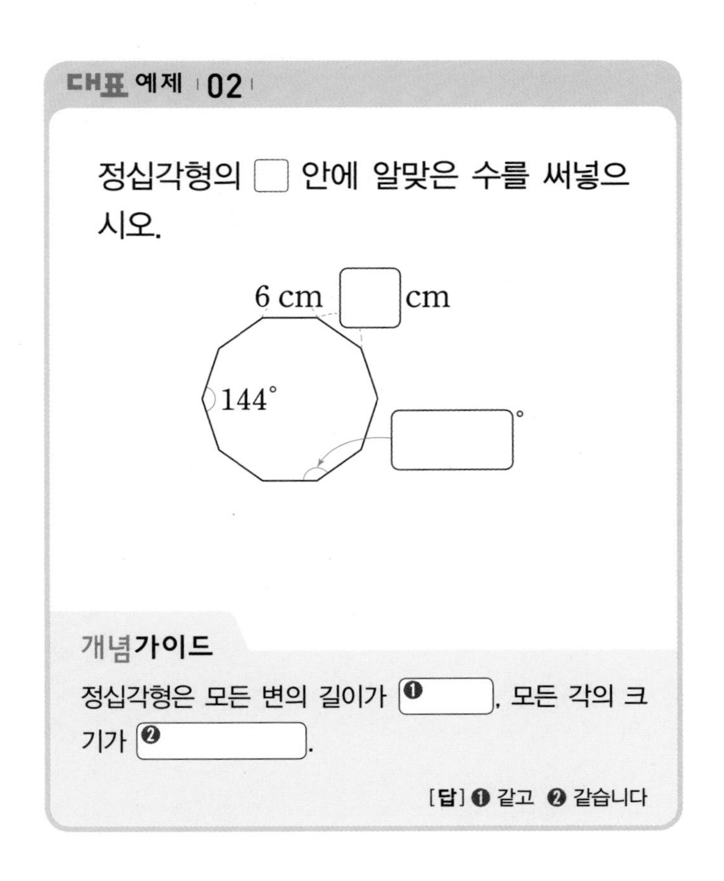

대표 예제 02

정십각형의 □ 안에 알맞은 수를 써넣으시오.

개념가이드

정십각형은 모든 변의 길이가 ❶ [ ], 모든 각의 크기가 ❷ [ ].

[답] ❶ 같고 ❷ 같습니다

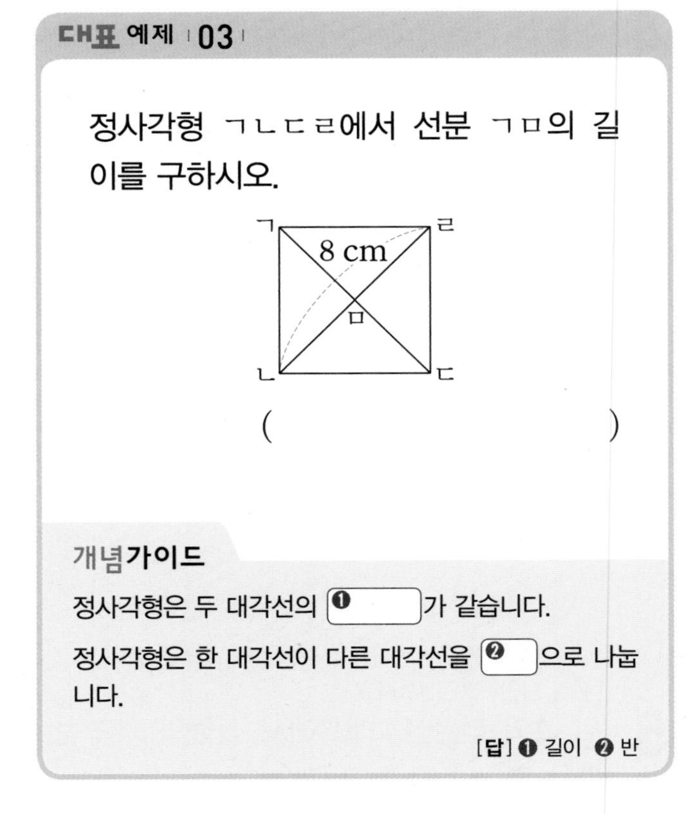

대표 예제 03

정사각형 ㄱㄴㄷㄹ에서 선분 ㄱㅁ의 길이를 구하시오.

( )

개념가이드

정사각형은 두 대각선의 ❶ [ ]가 같습니다.

정사각형은 한 대각선이 다른 대각선을 ❷ [ ]으로 나눕니다.

[답] ❶ 길이 ❷ 반

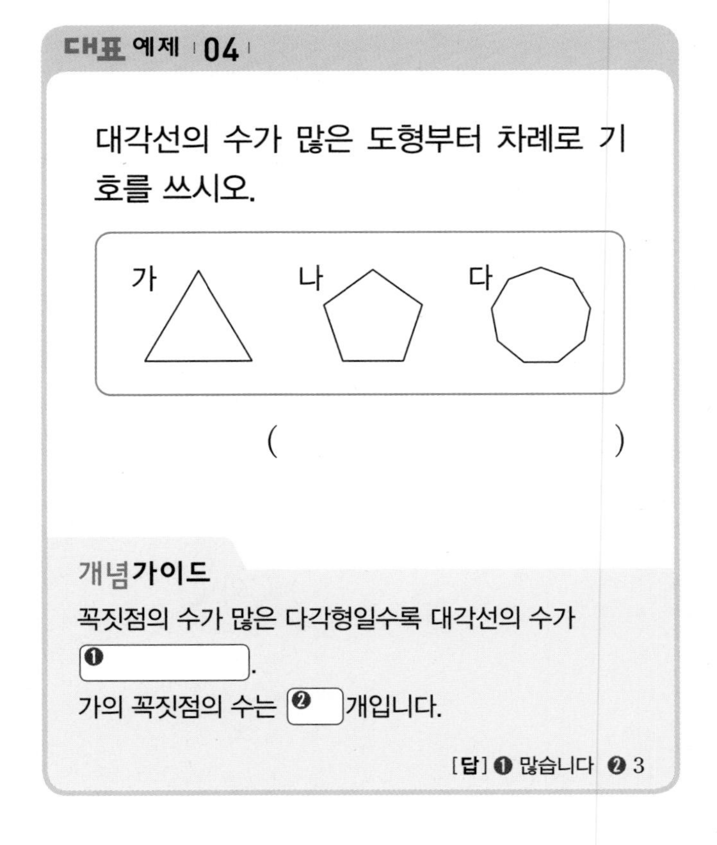

대표 예제 04

대각선의 수가 많은 도형부터 차례로 기호를 쓰시오.

( )

개념가이드

꼭짓점의 수가 많은 다각형일수록 대각선의 수가 ❶ [ ].

가의 꼭짓점의 수는 ❷ [ ]개입니다.

[답] ❶ 많습니다 ❷ 3

▶정답 및 풀이 22쪽

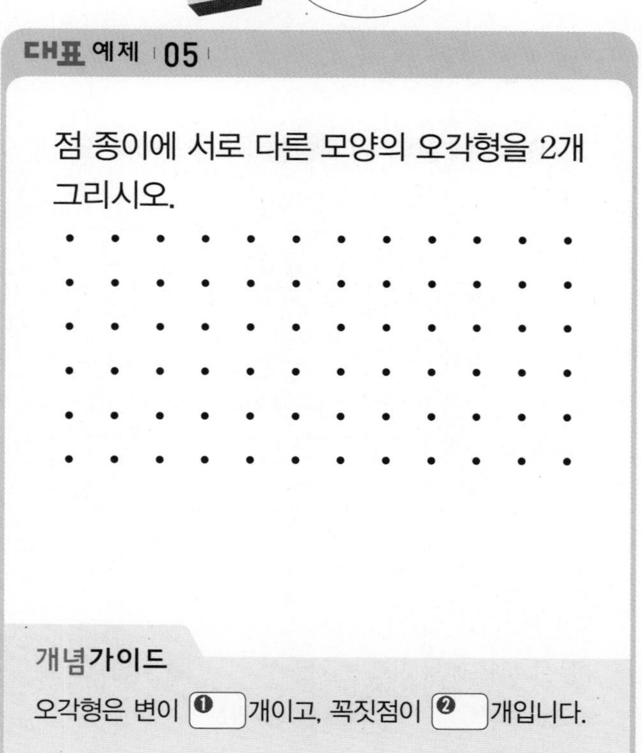

대표 예제 | 05 |

점 종이에 서로 다른 모양의 오각형을 2개 그리시오.

개념가이드

오각형은 변이 ❶ ☐개이고, 꼭짓점이 ❷ ☐개입니다.

[답] ❶ 5 ❷ 5

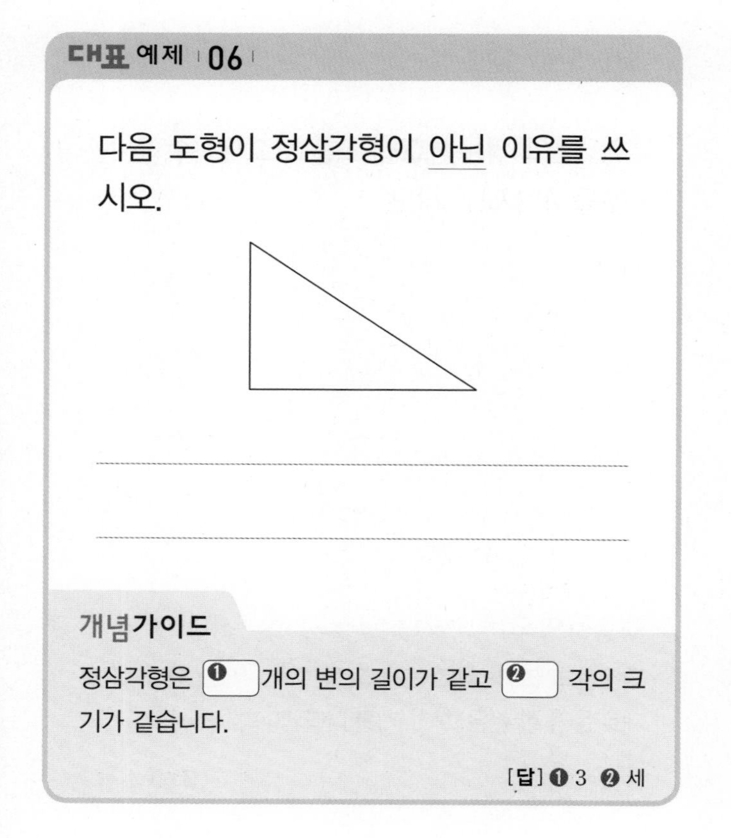

대표 예제 | 06 |

다음 도형이 정삼각형이 아닌 이유를 쓰시오.

개념가이드

정삼각형은 ❶ ☐개의 변의 길이가 같고 ❷ ☐ 각의 크기가 같습니다.

[답] ❶ 3 ❷ 세

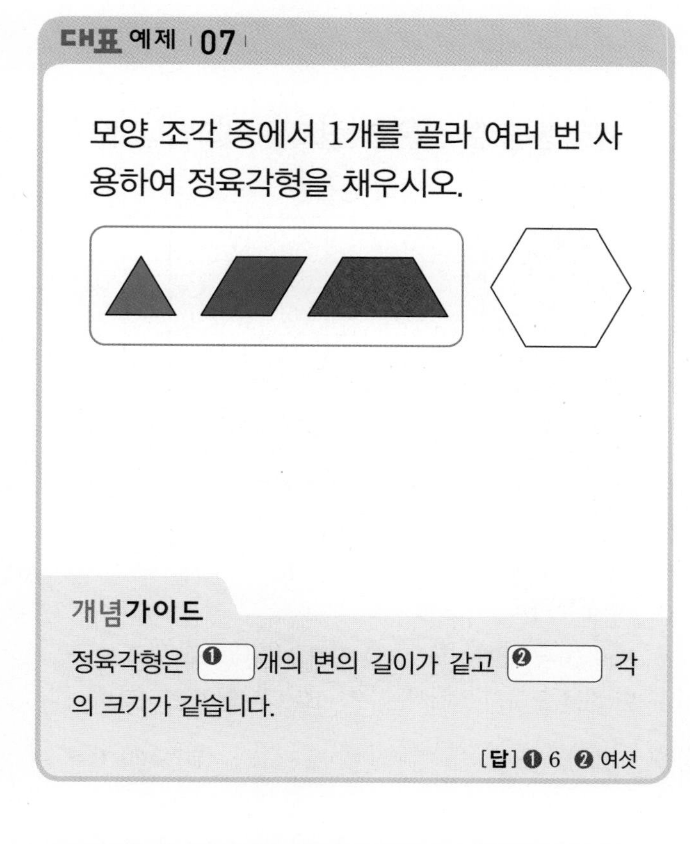

대표 예제 | 07 |

모양 조각 중에서 1개를 골라 여러 번 사용하여 정육각형을 채우시오.

개념가이드

정육각형은 ❶ ☐개의 변의 길이가 같고 ❷ ☐ 각의 크기가 같습니다.

[답] ❶ 6 ❷ 여섯

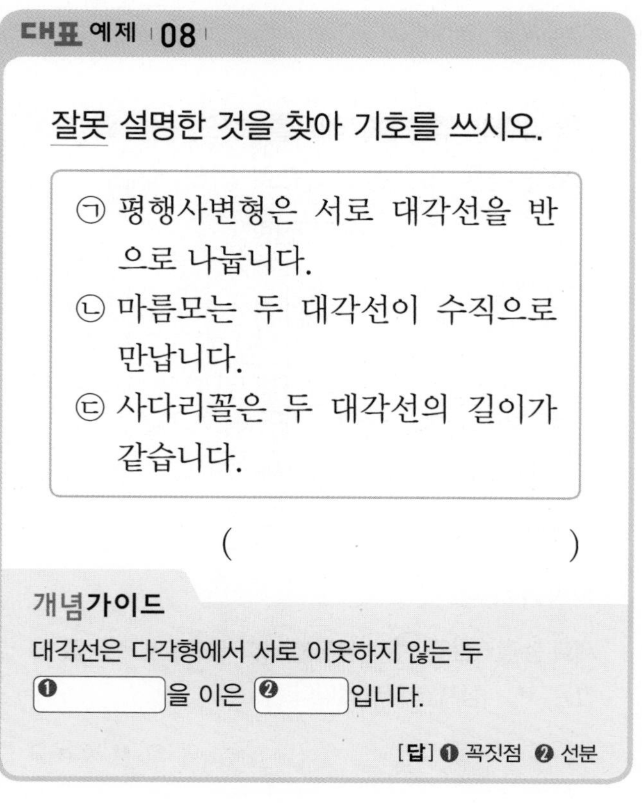

대표 예제 | 08 |

잘못 설명한 것을 찾아 기호를 쓰시오.

㉠ 평행사변형은 서로 대각선을 반으로 나눕니다.
㉡ 마름모는 두 대각선이 수직으로 만납니다.
㉢ 사다리꼴은 두 대각선의 길이가 같습니다.

( )

개념가이드

대각선은 다각형에서 서로 이웃하지 않는 두 ❶ ☐을 이은 ❷ ☐입니다.

[답] ❶ 꼭짓점 ❷ 선분

대표 예제 09

세로 눈금 한 칸은 몇 상자를 나타냅니까?

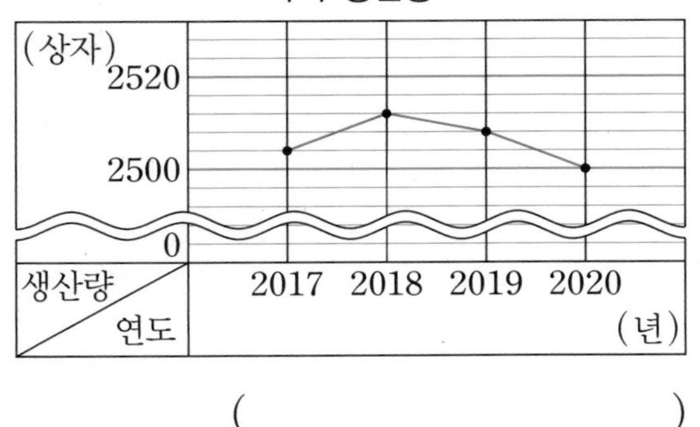

(　　　　　　　　　　　)

개념가이드

세로 눈금 5칸이 ❶ ☐ 상자를 나타내므로 세로 눈금 한 칸을 구하기 위해서는 ❷ ☐ 로 나누어야 합니다.

[답] ❶ 20 ❷ 5

대표 예제 10

위 09의 꺾은선그래프를 보고 눈금의 크기가 다른 꺾은선그래프로 나타내시오.

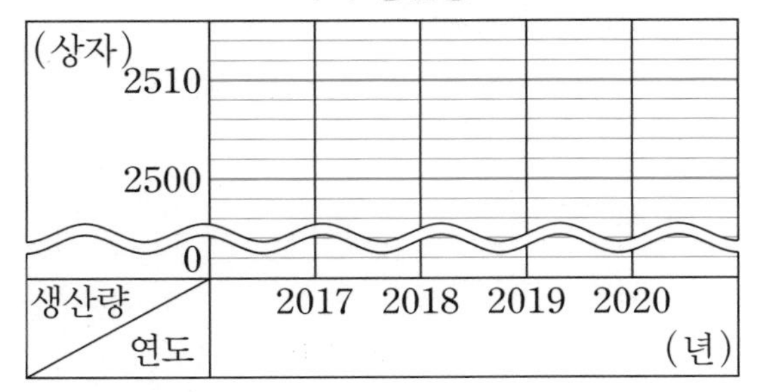

개념가이드

세로 눈금 5칸은 ❶ ☐ 상자를 나타내므로 세로 눈금 한 칸은 ❷ ☐ 상자를 나타냅니다.

[답] ❶ 10 ❷ 2

대표 예제 11

12일과 14일의 판매량을 각각 구하시오.

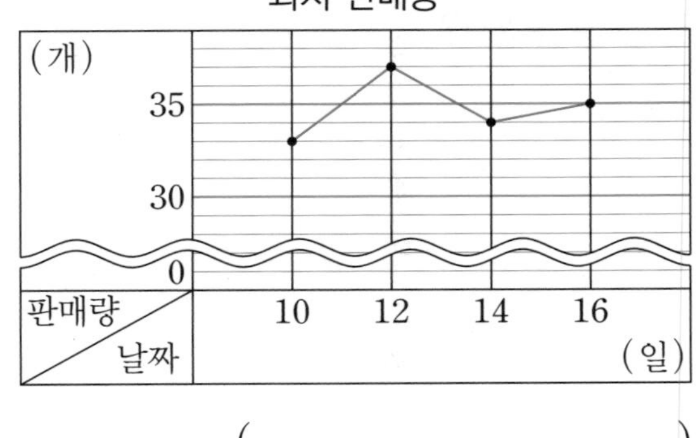

(　　　　　　　　　　　)

개념가이드

꺾은선그래프에서 가로 눈금은 ❶ ☐ 를 나타내고 세로 눈금은 ❷ ☐ 을 나타냅니다.

[답] ❶ 날짜 ❷ 판매량

대표 예제 12

위 11의 꺾은선그래프를 보고 알 수 있는 것을 2가지 쓰시오.

①

②

개념가이드

꺾은선그래프의 세로 눈금 5칸이 ❶ ☐ 개를 나타내므로 세로 눈금 한 칸은 ❷ ☐ 개를 나타냅니다.

[답] ❶ 5 ❷ 1

▶정답 및 풀이 22쪽

대표 예제 13

표를 보고 꺾은선그래프로 나타내려고 합니다. 세로 눈금 한 칸은 며칠로 하는 것이 좋습니까?

월별 비 온 날수

월	6	7	8	9
날수(일)	6	12	10	4

(　　　　　　　　)

개념가이드

가장 많이 비 온 날수는 ❶□일이고, 가장 적게 비 온 날수는 ❷□일입니다.

[답] ❶ 12 ❷ 4

대표 예제 14

위 13의 표를 보고 꺾은선그래프로 나타내시오.

월별 비 온 날수

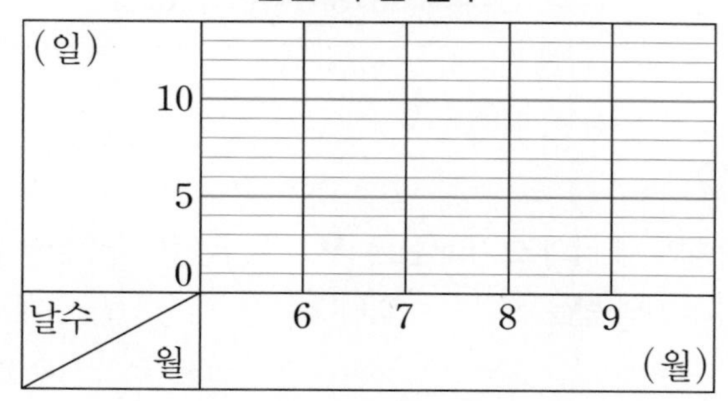

개념가이드

가로 눈금과 ❶□ 눈금이 만나는 곳에 ❷□을 찍습니다.

[답] ❶ 세로 ❷ 점

대표 예제 15

3시 30분에 운동장의 온도는 몇 ℃였습니까?

운동장의 온도

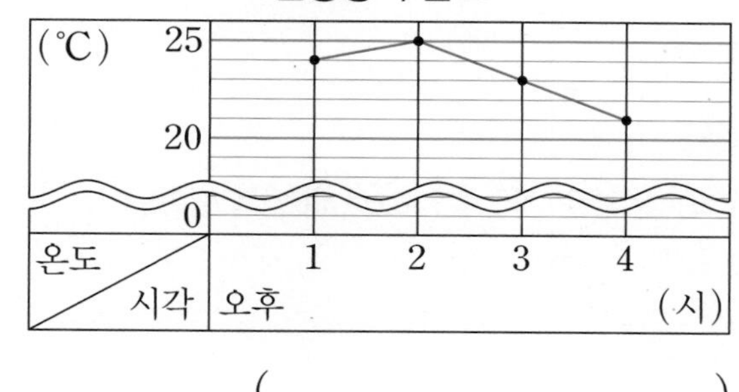

(　　　　　　　　)

개념가이드

3시 30분은 3시와 ❶□시 사이이므로 두 온도의 ❷□쯤 될 것입니다.

[답] ❶ 4 ❷ 중간

대표 예제 16

위 15의 꺾은선그래프를 보고 운동장의 온도가 가장 높을 때와 가장 낮을 때의 차는 몇 ℃인지 구하시오.

(　　　　　　　　)

개념가이드

온도가 가장 높을 때는 ❶□시입니다.

온도가 가장 낮을 때는 ❷□시입니다.

[답] ❶ 2 ❷ 4

3 주

1 정오각형의 모든 변의 길이의 합이 30 cm입니다. □ 안에 알맞은 수를 써넣으시오.

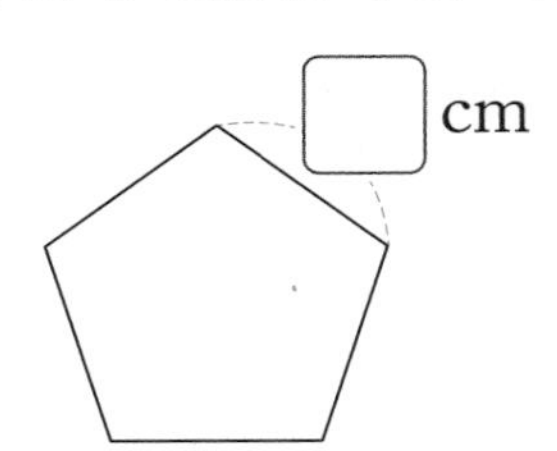

Tip
정오각형은 변이 ❶□개이므로 한 변의 길이는 (30÷❷□) cm입니다.

답 ❶ 5 ❷ 5

2 ㉠과 ㉡의 합을 구하시오.

- 육각형은 변이 ㉠개입니다.
- 팔각형은 각이 ㉡개입니다.

(   )

Tip
육각형은 변과 각이 ❶□개입니다.
팔각형은 변과 각이 ❷□개입니다.

답 ❶ 6 ❷ 8

3 마름모 ㄱㄴㄷㄹ에서 선분 ㄱㄷ과 선분 ㄴㄹ의 길이의 차는 몇 cm입니까?

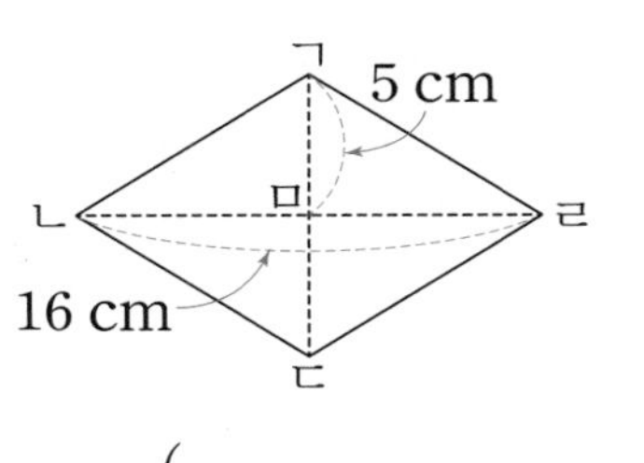

(   )

Tip
마름모는 서로 다른 대각선을 ❶□으로 나누므로 선분 ㄱㄷ의 길이는 선분 ㄱㅁ의 길이의 ❷□배입니다.

답 ❶ 반 ❷ 2

4 다음에서 말하는 도형의 이름을 쓰시오.

- 다각형입니다.
- 모든 각의 크기의 합은 360°입니다.
- 평행한 변은 있지만 서로 다른 대각선을 반으로 항상 나누지 않습니다.

(   )

Tip
삼각형의 세 각의 크기의 합은 ❶□°이고, 사각형의 네 각의 크기의 합은 ❷□°입니다.

답 ❶ 180 ❷ 360

▶정답 및 풀이 23쪽

5 어느 초등학교의 4학년 학생 수를 조사하여 나타낸 꺾은선그래프입니다. 2021년에는 2020년보다 4명 더 많다면 2021년의 4학년 학생 수는 몇 명입니까?

초등학교 4학년 학생 수

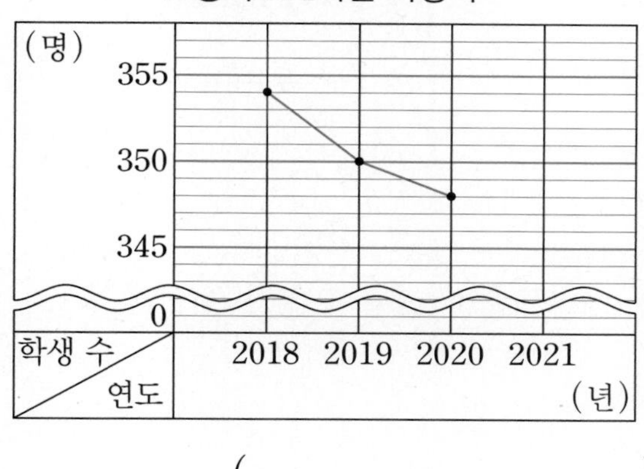

(　　　　　　　　　　)

Tip

2020년의 4학년 학생 수는 ❶[　　]명이므로 2021년 4학년 학생 수는 2020년 4학년 학생 수에 ❷[　　]명을 더합니다.

답 ❶ 348 ❷ 4

6 위 **5**의 꺾은선그래프를 보고 표로 나타내시오.

초등학교 4학년 학생 수

연도(년)	2018	2019	2020
학생 수(명)			

Tip

세로 눈금 5칸이 ❶[　　]명을 나타내므로 세로 눈금 1칸은 ❷[　　]명을 나타냅니다.

답 ❶ 5 ❷ 1

7 어느 가게의 과자 판매량을 조사하여 나타낸 표입니다. 꺾은선그래프로 나타내려고 할 때 물결선을 0부터 몇 개까지 표시하면 좋겠습니까?

가게의 과자 판매량

날짜(일)	1	2	3	4
판매량(개)	48	53	46	41

(　　　　　　　　　　)

Tip

가장 적은 개수는 ❶[　　]개이므로 그보다 밑에 있는 개수는 ❷[　　]으로 표시하는 것이 좋습니다.

답 ❶ 41 ❷ 물결선

8 지우의 팔 굽혀 펴기 횟수를 조사하여 나타낸 꺾은선그래프입니다. 9일에 팔 굽혀 펴기를 36개 했을 때 10일에는 팔 굽혀 펴기를 몇 개 했는지 구하시오.

팔 굽혀 펴기 횟수

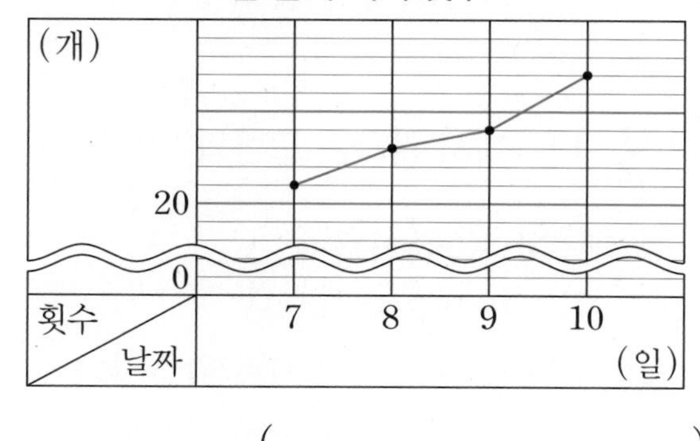

(　　　　　　　　　　)

Tip

9일의 세로 눈금은 20개에서 ❶[　　]칸 위에 있으므로 세로 눈금 1칸은 ❷[　　]개를 나타냅니다.

답 ❶ 4 ❷ 4

누구나 만점 전략

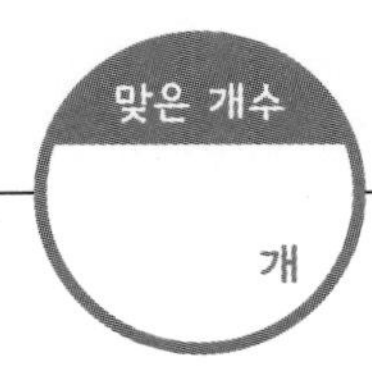

01 다각형의 이름을 쓰시오.

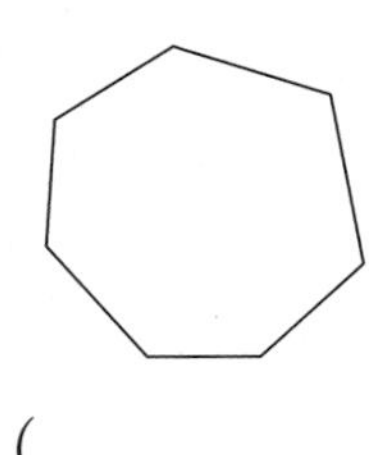

(　　　　　　　　)

02 평행사변형에서 그을 수 있는 대각선은 모두 몇 개입니까?

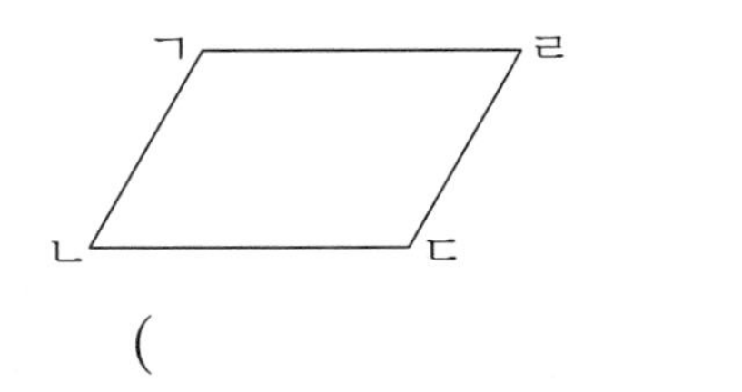

(　　　　　　　　)

03 다음에서 말하는 도형의 이름을 쓰시오.

- 다각형입니다.
- 변이 6개입니다.
- 모든 각의 크기가 같습니다.
- 모든 변의 길이가 같습니다.

(　　　　　　　　)

04 정삼각형 모양 조각 3개를 사용하여 다음 모양을 채우시오.

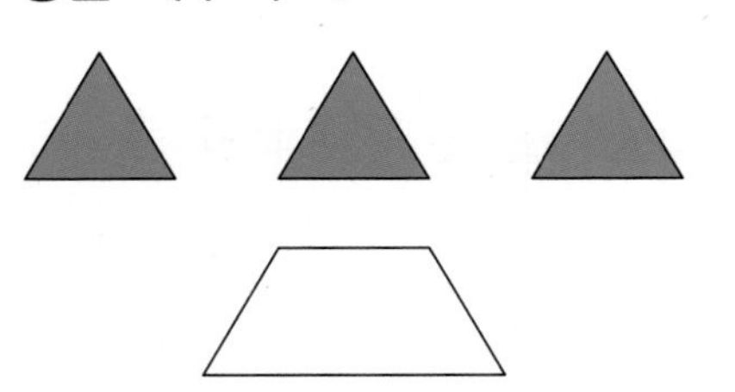

05 다음 도형은 정팔각형입니다. 정팔각형의 모든 변의 길이의 합은 몇 cm인지 구하시오.

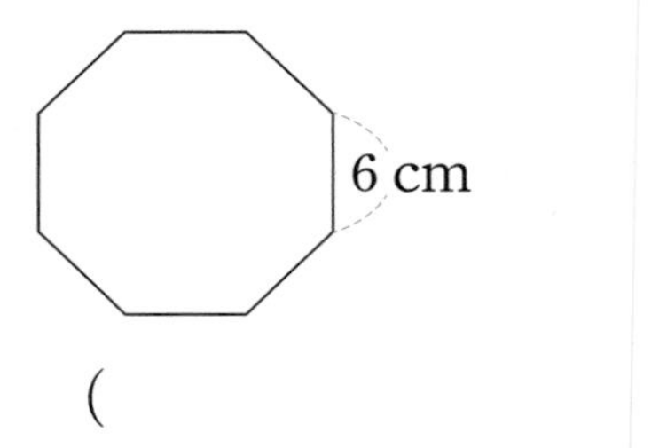

(　　　　　　　　)

06 꺾은선그래프로 나타내기 더 좋은 자료의 기호를 쓰시오.

㉠ 월별 제품 생산량
㉡ 학생들이 좋아하는 동물

( )

07 표를 보고 꺾은선그래프로 나타내시오.

학원의 학생 수

월	4	5	6	7
학생 수(명)	210	208	212	220

학원의 학생 수

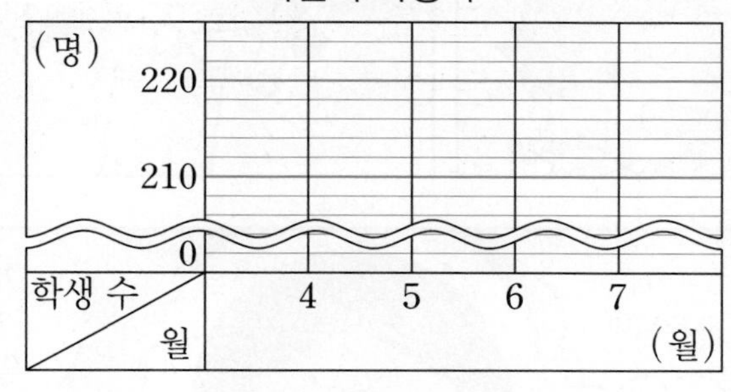

08 위 07의 꺾은선그래프에서 꺾은선이 가장 많이 변한 때는 몇 월과 몇 월 사이입니까?

( )

09 싹의 키를 조사하여 나타낸 꺾은선그래프입니다. 주어진 꺾은선그래프에서 세로 눈금 한 칸은 몇 cm입니까?

싹의 키

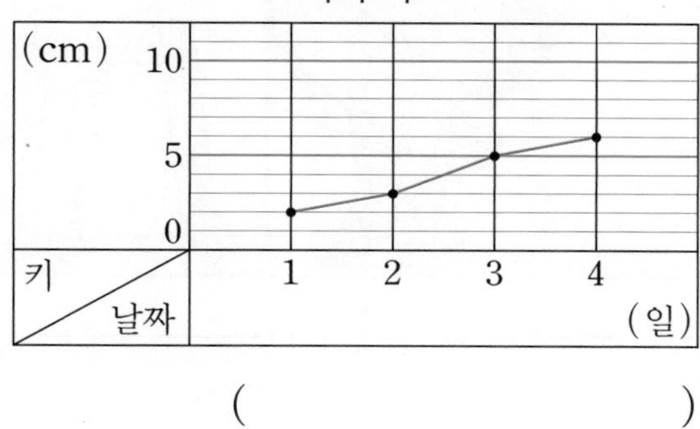

( )

10 8월 어느 지역의 온도를 조사하여 나타낸 꺾은선그래프입니다. 8월 15일은 몇 ℃입니까?

8월의 온도

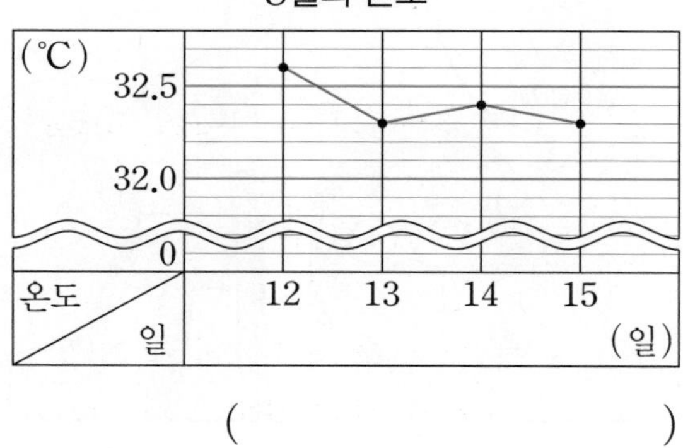

( )

창의·융합·코딩 전략 ❶

창의 융합

1 남학생의 얼굴이 그려진 다각형의 이름을 쓰시오.

(　　　　　　　　　　)

▶정답 및 풀이 25쪽

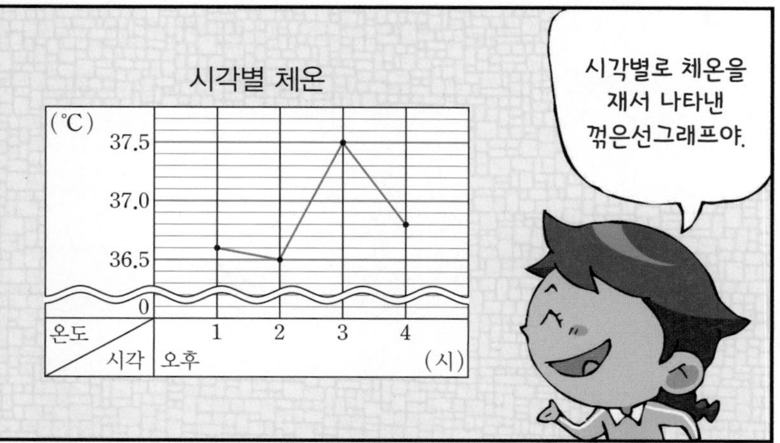

문제 해결

2 꺾은선그래프를 보고 3시의 체온은 몇 ℃였는지 구하시오.

(　　　　　　　　　　)

3주 창의·융합·코딩 전략 ❷

1 다음 철사를 남김없이 구부려서 한 변의 길이가 5 cm인 정다각형을 1개 만들었습니다. 만든 정다각형의 이름을 쓰시오. (단, 철사가 겹치는 부분은 없습니다.)

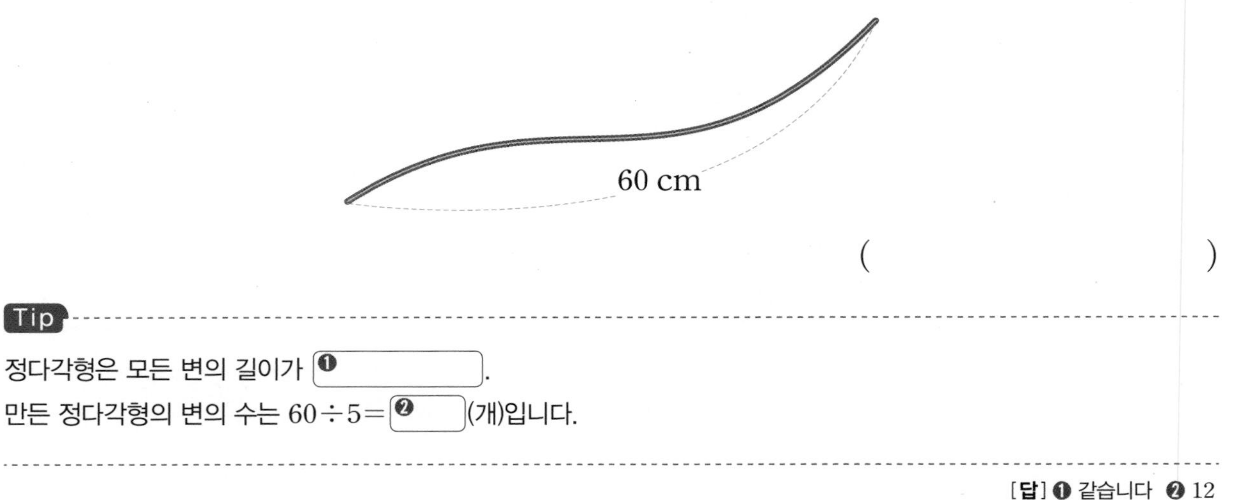

(　　　　　　　　　　)

Tip

정다각형은 모든 변의 길이가 ❶ ☐.

만든 정다각형의 변의 수는 $60 \div 5 =$ ❷ ☐ (개)입니다.

[답] ❶ 같습니다 ❷ 12

창의 융합

2 정오각형과 정삼각형을 겹치지 않게 이어 붙였습니다. 정오각형 1개의 모든 변의 길이의 합은 40 cm일 때 굵은 선의 길이는 몇 cm입니까?

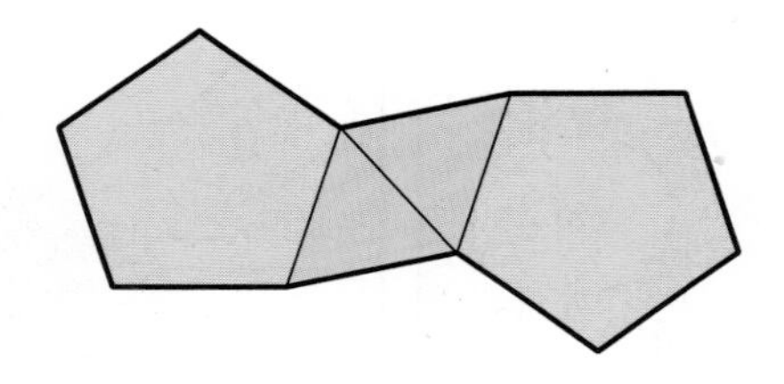

(　　　　　　　　　　)

Tip

정오각형의 한 변의 길이는 $40 \div 5 =$ ❶ ☐ (cm)입니다.

굵은 선의 길이는 정오각형의 한 변의 길이의 ❷ ☐ 배와 같습니다.

[답] ❶ 8 ❷ 10

▶정답 및 풀이 25쪽

추론

3 규칙을 찾아 다음에 나올 도형의 이름을 쓰시오.

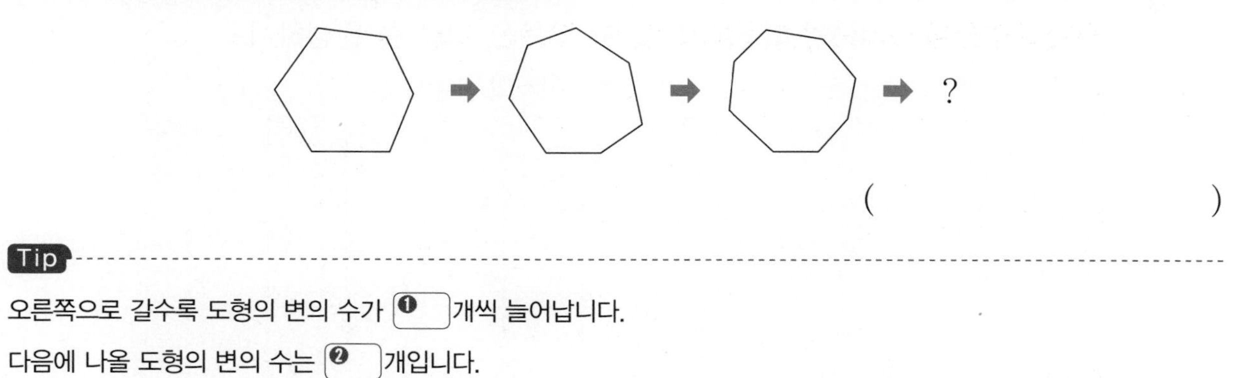

( )

Tip

오른쪽으로 갈수록 도형의 변의 수가 ❶ 개씩 늘어납니다.

다음에 나올 도형의 변의 수는 ❷ 개입니다.

[답] ❶ 1 ❷ 9

창의 융합

4 축구공을 펼치면 그림과 같이 정오각형과 정육각형을 붙인 모양이 됩니다. 축구공을 펼쳤을 때 □ 안에 알맞은 수를 구하시오.

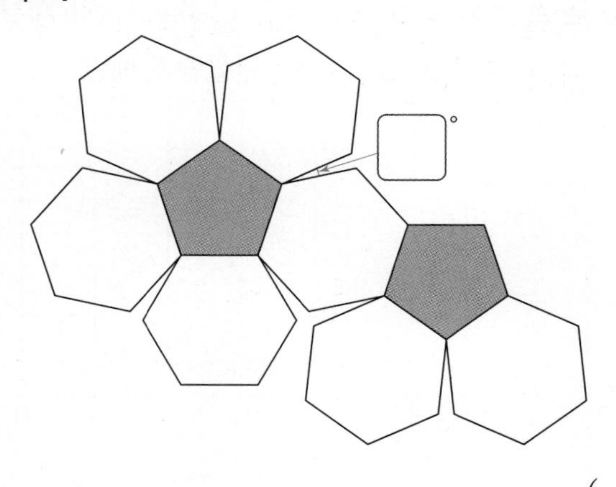

( )

Tip

정오각형의 한 각의 크기는 ❶ °이고, 정육각형의 한 각의 크기는 ❷ °입니다.

[답] ❶ 108 ❷ 120

3 주

추론

5 어느 홈페이지의 방문자 수를 조사하여 나타낸 꺾은선그래프입니다. 3일의 방문자 수가 2일의 방문자 수보다 60명 더 많다고 할 때 꺾은선그래프를 완성하시오.

홈페이지의 방문자 수

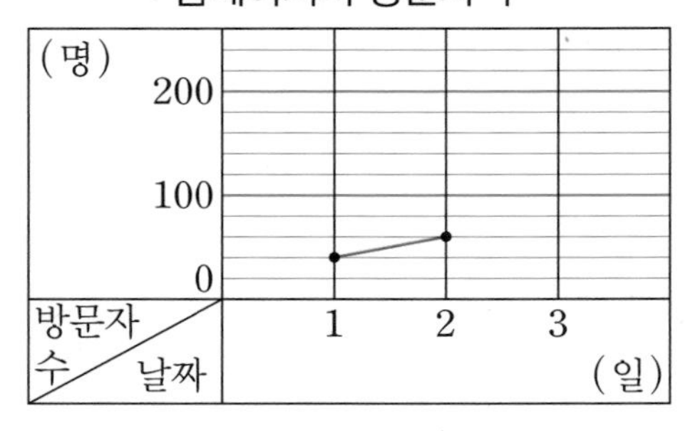

Tip

세로 눈금 5칸이 ❶ ☐ 명을 나타내므로 세로 눈금 한 칸은 $100 \div 5 =$ ❷ ☐ (명)을 나타냅니다.

[답] ❶ 100 ❷ 20

창의 융합

6 어느 빵집의 단팥빵 판매량을 조사하여 나타낸 꺾은선그래프입니다. 단팥빵을 1개당 1000원에 팔았을 때 5일 동안 단팥빵을 팔고 받은 금액은 얼마인지 구하시오.

단팥빵 판매량

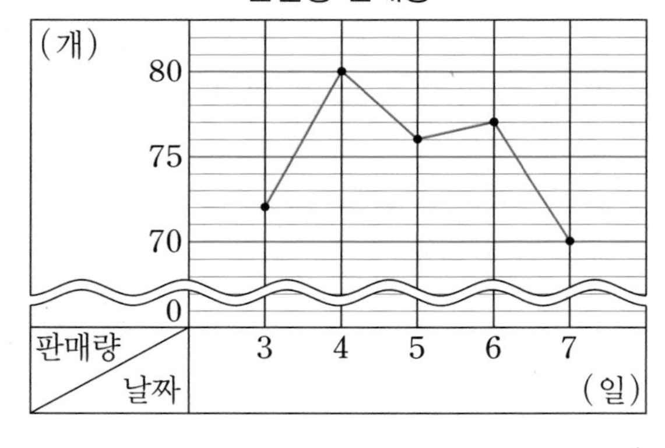

(　　　　　　　　)

Tip

5일 동안의 단팥빵 판매량은 1일부터 5일까지의 단팥빵 판매량의 ❶ ☐ 입니다.
단팥빵을 팔고 받은 금액은 5일 동안의 단팥빵 판매량에 ❷ ☐ 을 곱합니다.

[답] ❶ 합 ❷ 1000

▶정답 및 풀이 25쪽

문제 해결

7 어느 백화점의 남자와 여자의 방문자 수를 조사하여 나타낸 꺾은선그래프입니다. 사람들이 가장 많이 방문한 날은 며칠인지 구하시오.

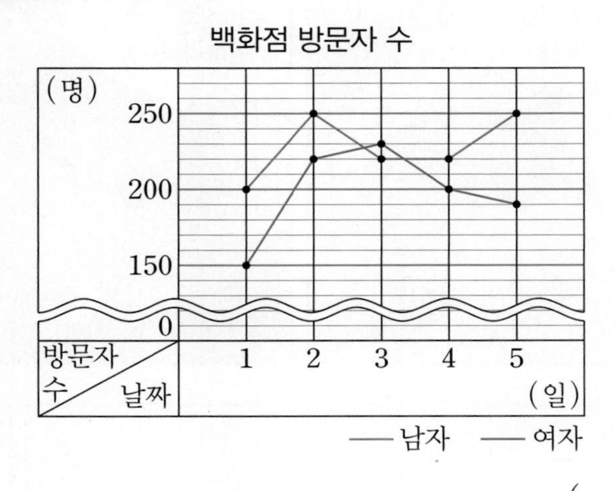

(　　　　　　　　　　)

Tip

(1일의 남자 방문자 수)+(1일의 ❶ 　　　 방문자 수)=(❷ 　　일의 방문자 수)

[답] ❶ 여자 ❷ 1

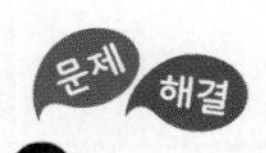

문제 해결

8 공장에서 생산한 인형의 수를 조사하여 나타낸 꺾은선그래프입니다. 조사한 5일 동안 공장에서 생산한 인형의 수가 모두 1200개일 때 7일에 생산한 인형의 양은 몇 개인지 구하시오.

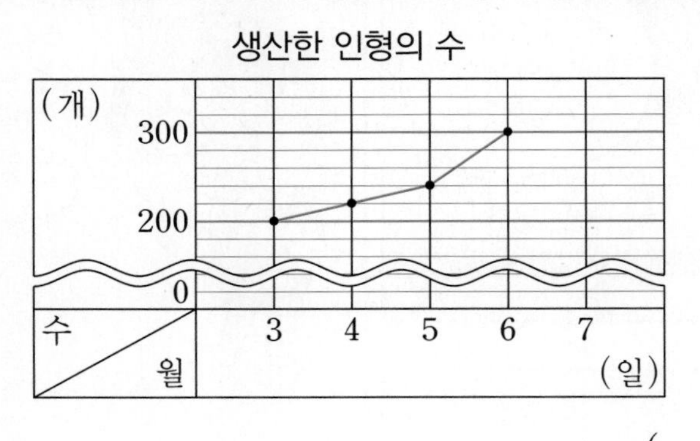

(　　　　　　　　　　)

Tip

(생산한 인형의 수)=(3일부터 6일까지 생산한 인형의 수의 합)+(❶ 　　일에 생산한 인형의 수)

❷ 　　　　개에서 3일부터 6일까지 생산한 인형의 수의 합을 빼어 구합니다.

[답] ❶ 7 ❷ 1200

권말정리 마무리 전략

편의점에서 맛있는 것을 사 먹자.
좋아!

가장 가까운 편의점은 거리가 얼마나 될까?
$1\frac{1}{3}$ km에서 $\frac{2}{3}$ km를 빼는 거리일 것 같아.

그럼 거리가 얼마나 되는거야?

$1\frac{1}{3}-\frac{2}{3}=\frac{4}{3}-\frac{2}{3}=\frac{2}{3}$
$\frac{2}{3}$ km야. 얼른 가자.

오늘 휴무일입니다.
윽! 문 닫았어.

가까운 데 다른 편의점이 있어서 다행이야.
OO편의점

내 아이스크림은 우유 함유량이 0.5 g이야.
나는 우유가 0.48 g이나 들었어.

소수 첫째 자리 수를 비교해 보면 0.5 g이 더 큰 소수야.
0.48 g < 0.5 g
4 < 5

삼각김밥도 먹자.

① 신유형, 신경향, 서술형 전략 ② 학력진단 전략

신유형·신경향·서술형 전략

[관련 단원] **분수의 덧셈과 뺄셈**

1 대분수를 가분수로 나타낸 종이의 일부분이 떨어졌습니다. 가와 나의 대분수의 분모가 같을 때 두 대분수의 차를 구하시오.

가 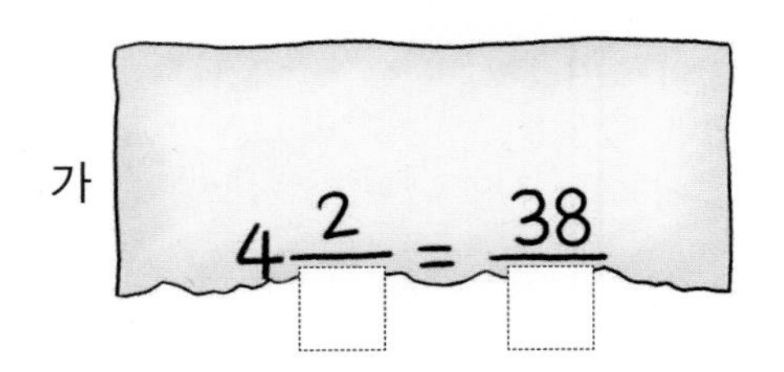

나 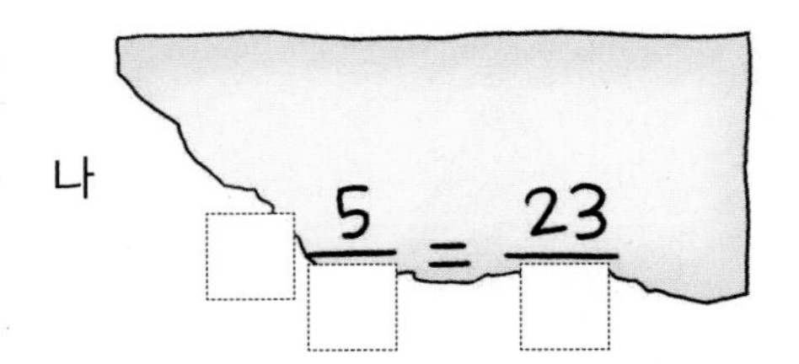

❶ 가의 분모를 구하려고 합니다. □ 안에 알맞은 수를 써넣으시오.

$$4\frac{2}{\square}=\frac{38}{\square}$$

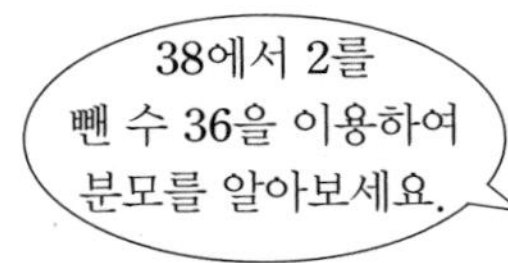

❷ 위 ❶에서 구한 분모를 이용하여 나에 있는 대분수를 구하시오.

( )

❸ 두 대분수의 차를 구하시오.

( )

Tip

가의 대분수를 가분수로 고치면 $4\frac{2}{■}=\frac{4\times■}{■}+\frac{❶}{■}$입니다.

$4\times■$에 2를 더한 수가 ❷ 이므로 $4\times■=$ ❸ 입니다.

분모를 구한 다음 대분수의 차를 구합니다.

[답] ❶ 2 ❷ 38 ❸ 36

▶정답 및 풀이 26쪽

[관련 단원] **소수의 덧셈과 뺄셈**

2
가지고 있는 카드를 모두 한 번씩 사용하여 소수를 만들려고 합니다. 두 사람이 만들 수 있는 가장 큰 소수 세 자리 수의 합을 구하시오.

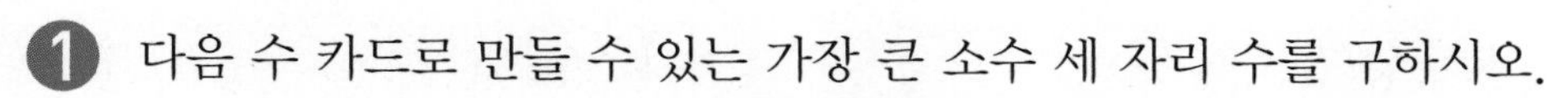

❶ 다음 수 카드로 만들 수 있는 가장 큰 소수 세 자리 수를 구하시오.

(　　　　　　　　　　)

❷ 다음 수 카드로 만들 수 있는 가장 큰 소수 세 자리 수를 구하시오.

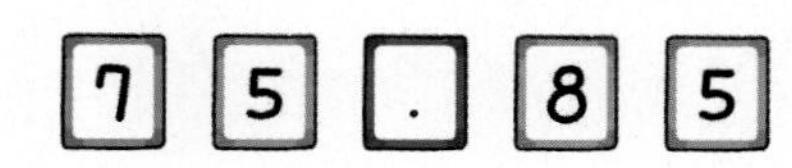

(　　　　　　　　　　)

❸ 두 사람이 가지고 있는 수 카드로 만들 수 있는 가장 큰 소수 세 자리 수의 합을 구하시오.

(　　　　　　　　　　)

Tip

소수 세 자리 수이므로 소수점 아래에 숫자 ❶ 개를 써야 합니다.
숫자가 4개, 소수점이 1개 있으므로 소수점의 위치는 □.□□□입니다.
가장 큰 수를 만들 때에는 ❷ 수부터 높은 자리에 놓습니다.

[답] ❶ 3 ❷ 큰

[관련 단원] **삼각형**

3 원에 반지름을 그렸습니다. 각도를 보고 반지름을 두 변으로 하는 이등변삼각형을 알맞게 그리시오.

각도가 다른 한 각의 크기가 45°인 경우와 각도가 같은 두 각의 크기가 45°인 경우가 있어요.

❶ 한 각의 크기가 45°인 이등변삼각형을 두 가지 그리시오.

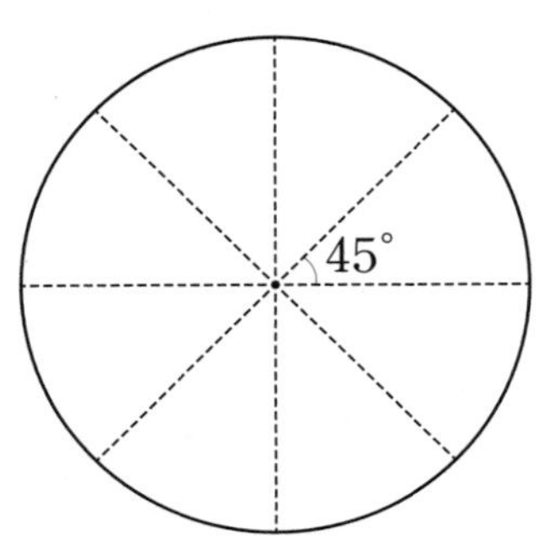

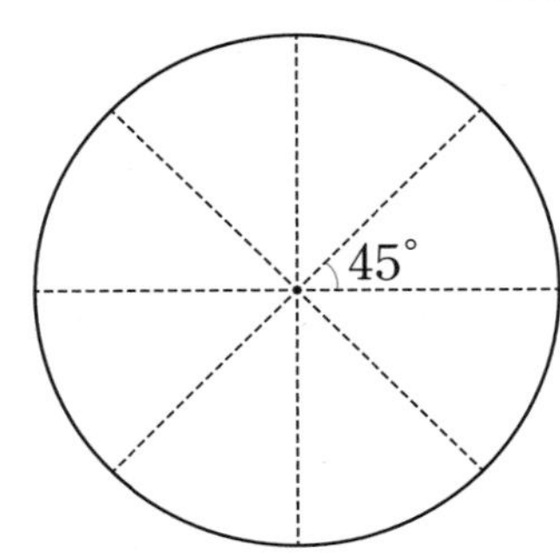

❷ 한 각의 크기가 72°인 이등변삼각형을 두 가지 그리시오.

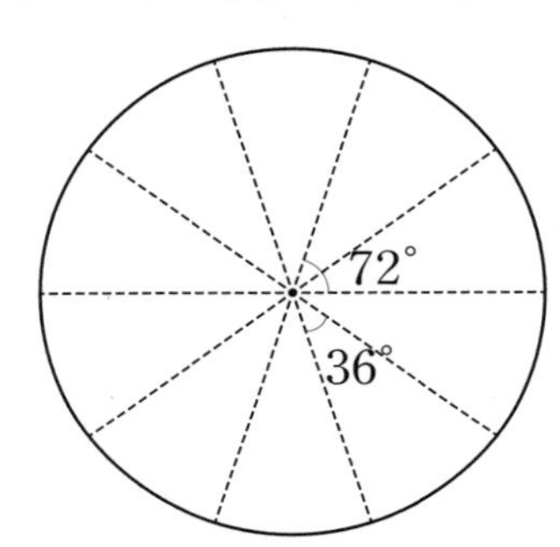

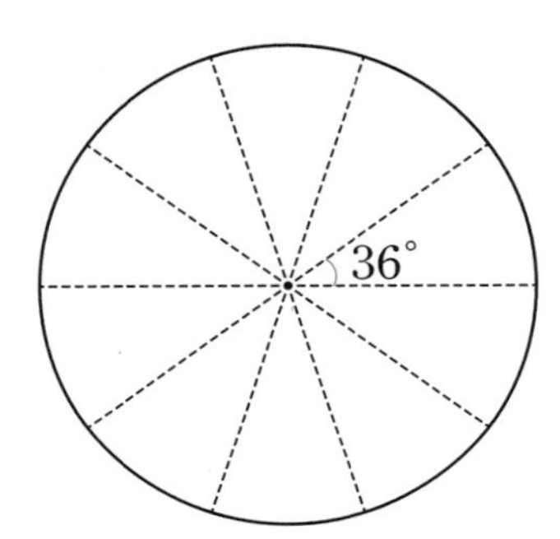

❸ 한 각의 크기가 30°인 이등변삼각형을 두 가지 그리시오.

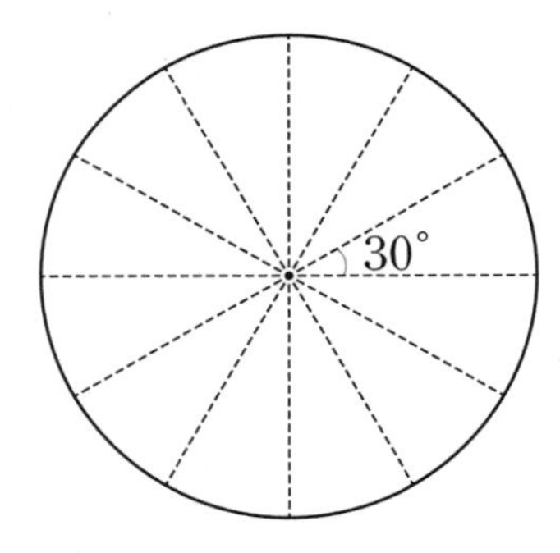

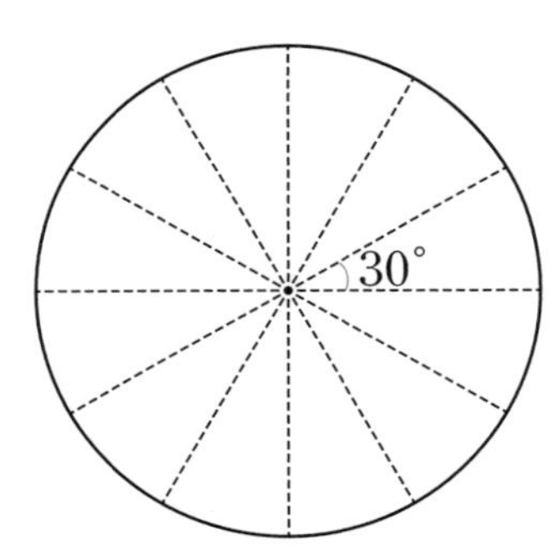

Tip

(1) 45°인 각이 1개인 이등변삼각형을 그립니다.
$180° - 45° - 45° = 90°$이므로 한 각이 90°이고 나머지 두 각이 ❶ ☐인 각을 그립니다.

(2) $36° + 36° = 72°$를 이용하여 한 각이 72°인 이등변삼각형을 그립니다.
$180° - 72° - 72° = 36°$이므로 한 각이 36°이고 두 각이 ❷ ☐인 이등변삼각형을 그립니다.

[답] ❶ 45° ❷ 72°

▶정답 및 풀이 26쪽

[관련 단원] **사각형**

4

종이를 접은 다음 잘라서 펼쳤을 때 만들어지는 사각형의 이름을 알아보려고 합니다. 만들어지는 사각형의 이름이 될 수 <u>없는</u> 것에 모두 ×표 하시오.

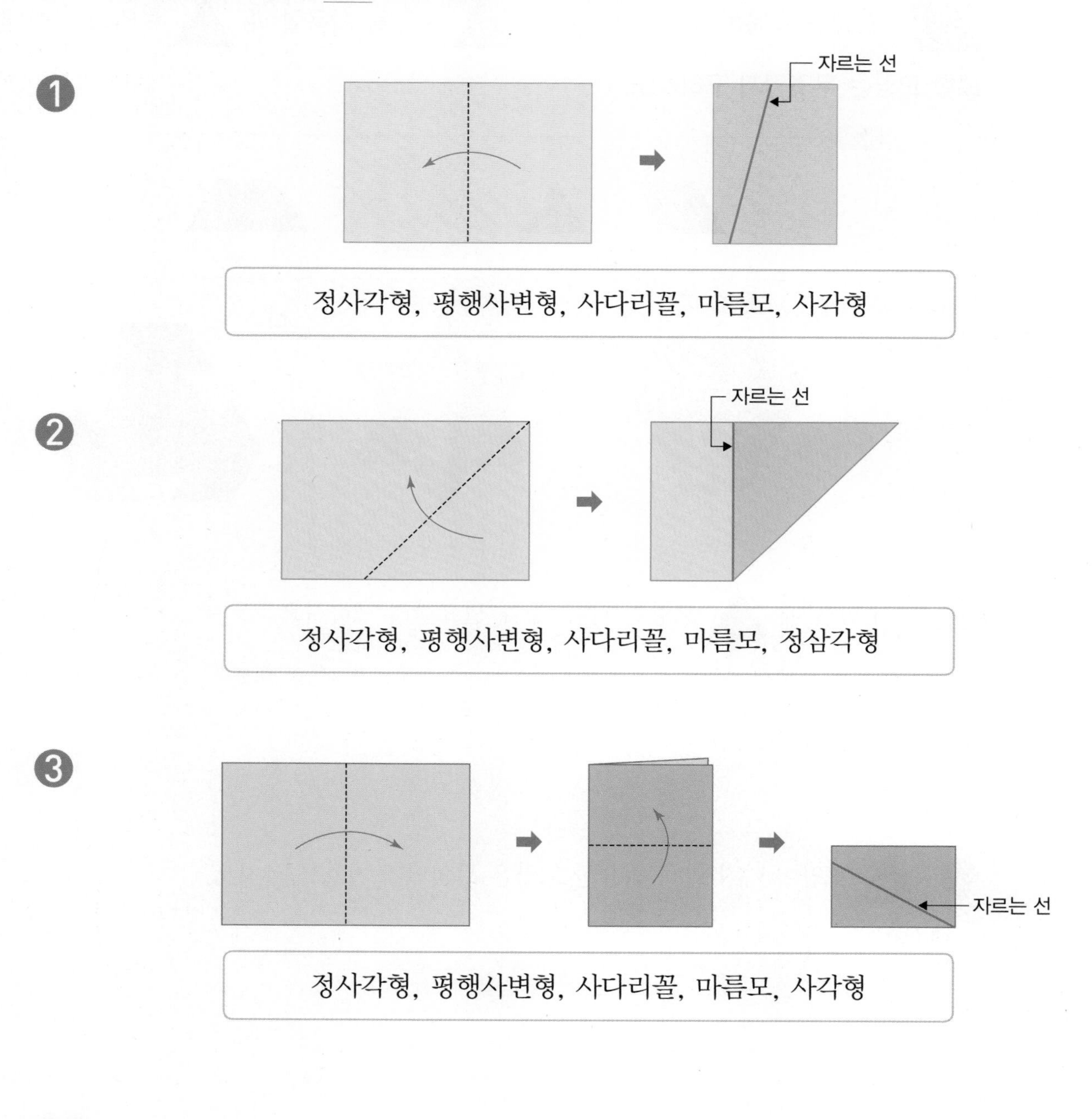

Tip

평행한 두 변이 있으면 사다리꼴입니다. 마주 보는 두 변이 평행하면 ❶ ______ 입니다.
네 각이 모두 직각이면 ❷ ______ 입니다. 네 변의 길이가 모두 같으면 마름모입니다.
네 각이 모두 직각이고 네 변의 길이가 모두 같으면 정사각형입니다.

[**답**] ❶ 평행사변형 ❷ 직사각형

[관련 단원] **다각형**

5 가, 나, 다 모양과 같은 모양을 ▱과 △만 사용하여 다시 만들려고 합니다. 되도록 ▱ 모양을 사용하고 남는 부분에만 △ 모양을 사용할 때 △ 모양이 가장 많이 필요한 모양은 무엇인지 구하시오.

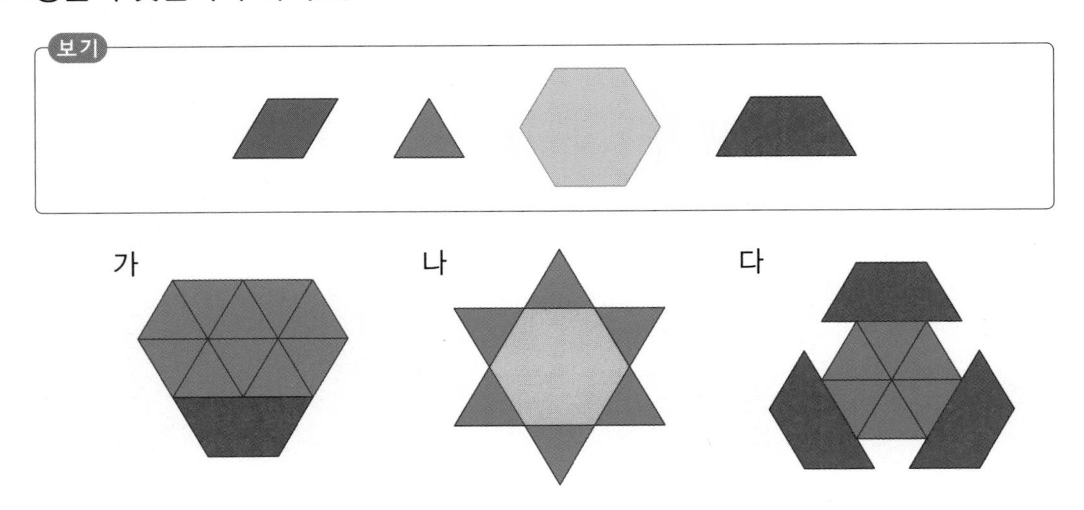

❶ 다시 만들 때 △ 모양이 각각 몇 개 필요한지 구하시오.

가 (   ), 나 (   ), 다 (   )

❷ △ 모양이 가장 많이 필요한 모양은 무엇인지 기호를 쓰시오.

(   )

Tip

▱ 모양에는 △ 모양이 ❶ [   ]개, ⬡ 모양에는 △ 모양이 6개, ⏢ 모양에는 △ 모양이 ❷ [   ]개 들어갑니다.

[답] ❶ 2 ❷ 3

▶정답 및 풀이 26쪽

[관련 단원] **꺾은선그래프**

6

짝수 달의 15일에 낮의 길이와 아침 9시의 기온을 조사하여 나타낸 꺾은선그래프입니다.
두 사람의 대사를 알맞게 완성하시오.

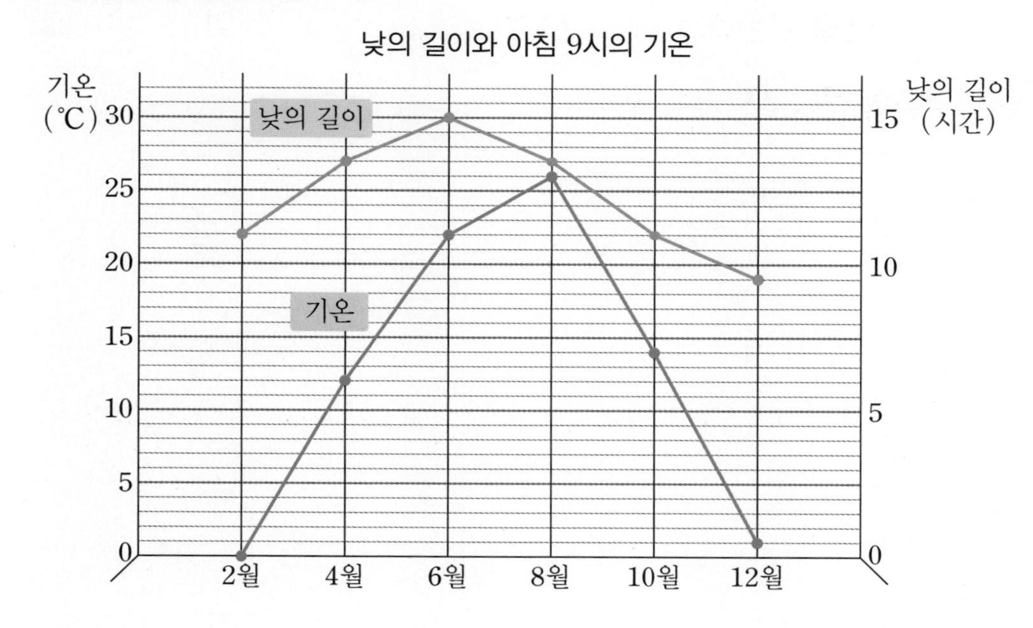

Tip

낮의 길이는 오른쪽에 있는 세로 눈금을, 아침 9시의 기온은 ❶ ____ 에 있는 세로 눈금을 보고 읽습니다.
세로 눈금 한 칸이 나타내는 낮의 길이는 0.5시간이고, 기온은 ❷ ____ ℃입니다.

[답] ❶ 왼쪽 ❷ 1

학력진단 전략 1회

01 수직선을 보고 □ 안에 알맞은 수를 써넣으시오.

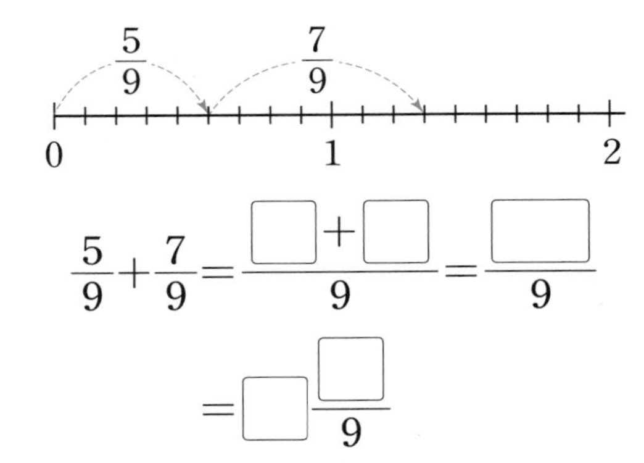

$$\frac{5}{9}+\frac{7}{9}=\frac{\square+\square}{9}=\frac{\square}{9}$$

$$=\square\frac{\square}{9}$$

02 분수를 소수로 쓰고 읽으시오.

$$6\frac{35}{100}$$

쓰기 (　　　　　　　　)

읽기 (　　　　　　　　)

03 □ 안에 알맞은 소수를 써넣으시오.

1이 3개, 0.1이 5개, 0.01이 9개인 수는 □입니다.

04 밑줄 친 숫자 8이 나타내는 수를 쓰시오.

0.3<u>8</u>5

(　　　　　　　　)

05 그림을 보고 □ 안에 알맞은 수를 써넣으시오.

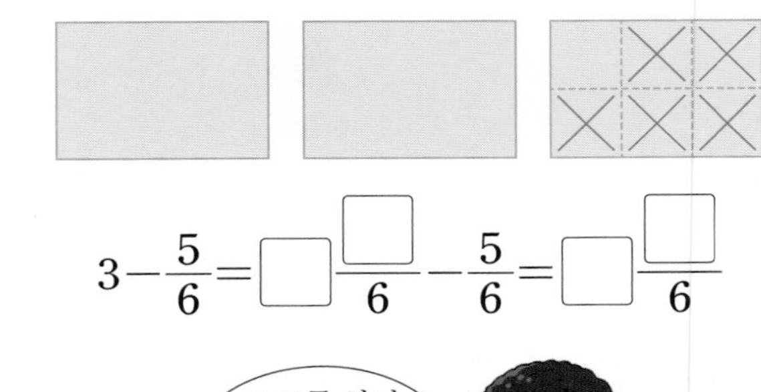

$$3-\frac{5}{6}=\square\frac{\square}{6}-\frac{5}{6}=\square\frac{\square}{6}$$

06 빈 곳에 알맞은 수를 써넣으시오.

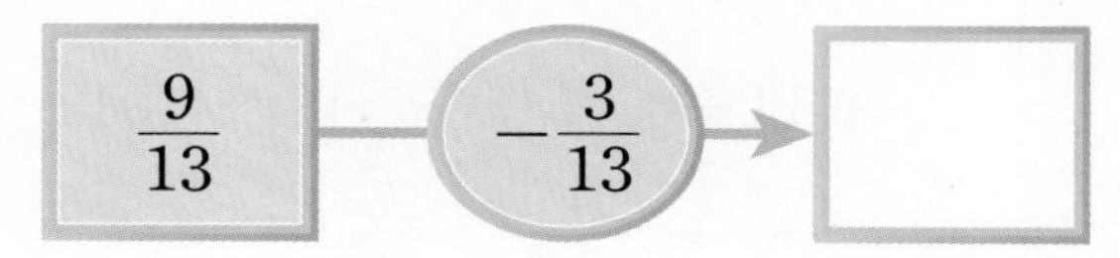

07 두 수의 크기를 비교하여 ○ 안에 >, =, <를 알맞게 써넣으시오.

(1) 5.759 ○ 9.3

(2) 0.152 ○ 0.146

08 계산을 하시오.

(1)

	2	. 4	3
+	2	. 7	8

(2)

	1	3	. 2
−		4	. 8

09 □ 안에 알맞은 수를 써넣으시오.

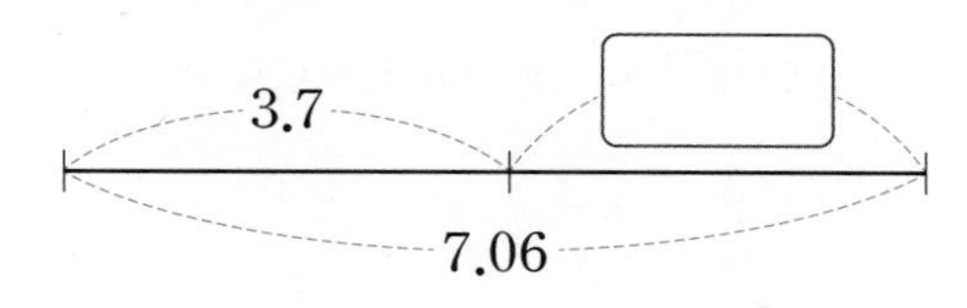

10 두 수의 차를 구하시오.

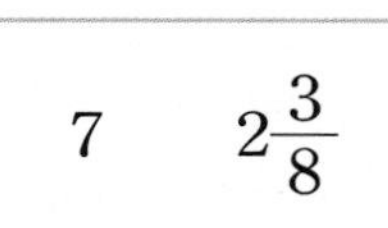

(   )

11 $4\frac{5}{6}-1\frac{2}{6}$를 자연수 부분과 진분수 부분으로 나누어 계산하시오.

$4\frac{5}{6}-1\frac{2}{6}$

$=$

12 빈 곳에 알맞은 수를 써넣으시오.

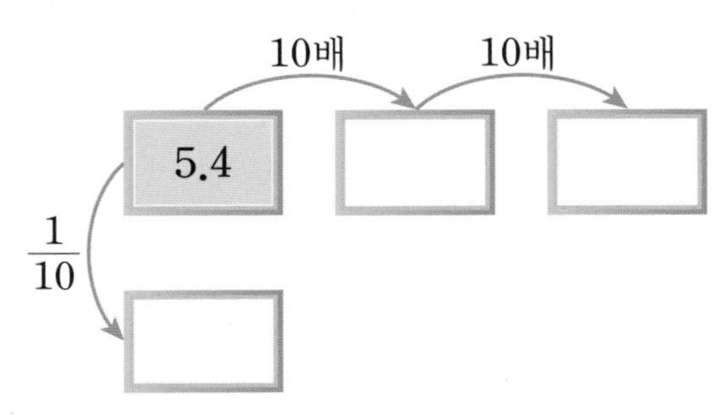

13 빈칸에 알맞은 수를 써넣으시오.

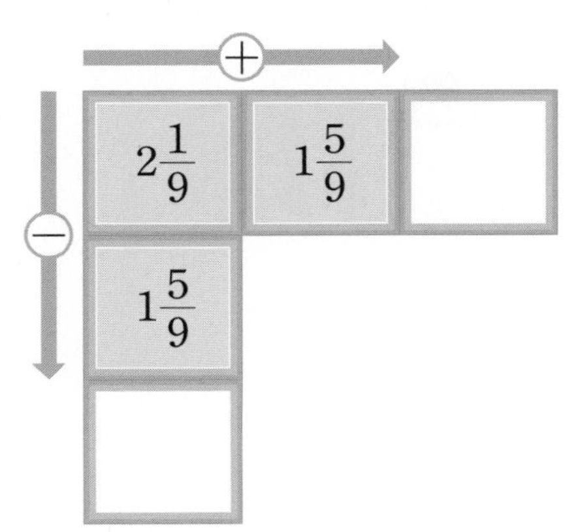

14 계산 결과가 같은 것끼리 선으로 이으시오.

$0.11+0.14$ •	• $0.42-0.17$
$0.32+0.15$ •	• $0.9-0.12$
$0.5+0.28$ •	• $3-2.53$

15 계산 결과가 큰 것부터 차례로 기호를 쓰시오.

㉠ $1\frac{7}{12}+1\frac{8}{12}$

㉡ $9\frac{5}{12}-5\frac{9}{12}$

㉢ $7\frac{11}{12}-3\frac{7}{12}$

(　　　　　　　　　　)

16 잘못 계산한 곳을 찾아 바르게 계산하시오.

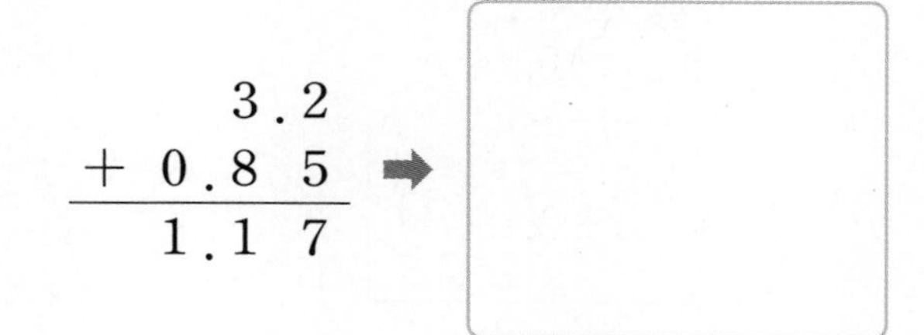

17 분수 카드 2장을 골라 합이 가장 큰 덧셈식을 만들고 계산하시오.

$2\frac{2}{8}$	$\frac{20}{8}$	$2\frac{4}{8}$

덧셈식 ______________________

18 수정이네 가족은 물 2 L를 오전에 $\frac{11}{15}$ L, 오후에 $1\frac{2}{15}$ L 마셨습니다. 남은 물은 몇 L입니까?

( )

19 어떤 수와 $1\frac{7}{9}$의 합은 $4\frac{4}{9}$입니다. 어떤 수를 구하시오.

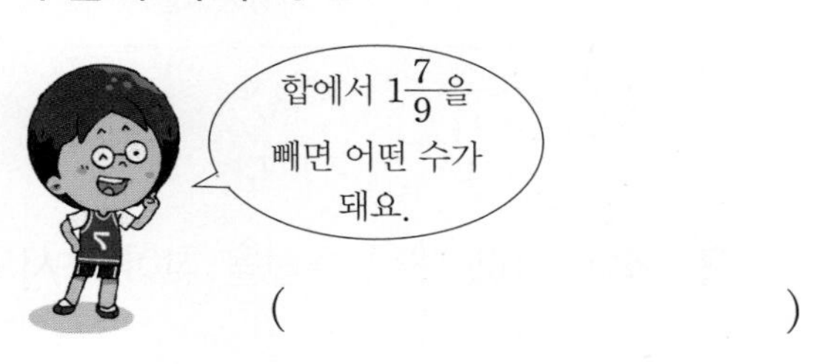

( )

20 ㉠, ㉡, ㉢에 알맞은 수를 모두 더하면 얼마입니까?

- 1.53은 0.153의 ㉠배입니다.
- 93은 0.93의 ㉡배입니다.
- 760.4는 7.604의 ㉢배입니다.

( )

학력진단 전략 2회

[01~02] 그림을 보고 물음에 답하시오.

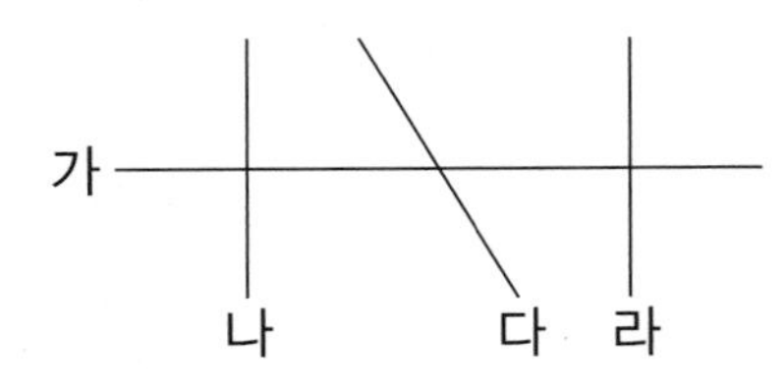

01 직선 나에 대한 수선을 찾아 쓰시오.

( )

02 서로 평행한 직선을 찾아 쓰시오.

( )

03 다음 도형은 이등변삼각형입니다. □ 안에 알맞은 수를 써넣으시오.

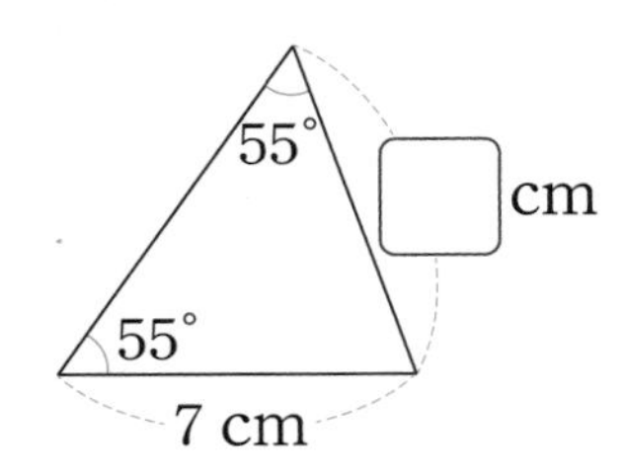

04 사각형을 보고 사다리꼴을 모두 찾아 기호를 쓰시오.

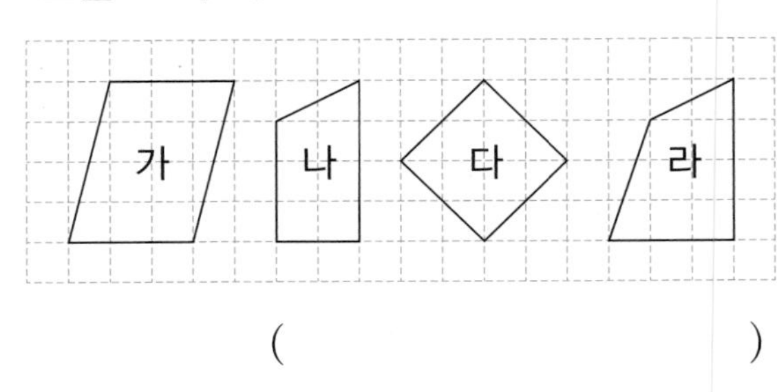

( )

05 직선 가와 직선 나는 서로 평행합니다. 평행선 사이의 거리를 바르게 나타낸 선분은 어느 것입니까? ( )

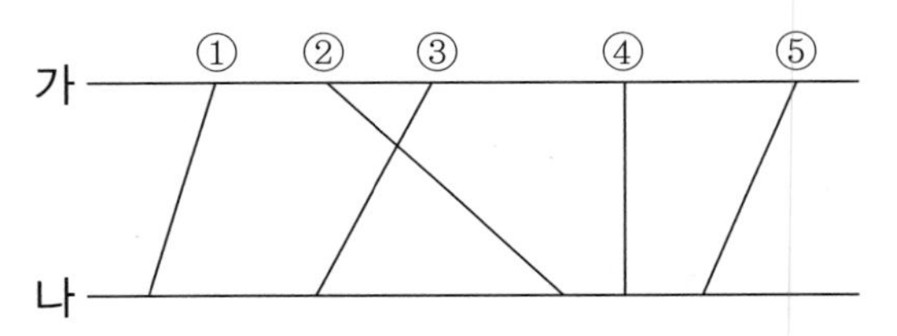

[06~07] 삼각형을 보고 물음에 답하시오.

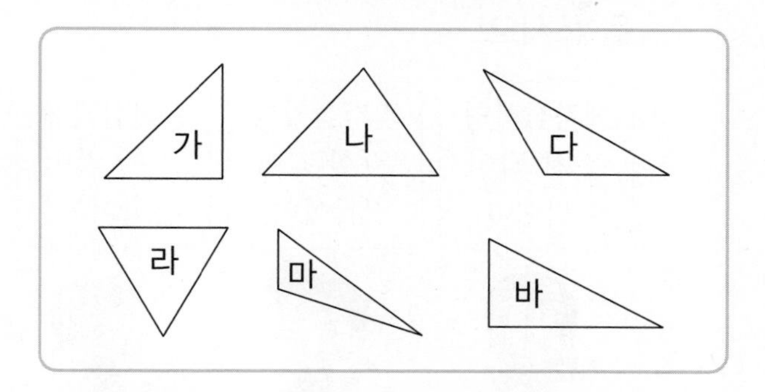

06 이등변삼각형을 모두 찾아 기호를 쓰시오.

( )

07 둔각삼각형을 모두 찾아 기호를 쓰시오.

( )

08 점 ㄱ을 지나고 주어진 직선과 평행한 직선을 그으시오.

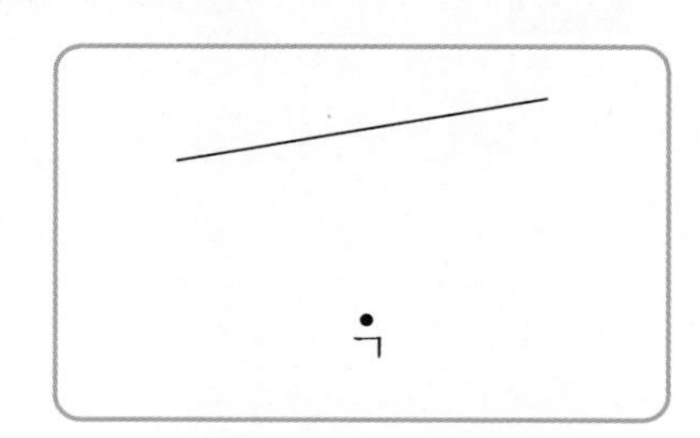

09 삼각형의 이름이 될 수 있는 것을 모두 찾아 선으로 이으시오.

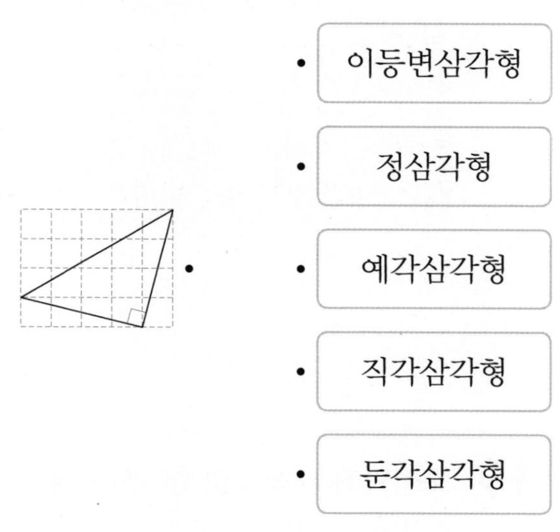

10 다음 도형은 정삼각형입니다. □ 안에 알맞은 수를 써넣으시오.

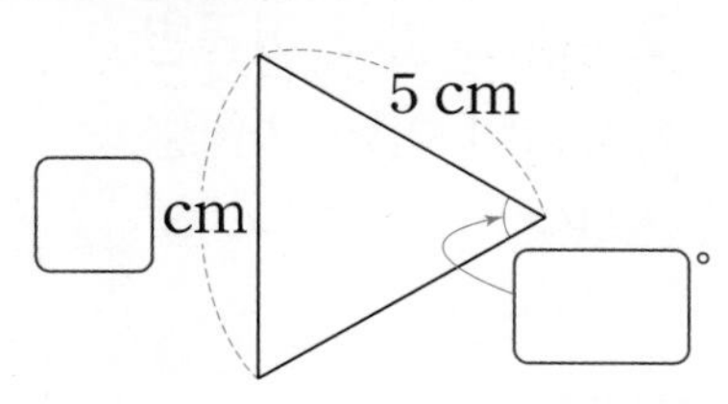

11 직사각형 모양의 종이띠를 선을 따라 잘랐을 때 평행사변형은 모두 몇 개 만들어집니까?

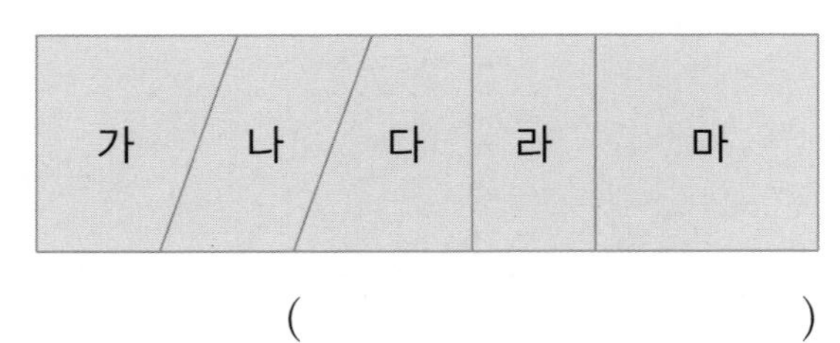

( )

12 도형판에서 꼭짓점 한 개만 옮겨서 평행사변형을 만드시오.

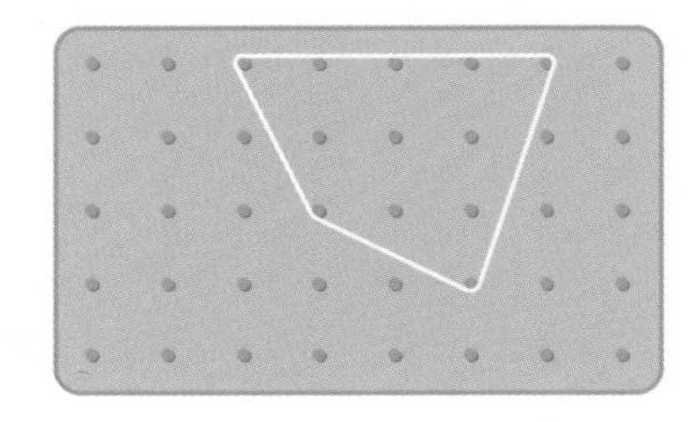

13 오른쪽 도형이 이등변삼각형이 아닌 까닭을 쓰시오.

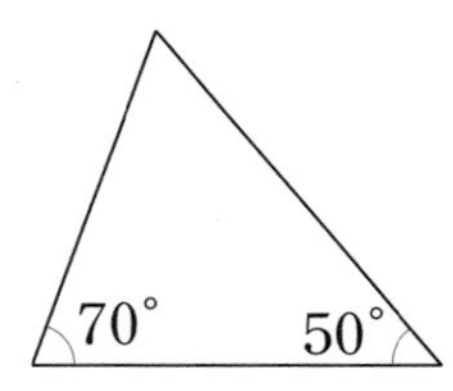

까닭

14 삼각형에 대해 잘못 설명한 친구의 이름을 쓰시오.

( )

15 다음 도형이 사다리꼴인 까닭을 쓰시오.

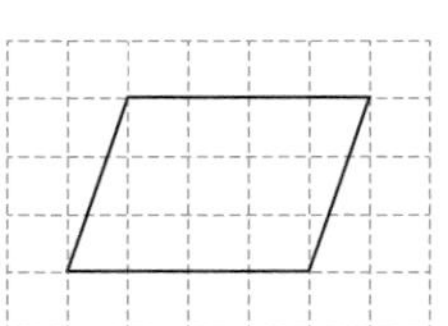

까닭

▶정답 및 풀이 29쪽

16 에서 설명하는 삼각형을 그리시오.

보기
- 두 변의 길이가 같습니다.
- 세 각이 모두 예각입니다.

17 다음 도형은 이등변삼각형입니다. 세 변의 길이의 합은 몇 cm입니까?

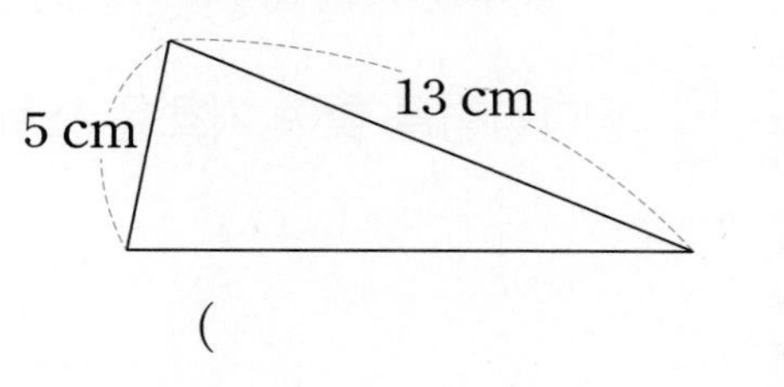

(　　　　　　　　)

18 사각형 ㄱㄴㄷㄹ은 평행사변형입니다. 변 ㄴㄷ의 길이와 각 ㄴㄱㄹ의 크기를 각각 구하시오.

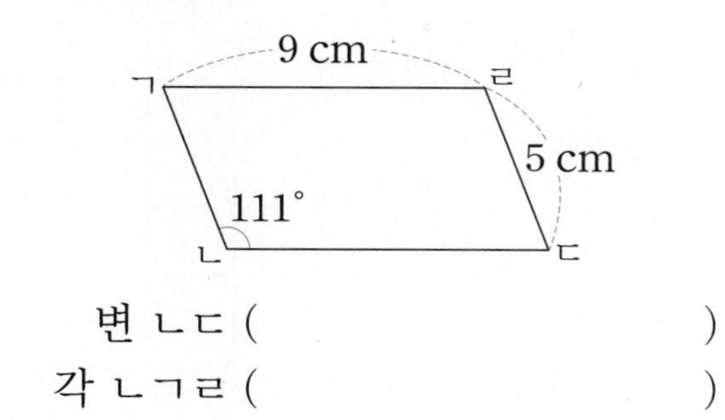

변 ㄴㄷ (　　　　　　　　)
각 ㄴㄱㄹ (　　　　　　　　)

19 삼각형의 세 각 중 두 각의 크기를 나타낸 것입니다. 둔각삼각형이 아닌 것을 모두 고르시오. (　　　　)

① 20°, 100°　② 35°, 50°
③ 45°, 50°　④ 40°, 25°
⑤ 80°, 55°

20 사각형 ㄱㄴㄷㄹ은 네 변의 길이의 합이 32 cm인 마름모입니다. 변 ㄱㄴ의 길이는 몇 cm입니까?

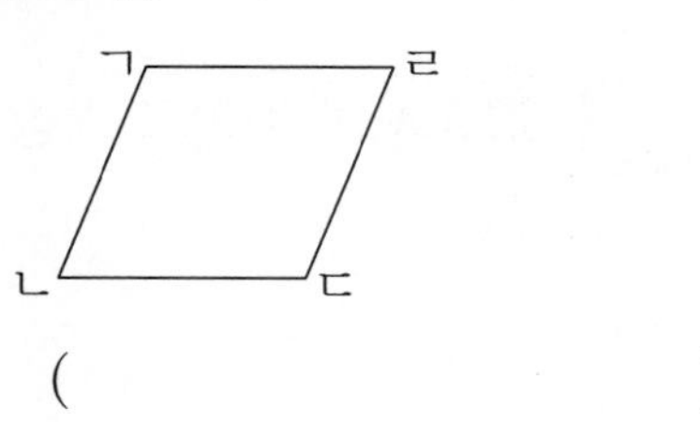

(　　　　　　　　)

학력진단 전략 3회

[01~03] 수민이가 막대의 그림자의 길이를 조사하여 나타낸 꺾은선그래프입니다. 물음에 답하시오.

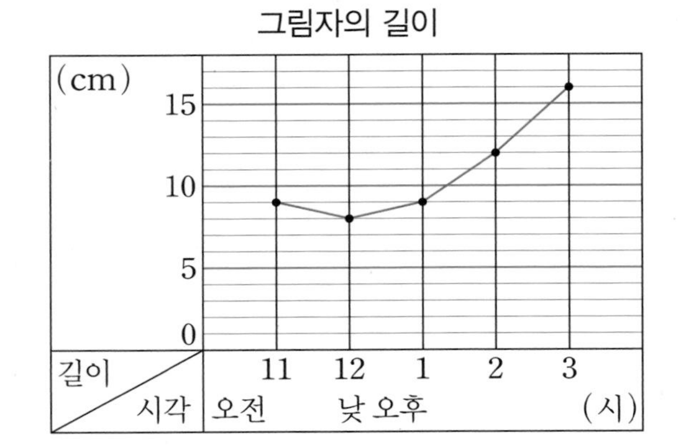

01 꺾은선그래프의 가로와 세로는 각각 무엇을 나타냅니까?

가로 ( )

세로 ( )

02 세로 눈금 한 칸은 몇 cm를 나타냅니까?

( )

03 그림자의 길이가 가장 긴 때는 몇 시입니까?

( )

[04~05] 도형을 보고 물음에 답하시오.

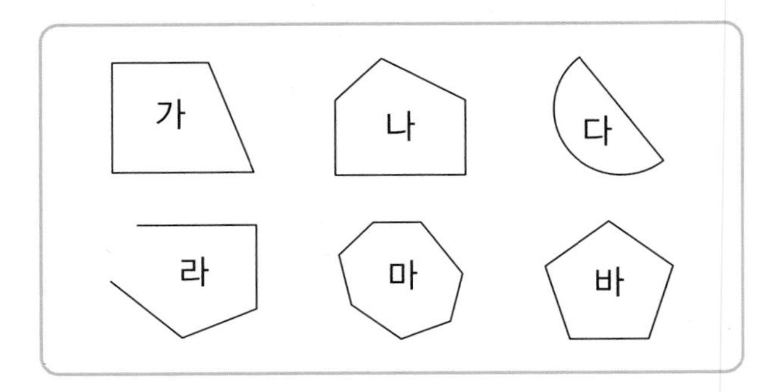

04 다각형을 모두 찾아 기호를 쓰시오.

( )

05 정다각형을 찾아 기호를 쓰시오.

( )

▶정답 및 풀이 30쪽

[06~08] 어느 수영장의 수면의 높이를 조사하여 나타낸 꺾은선그래프입니다. 물음에 답하시오.

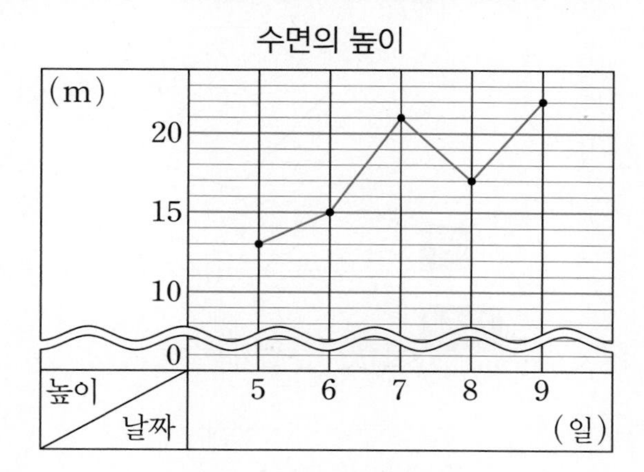

06 꺾은선그래프를 보고 표로 나타내시오.

수면의 높이

날짜(일)	5	6	7	8	9
높이(m)					

07 수영장의 수면의 높이가 가장 높은 때는 며칠입니까?

( )

08 전날에 비하여 수면의 높이의 변화가 가장 큰 때는 며칠입니까?

( )

09 다각형의 이름을 찾아 선으로 이으시오.

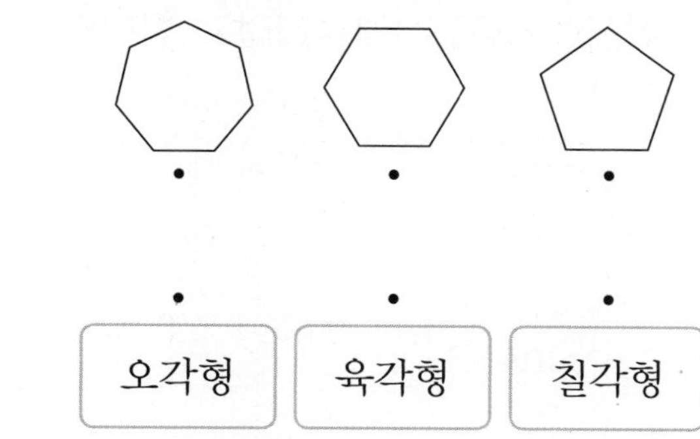

10 대각선을 그을 수 없는 도형을 찾아 기호를 쓰시오.

( )

[11~12] 현우의 키를 조사하여 나타낸 표를 보고 꺾은선그래프로 나타내려고 합니다. 물음에 답하시오.

현우의 키

월	3	4	5	6	7
키 (cm)	134.1	134.5	134.6	134.9	135.1

11 꺾은선그래프로 나타낼 때 세로 눈금 한 칸의 크기를 몇 cm로 하는 것이 좋을지 쓰세요.

( )

12 표를 보고 꺾은선그래프로 나타내시오.

현우의 키

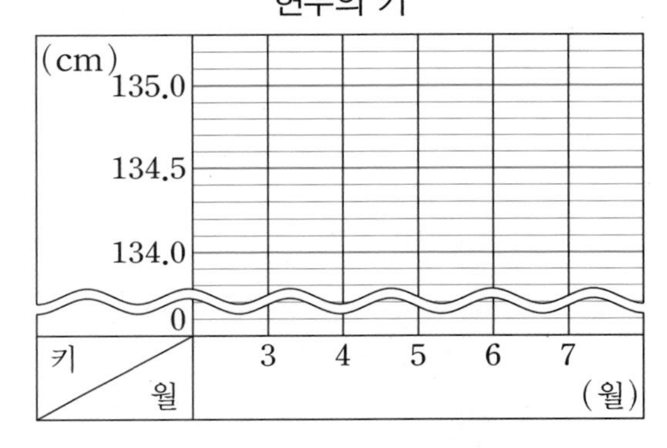

13 정팔각형입니다. □ 안에 알맞은 수를 써넣으시오.

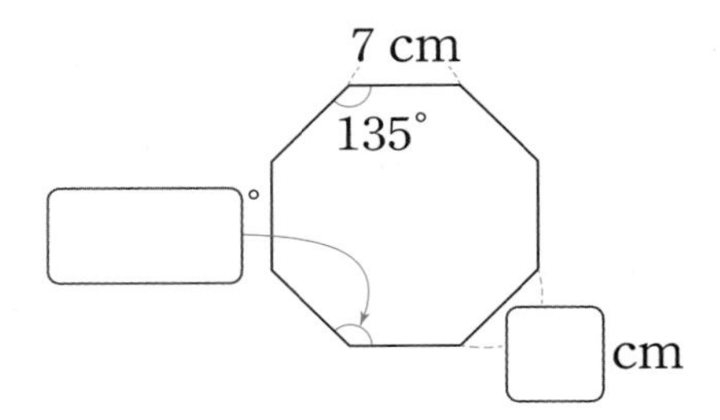

14 다음 도형이 정다각형인지 아닌지 쓰고, 그 까닭을 쓰시오.

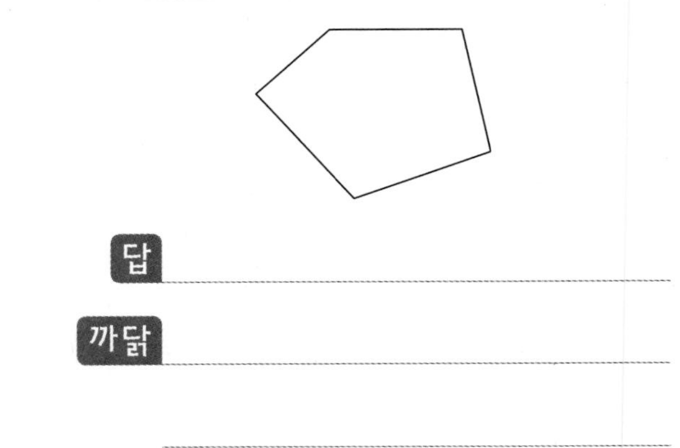

15 다음 모양을 만들려면 ▲ 모양 조각이 몇 개 필요합니까?

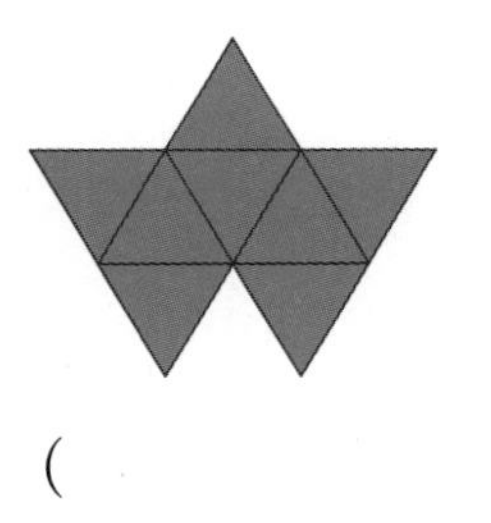

( )

16 한 변의 길이가 9 cm인 정칠각형의 모든 변의 길이의 합은 몇 cm입니까?

( )

17 도형을 보고 표의 빈칸에 알맞은 기호를 써넣으시오.

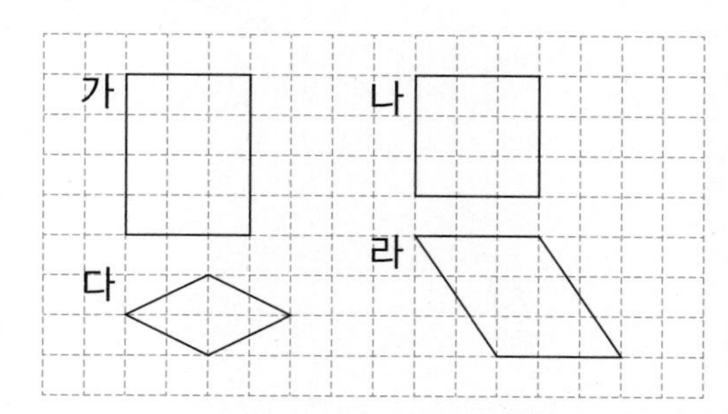

두 대각선의 길이가 같은 사각형	두 대각선이 서로 수직으로 만나는 사각형

18 보기에서 설명하는 도형의 이름을 쓰시오.

보기
- 12개의 선분으로만 둘러싸인 도형입니다.
- 변의 길이가 모두 같고, 각의 크기가 모두 같습니다.

( )

[19~20] 어느 지역의 인구수와 초등학생 수를 조사하여 나타낸 꺾은선그래프입니다. 물음에 답하시오.

인구수

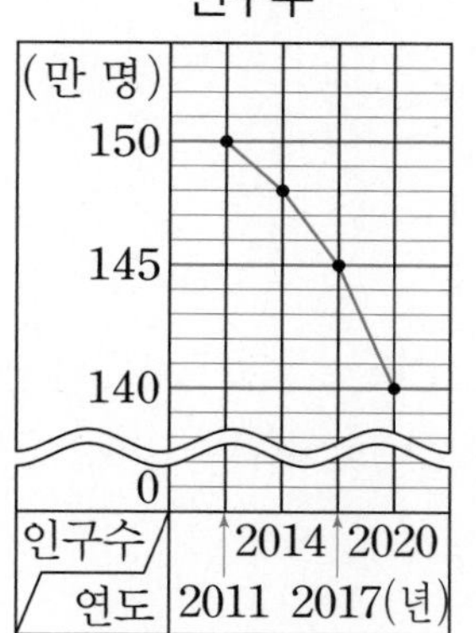

초등학생 수

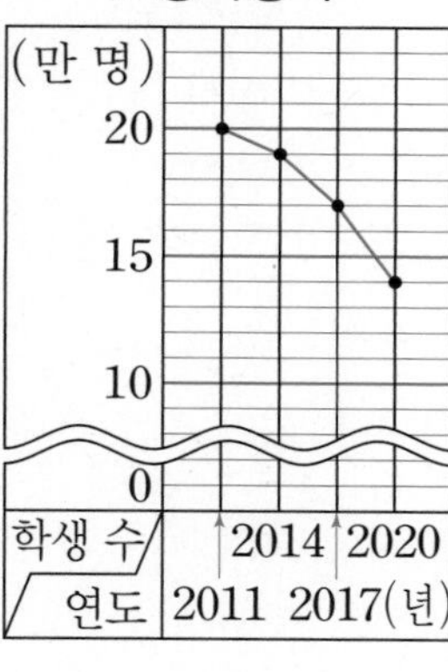

19 그래프에서 인구수의 변화가 가장 큰 때에는 인구가 몇 명 줄어들었습니까?

( )

20 초등학생 수의 변화가 가장 큰 때 초등학생은 몇 명 줄어들었는지 풀이 과정을 쓰고 답을 구하시오.

풀이

답

메 모

초등생의 필수 학습!
탄탄하게 다져두자!

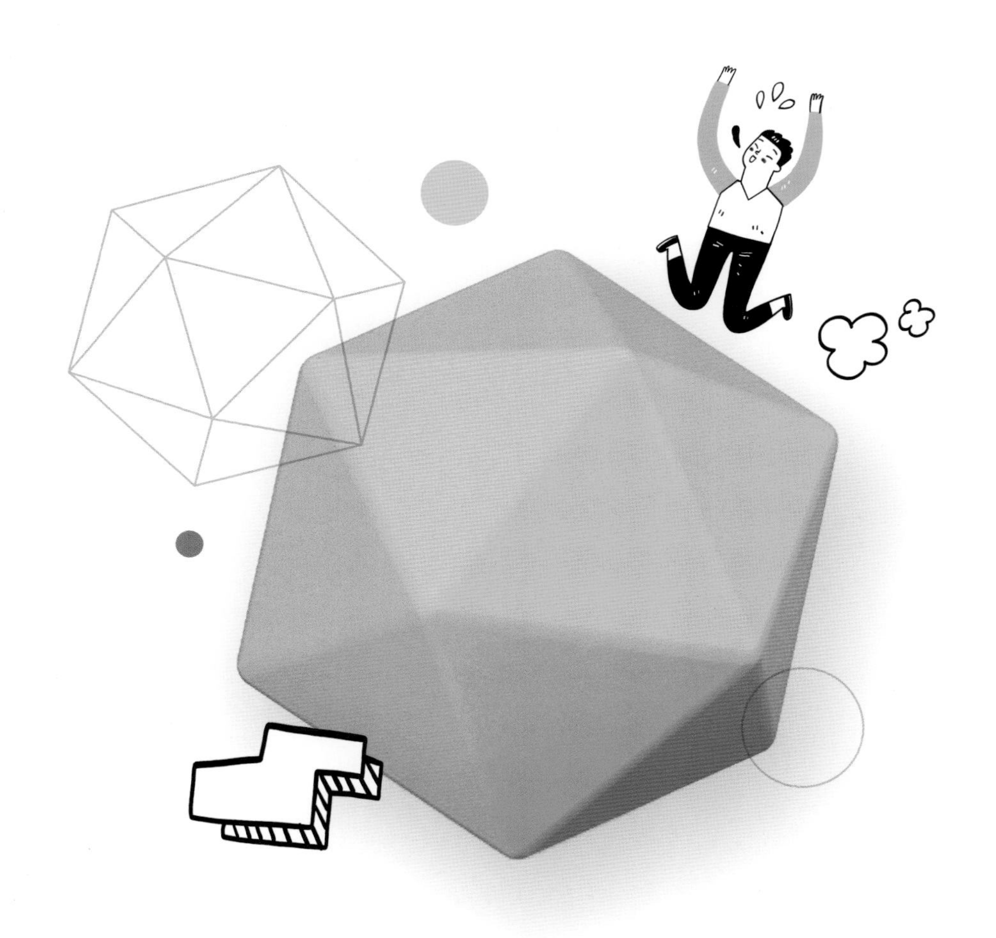

초등 **수학**

천재교육

초등생의 필수 학습!
탄탄하게 다져두자!

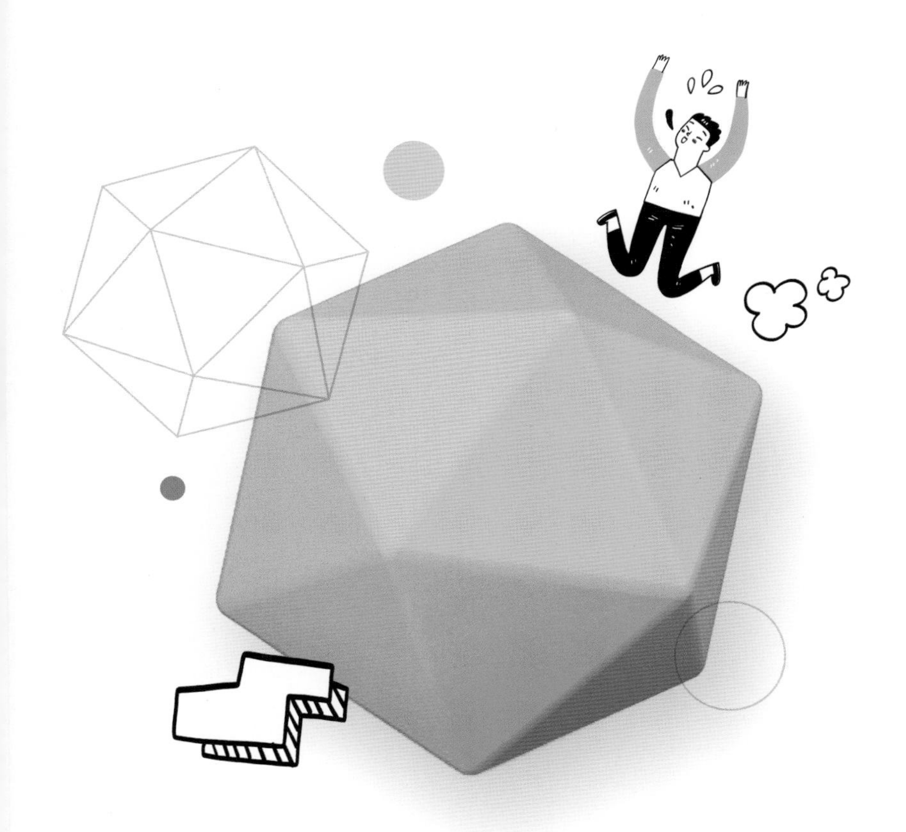

초등 **수학**

핵심개념 & 연산 집중연습

천재교육

4·2

목차

1. 분수의 덧셈과 뺄셈 2쪽

2. 삼각형 10쪽

3. 소수의 덧셈과 뺄셈 16쪽

4. 사각형 26쪽

5. 꺾은선그래프 36쪽

6. 다각형 40쪽

정답 46쪽

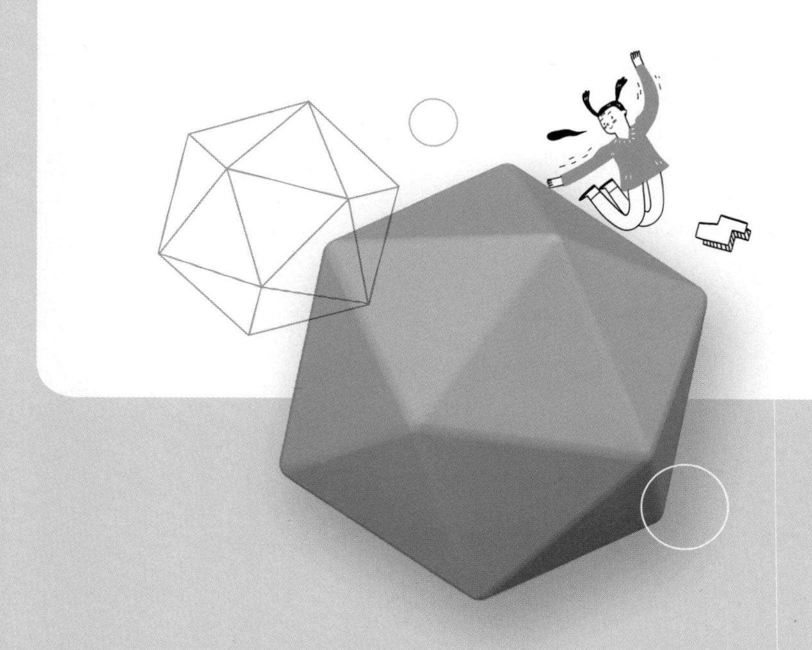

1 진분수의 덧셈

$\frac{2}{5}+\frac{4}{5}$ 계산하기

• 그림으로 알아보기

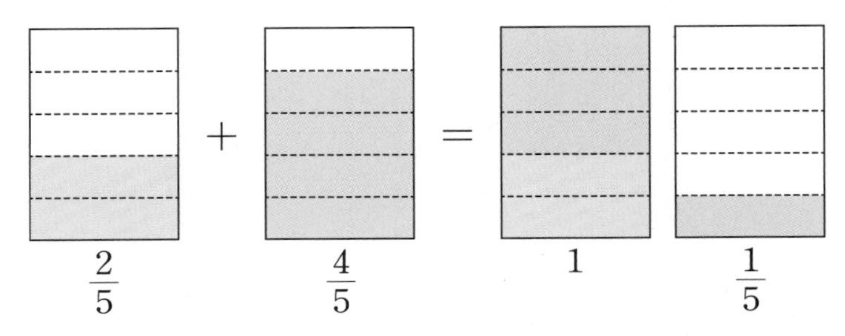

⇨ $\frac{2}{5}$는 $\frac{1}{5}$이 ❶ [ ] 개이고, $\frac{4}{5}$는 $\frac{1}{5}$이 ❷ [ ] 개이므로 $\frac{2}{5}+\frac{4}{5}$는 $\frac{1}{5}$이 6개입니다.

• 수직선으로 알아보기

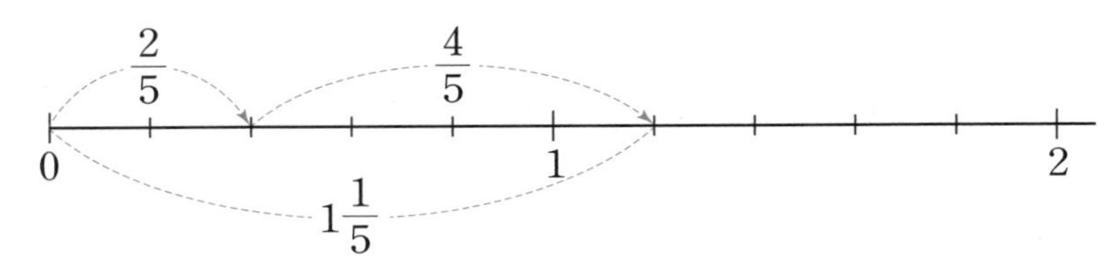

⇨ $\frac{2}{5}$에서 $\frac{4}{5}$만큼 더 가면 1에서 $\frac{1}{5}$만큼 더 간 것과 같습니다.

• 계산 방법 알아보기

$\frac{2}{5}+\frac{4}{5}=\frac{2+4}{5}=\frac{6}{5}=1\frac{1}{5}$

분모는 그대로 두고 분자끼리 더합니다.

[답] ❶ 2 ❷ 4

핵심 체크

1 분모가 같은 진분수끼리 더할 때는 (분모 , 분자)끼리 더합니다.

2 $\frac{2}{7}+\frac{3}{7}=$($\frac{5}{7}$, $\frac{5}{14}$)입니다.

2 진분수의 뺄셈, $1-$(진분수)

$\frac{3}{5}-\frac{2}{5}$ 계산하기

• 그림으로 알아보기

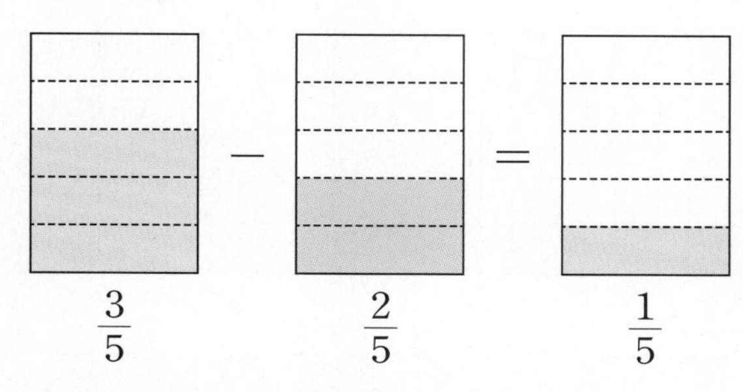

⇨ $\frac{3}{5}$은 $\frac{1}{5}$이 ❶ 개이고, $\frac{2}{5}$는 $\frac{1}{5}$이 ❷ 개이므로 $\frac{3}{5}-\frac{2}{5}$는 $\frac{1}{5}$이 1개입니다.

• 계산 방법 알아보기

$\frac{3}{5}-\frac{2}{5}=\frac{3-2}{5}=\frac{1}{5}$

분모는 그대로 두고 분자끼리 뺍니다.

$1-\frac{1}{5}$ 계산하기

• 수직선으로 알아보기

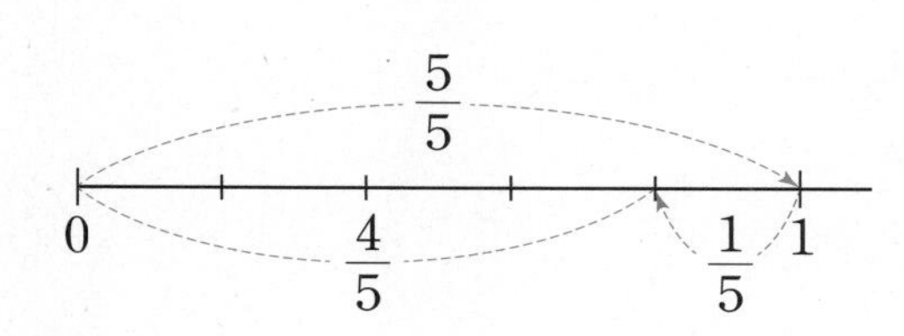

• 계산 방법 알아보기

$1-\frac{1}{5}=\frac{5}{5}-\frac{1}{5}=\frac{5-1}{5}=\frac{4}{5}$

1을 가분수로 나타내어 분자끼리 뺍니다.

[답] ❶ 3 ❷ 2

핵심 체크

1 분모가 같은 진분수끼리 뺄 때는 (분모 , 분자)끼리 뺍니다.

2 $1-\frac{1}{3}=\frac{3}{3}-\frac{1}{3}=(\frac{1}{3}, \frac{2}{3})$입니다.

3 대분수의 덧셈

○ $2\frac{3}{5}+1\frac{4}{5}$ 계산하기

• 그림으로 알아보기

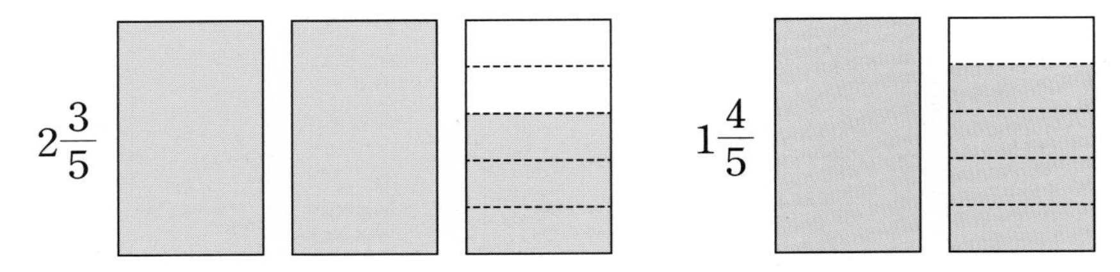

• 계산 방법 알아보기

방법 1 자연수 부분끼리, 진분수 부분끼리 더합니다.

$$2\frac{3}{5}+1\frac{4}{5}=(2+1)+\left(\frac{3}{5}+\frac{❶\square}{5}\right)=3+\frac{7}{5}=3+1\frac{2}{5}=4\frac{2}{5}$$

방법 2 대분수를 가분수로 나타내어 더합니다.

$$2\frac{3}{5}+1\frac{4}{5}=\frac{13}{5}+\frac{❷\square}{5}=\frac{22}{5}=4\frac{2}{5}$$

[답] ❶ 4 ❷ 9

핵심 체크

1 대분수의 덧셈에서 자연수 부분끼리, (진분수 , 가분수) 부분끼리 더합니다.

2 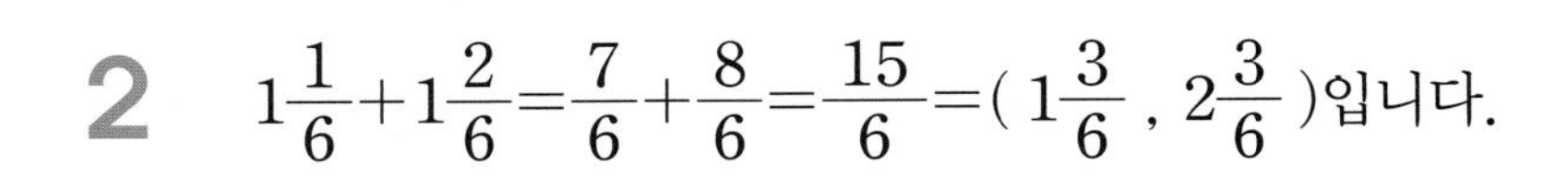

$1\frac{1}{6}+1\frac{2}{6}=\frac{7}{6}+\frac{8}{6}=\frac{15}{6}=(1\frac{3}{6} , 2\frac{3}{6})$입니다.

4 받아내림이 없는 대분수의 뺄셈

$3\frac{4}{5}-1\frac{3}{5}$ 계산하기

• 그림으로 알아보기

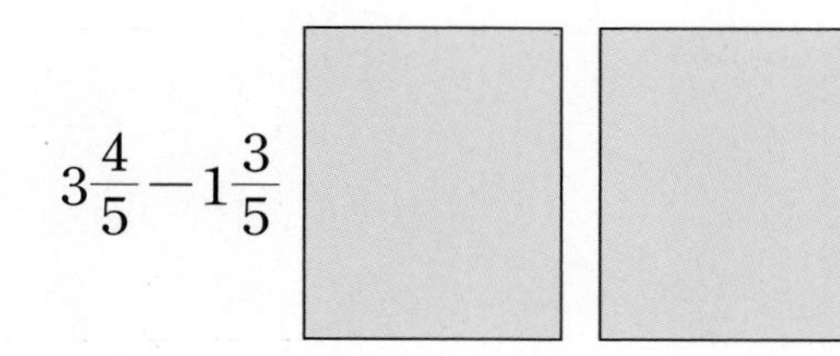
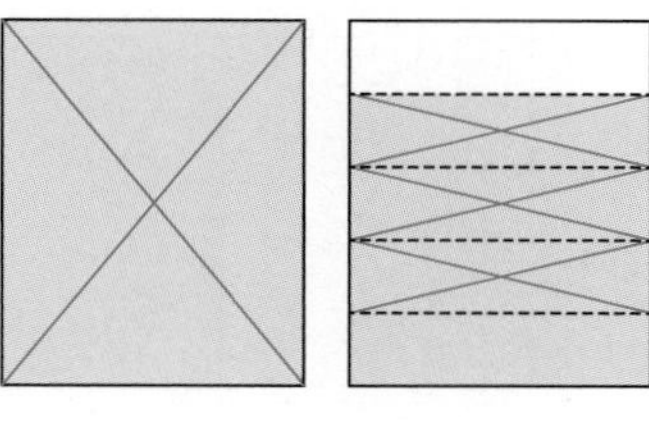

⇨ $3\frac{4}{5}$에서 $1\frac{3}{5}$만큼 지우면 2와 $\frac{1}{5}$만큼 남습니다.

• 계산 방법 알아보기

방법 1 자연수 부분끼리, 진분수 부분끼리 뺍니다.

$$3\frac{4}{5}-1\frac{3}{5}=(3-1)+\left(\frac{4}{5}-\frac{❶\square}{5}\right)=2+\frac{1}{5}=2\frac{1}{5}$$

방법 2 대분수를 가분수로 나타내어 뺍니다.

$$3\frac{4}{5}-1\frac{3}{5}=\frac{19}{5}-\frac{8}{5}=\frac{11}{5}=2\frac{❷\square}{5}$$

[답] ❶ 3 ❷ 1

핵심 체크

1 대분수의 뺄셈에서 자연수 부분끼리, (진분수 , 가분수) 부분끼리 뺍니다.

2 $2\frac{3}{7}-1\frac{2}{7}=(2-1)+\left(\frac{3}{7}-\frac{2}{7}\right)=(\ 1\frac{1}{7}\ ,\ 2\frac{1}{7}\ )$입니다.

5 (자연수)−(분수)

● $2-\frac{3}{5}$ 계산하기

• 계산 방법 알아보기

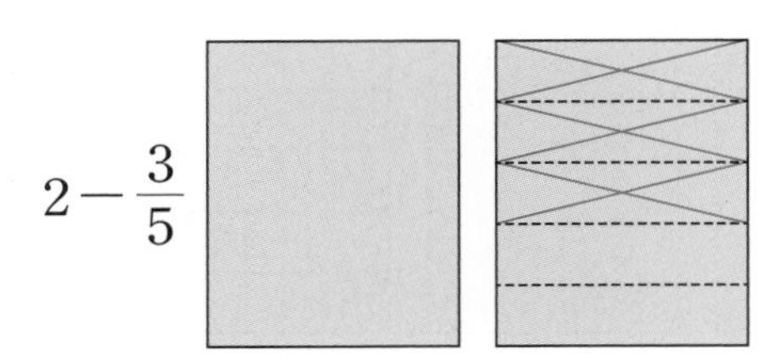

$$2-\frac{3}{5}=1\frac{5}{5}-\frac{3}{5}=1+\left(\frac{5}{5}-\frac{3}{5}\right)=1+\frac{❶\square}{5}=1\frac{2}{5}$$

자연수에서 1만큼을 가분수로 나타내어 뺍니다.

● $4-1\frac{2}{5}$ 계산하기

• 계산 방법 알아보기

방법 1 자연수에서 1만큼을 가분수로 나타내어 자연수끼리, 분수끼리 뺍니다.

$1=\frac{5}{5}$

$$4-1\frac{2}{5}=3\frac{5}{5}-1\frac{2}{5}=(3-1)+\left(\frac{5}{5}-\frac{2}{5}\right)=2+\frac{3}{5}=2\frac{❷\square}{5}$$

방법 2 대분수를 가분수로 나타내어 뺍니다.

$$4-1\frac{2}{5}=\frac{20}{5}-\frac{7}{5}=\frac{13}{5}=2\frac{3}{5}$$

[답] ❶ 2 ❷ 3

핵심 체크

1 자연수에서 진분수를 뺄 때는 자연수에서 (1 , 10)만큼을 가분수로 나타내어 뺍니다.

2 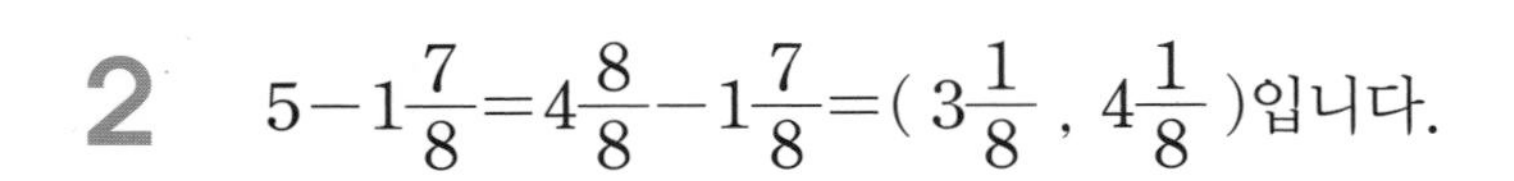
$5-1\frac{7}{8}=4\frac{8}{8}-1\frac{7}{8}=(\ 3\frac{1}{8}\ ,\ 4\frac{1}{8}\ )$입니다.

6 받아내림이 있는 대분수의 뺄셈

$4\frac{2}{5}-2\frac{4}{5}$ 계산하기

• 그림으로 알아보기

$4\frac{2}{5}-2\frac{4}{5}$

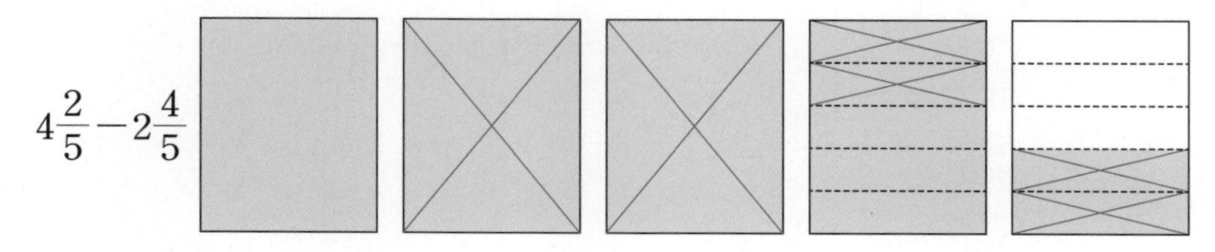

⇨ $4\frac{2}{5}$에서 $2\frac{4}{5}$만큼 지우면 ❶ ☐과 $\frac{3}{5}$만큼 남습니다.

• 계산 방법 알아보기

방법 1 빼지는 대분수의 자연수 부분에서 1만큼을 가분수로 나타내어 뺍니다.

$1=\frac{5}{5}$

$$4\frac{2}{5}-2\frac{4}{5}=3\frac{7}{5}-2\frac{4}{5}=(3-2)+\left(\frac{7}{5}-\frac{4}{5}\right)=1+\frac{❷\square}{5}=1\frac{3}{5}$$

방법 2 대분수를 가분수로 나타내어 뺍니다.

$$4\frac{2}{5}-2\frac{4}{5}=\frac{22}{5}-\frac{14}{5}=\frac{8}{5}=1\frac{3}{5}$$

[답] ❶ 1 ❷ 3

핵심 체크

1 $4\frac{1}{3}-2\frac{2}{3}=(\ 2\frac{4}{3}\ ,\ 3\frac{4}{3}\ )-2\frac{2}{3}=(\ \frac{2}{3}\ ,\ 1\frac{2}{3}\ )$입니다.

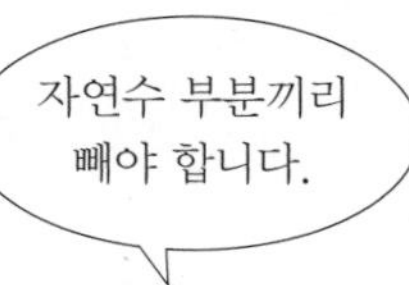

2 $3\frac{1}{6}-1\frac{4}{6}=\frac{19}{6}-\frac{10}{6}=\frac{9}{6}=(\ 1\frac{3}{6}\ ,\ 2\frac{3}{6}\ )$입니다.

집중 연습

[01~08] 계산을 하시오.

01 $\frac{1}{7}+\frac{4}{7}$

02 $\frac{4}{9}+\frac{3}{9}$

03 $\frac{5}{8}+\frac{6}{8}$

04 $\frac{8}{11}+\frac{7}{11}$

05 $\frac{5}{6}-\frac{1}{6}$

06 $\frac{7}{10}-\frac{3}{10}$

07 $1-\frac{3}{4}$

08 $3-\frac{5}{9}$

[09~16] 계산을 하시오.

09 $1\frac{1}{3}+2\frac{1}{3}$

10 $2\frac{2}{5}+3\frac{1}{5}$

11 $1\frac{6}{7}+2\frac{2}{7}$

12 $1\frac{3}{4}+1\frac{3}{4}$

13 $2\frac{5}{6}-1\frac{1}{6}$

14 $2\frac{7}{8}-1\frac{3}{8}$

15 $4\frac{1}{3}-2\frac{2}{3}$

16 $6\frac{1}{5}-3\frac{2}{5}$

7 이등변삼각형, 정삼각형

• 삼각형을 변의 길이에 따라 분류하기

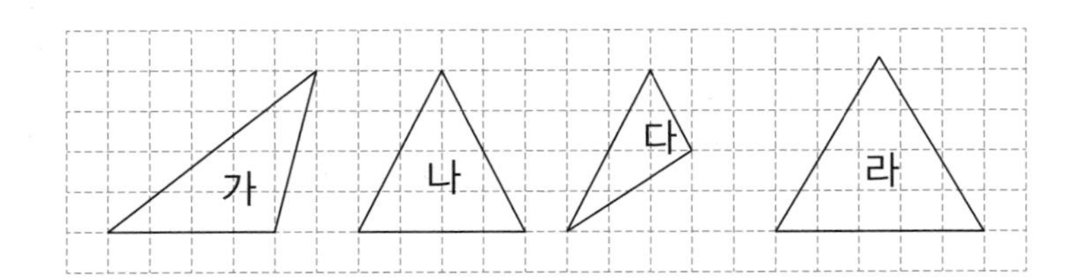

세 변의 길이가 모두 같지 않고 두 변의 길이만 같은 삼각형: ❶

세 변의 길이가 모두 같은 삼각형: ❷

• 이등변삼각형 알아보기

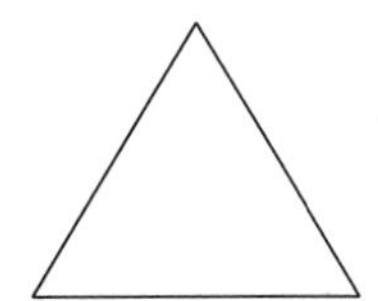
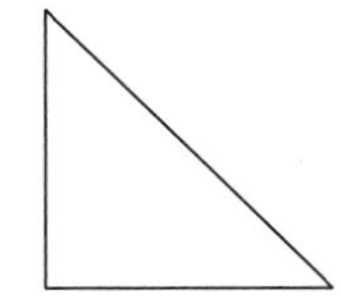
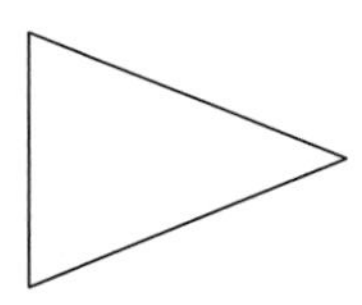

두 변의 길이가 같은 삼각형을 이등변삼각형이라고 합니다.

• 정삼각형 알아보기

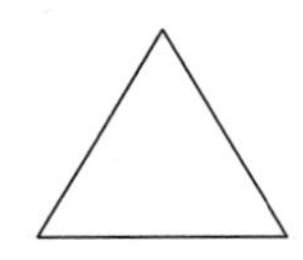
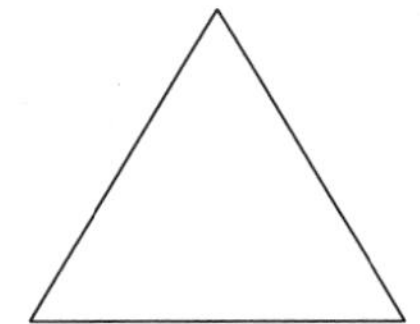
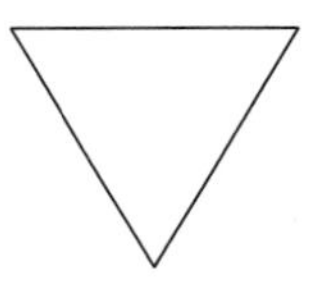

정삼각형은 이등변삼각형입니다.

세 변의 길이가 같은 삼각형을 정삼각형이라고 합니다.

[답] ❶ 나 ❷ 라

핵심 체크

1 두 변의 길이가 같은 삼각형을 (이등변삼각형 , 정삼각형)이라고 합니다.

2 세 변의 길이가 같은 삼각형을 (정삼각형 , 정사각형)이라고 합니다.

8 이등변삼각형의 성질

● 이등변삼각형의 성질 알아보기

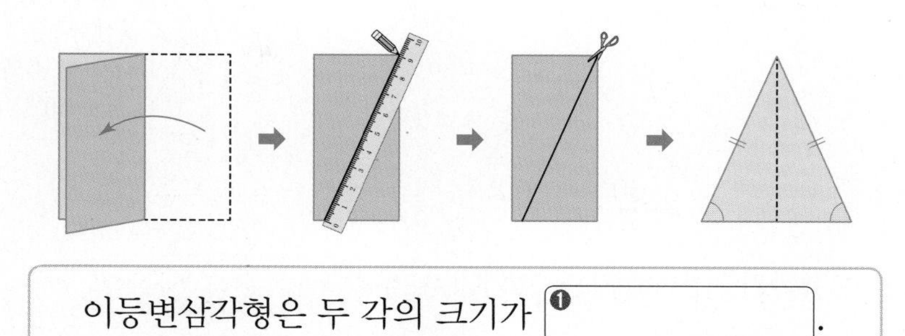

이등변삼각형은 두 각의 크기가 ❶ [ ].

● 이등변삼각형 그리기

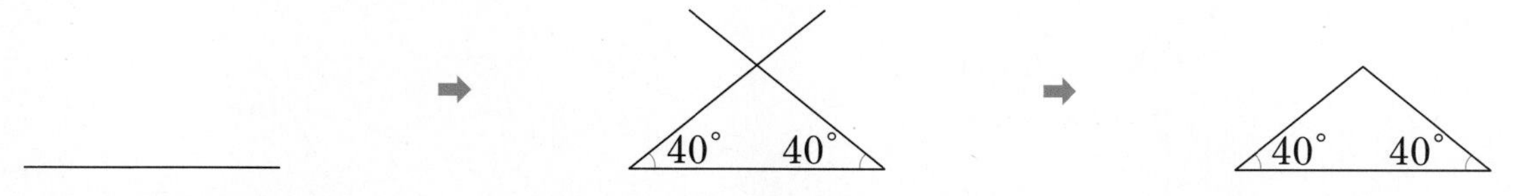

① 선분을 긋습니다.

② 주어진 선분의 양 끝에 크기가 ❷ [ ] 각을 그립니다.

③ 두 각의 변이 만나는 점을 찾아 삼각형을 그립니다.

● 이등변삼각형인지 확인하기

방법 1 자를 이용하여 두 변의 길이가 같은지 확인합니다.

방법 2 각도기를 이용하여 두 각의 크기가 같은지 확인합니다.

[답] ❶ 같습니다 ❷ 같은

핵심 체크

1 이등변삼각형은 두 각의 크기가 (같습니다 , 다릅니다).

2 세 각의 크기가 각각 50°, 60°, 70°인 삼각형은 이등변삼각형이 (맞습니다 , 아닙니다).

9 정삼각형의 성질

● 정삼각형의 성질 알아보기

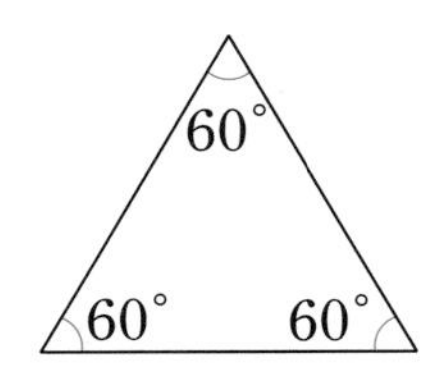

정삼각형은 세 각의 크기가 모두 ❶ [   ].

정삼각형은 세 각의 크기가 모두 60°입니다.

● 정삼각형 그리기

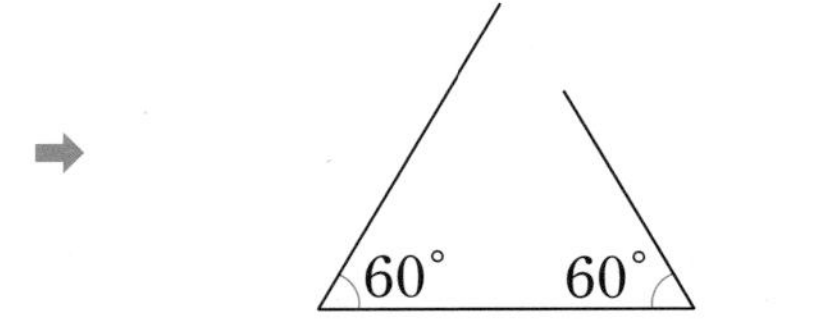

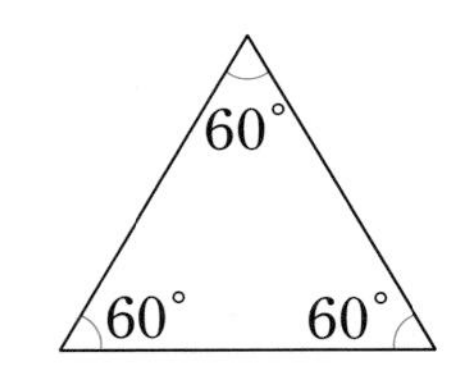

① 선분을 긋습니다. → ② 주어진 선분의 양 끝에 크기가 ❷ [   ]°인 각을 그립니다. → ③ 두 각의 변이 만나는 점을 찾아 삼각형을 그립니다.

● 정삼각형인지 확인하기

방법 1 자를 이용하여 세 변의 길이가 모두 같은지 확인합니다.

방법 2 각도기를 이용하여 세 각의 크기가 모두 60°인지 확인합니다.

[답] ❶ 같습니다 ❷ 60

핵심 체크

1 정삼각형은 세 각의 크기가 모두 (같습니다 , 다릅니다).

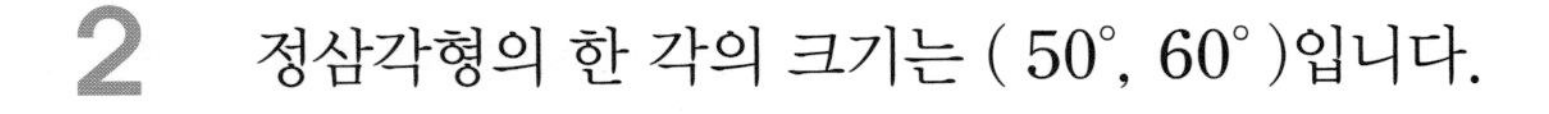

2 정삼각형의 한 각의 크기는 (50°, 60°)입니다.

10 삼각형 분류하기

● 삼각형을 각의 크기에 따라 분류하기

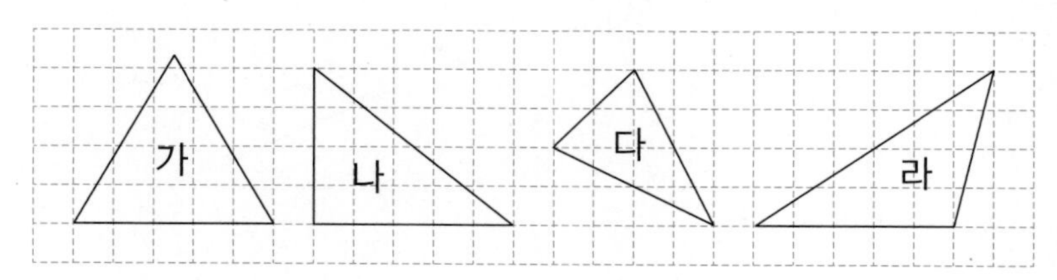

예각삼각형: 세 각이 모두 예각인 삼각형 — 가, ❶

둔각삼각형: 한 각이 둔각인 삼각형 — ❷

● 삼각형을 두 가지 기준으로 분류하기

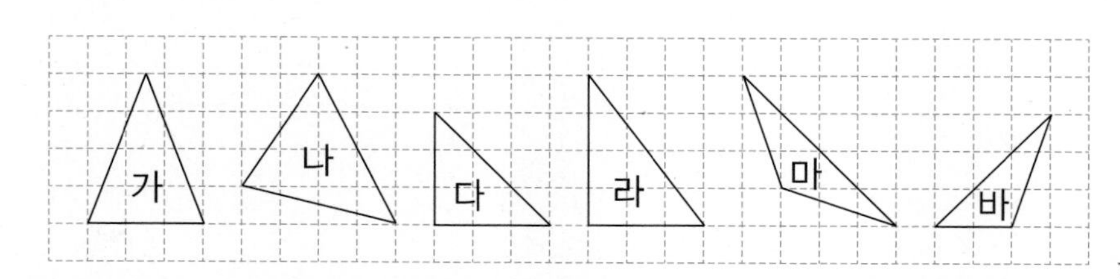

각의 크기에 따라 분류 / 변의 길이에 따라 분류

	예각삼각형	직각삼각형	둔각삼각형
이등변삼각형	가	다	마
세 변의 길이가 모두 다른 삼각형	나	라	바

[답] ❶ 다 ❷ 라

핵심 체크

1 예각삼각형은 (한 , 세) 각이 예각인 삼각형입니다.

2 둔각삼각형은 (한 , 세) 각이 둔각인 삼각형입니다.

집중 연습

[01~06] 이등변삼각형이면 ○표, 아니면 ×표 하시오.

01

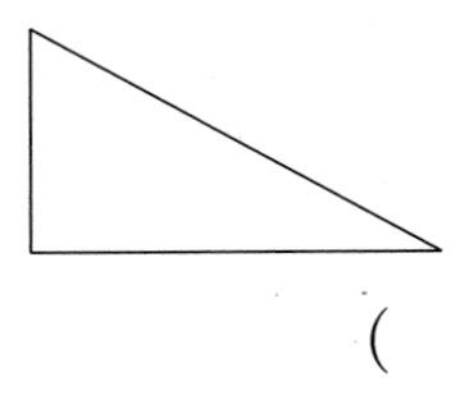

(   )

02

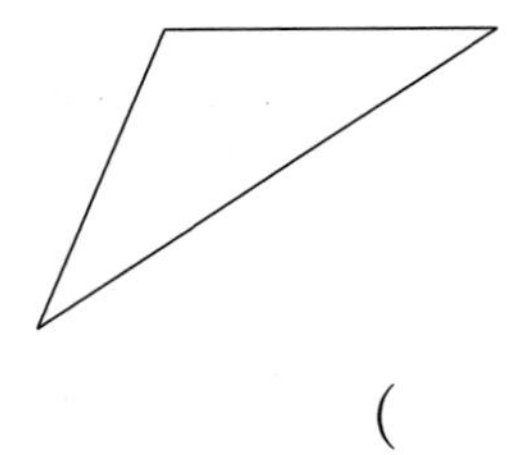

(   )

03

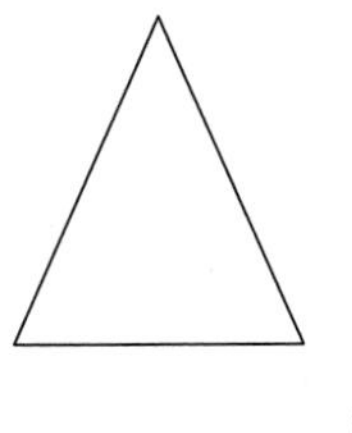

(   )

04

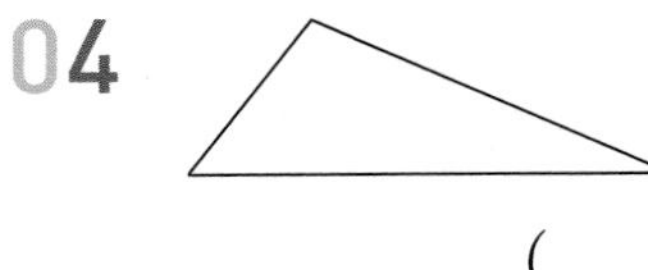

(   )

05

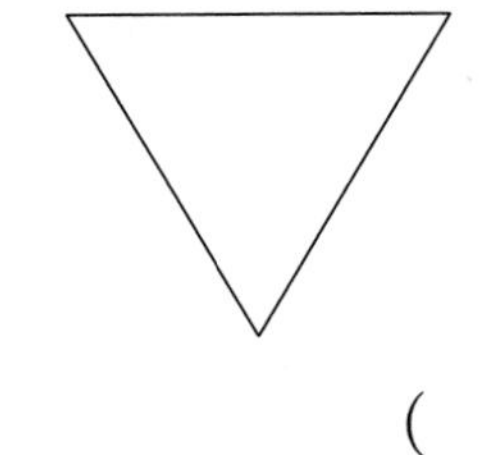

(   )

06

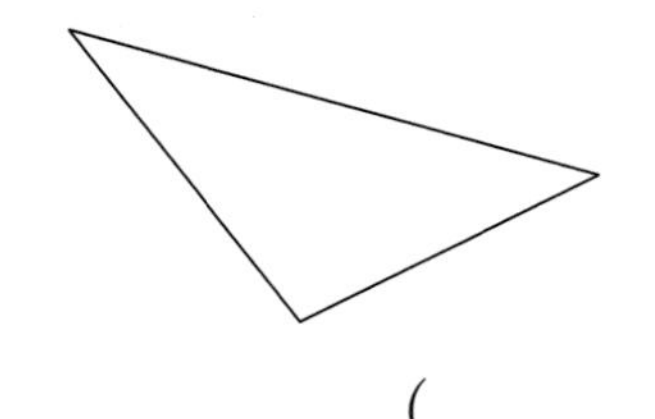

(   )

[07~12] 정삼각형이면 ○표, 아니면 ×표 하시오.

07

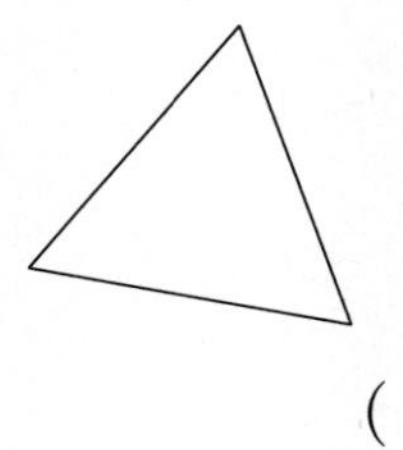

(　　　　　　　　　)

08

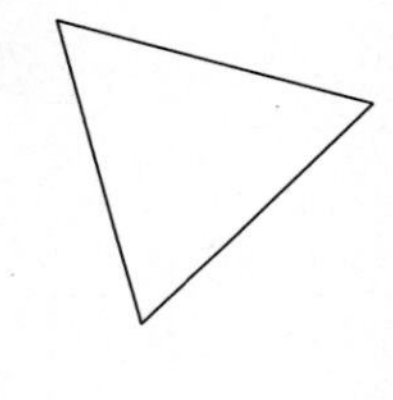

(　　　　　　　　　)

09

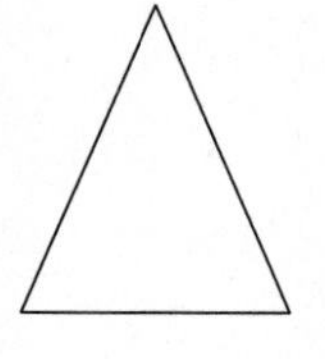

(　　　　　　　　　)

10

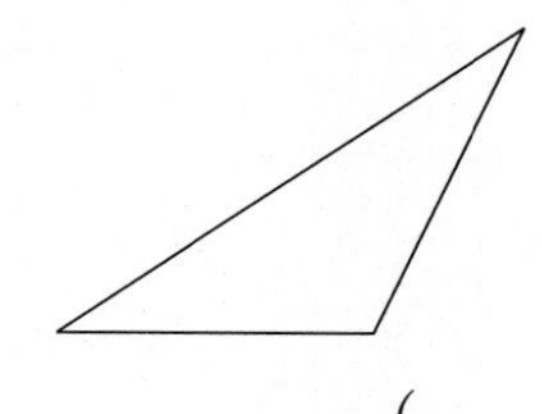

(　　　　　　　　　)

11

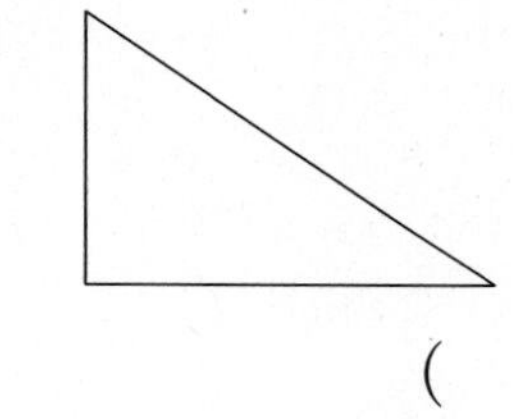

(　　　　　　　　　)

12

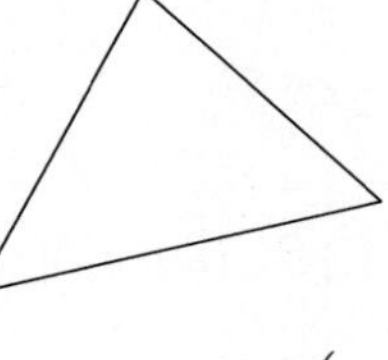

(　　　　　　　　　)

11 소수 두 자리 수

0.01 알아보기

분수 $\frac{1}{100}$은 소수로 0.01이라 쓰고, 영 점 영일이라고 읽습니다.

$$\frac{1}{100}=0.01$$

소수 두 자리 수 알아보기

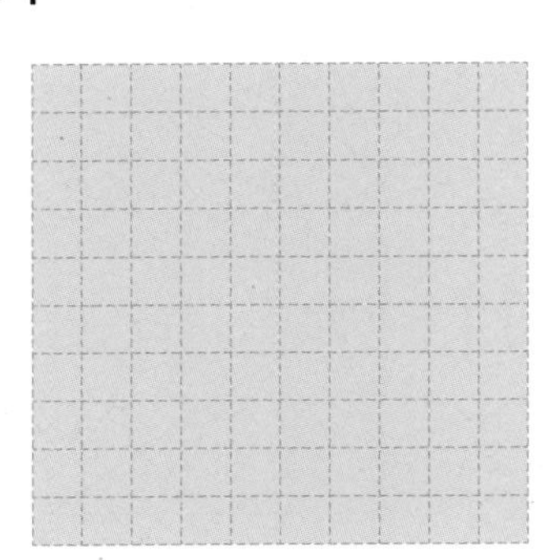

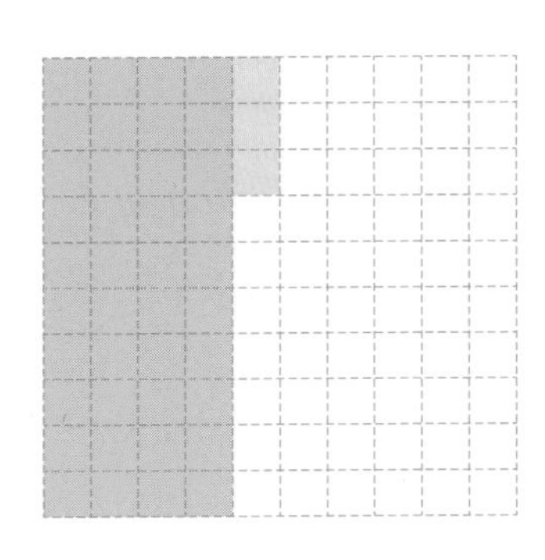

분수 $1\frac{43}{100}$은 소수로 1.43이라 쓰고 일 점 사삼이라고 읽습니다.

일의 자리	.	소수 첫째 자리	소수 둘째 자리
1	.	4	3

1.43에서 1은 일의 자리 숫자이고, 1을 나타냅니다.

4는 소수 ❶ [   ] 자리 숫자이고, 0.4를 나타냅니다.

3은 소수 ❷ [   ] 자리 숫자이고, 0.03을 나타냅니다.

1.43은 1이 1개, 0.1이 4개, 0.01이 3개인 수입니다.

[답] ❶ 첫째 ❷ 둘째

핵심 체크

1 0.86은 (영 점 팔육 , 영 점 팔십육)이라고 읽습니다.

12 소수 세 자리 수

● 0.001 알아보기

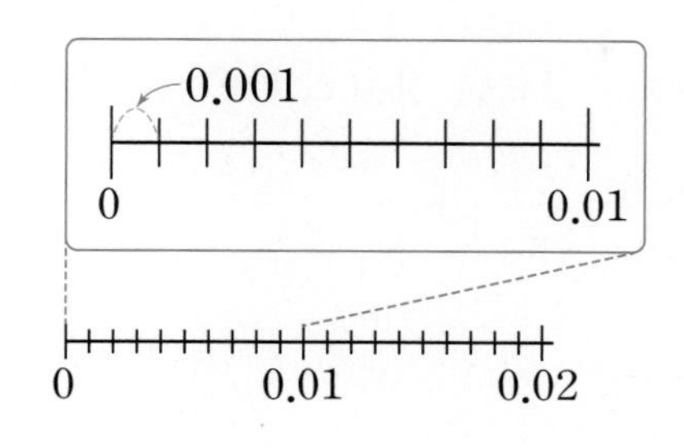

분수 $\frac{1}{1000}$은 소수로 0.001이라 쓰고,
영 점 영영일이라고 읽습니다.

$$\frac{1}{1000}=0.01$$

● 소수 세 자리 수 알아보기

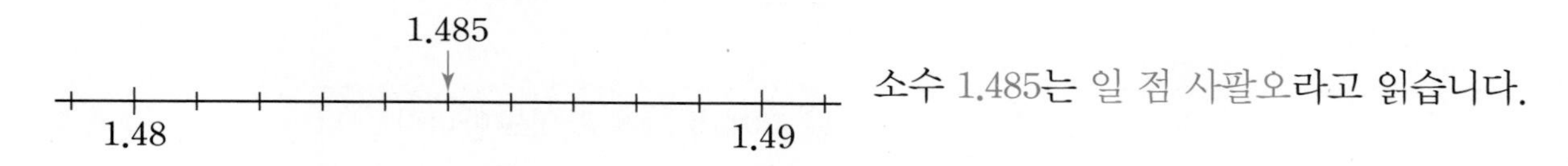

소수 1.485는 일 점 사팔오라고 읽습니다.

일의 자리	.	소수 첫째 자리	소수 둘째 자리	소수 셋째 자리
1	.	4	8	5

1.485에서 1은 일의 자리 숫자이고, 1을 나타냅니다.
4는 소수 첫째 자리 숫자이고, 0.4를 나타냅니다.
8은 소수 ❶ [ ] 자리 숫자이고, 0.08을 나타냅니다.
5는 소수 ❷ [ ] 자리 숫자이고, 0.005를 나타냅니다.

1.485는 1이 1개, 0.1이 4개, 0.01이 8개, 0.001이 5개인 수입니다.

[답] ❶ 둘째 ❷ 셋째

핵심체크

1 0.475는 (영 점 사칠오 , 영 점 사백칠십오)라고 읽습니다.

2 3.269에서 2는 소수 (첫째 , 둘째) 자리 숫자이고,
9는 소수 (둘째 , 셋째) 자리 숫자입니다.

13 소수의 크기 비교하기

소수 끝자리 0 알아보기

0.2=0.20

0.2와 0.20은 같은 수입니다. 소수는 필요한 경우 오른쪽 끝자리에 0을 붙여서 나타낼 수 있습니다.

자릿수가 같은 소수의 크기 비교하기

• 1.263과 1.278의 크기 비교하기

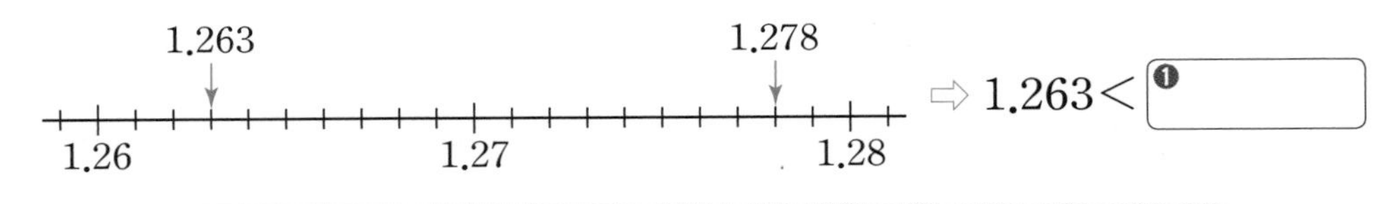

⇨ 1.263< ❶

자연수 부분부터 같은 자리 수끼리 차례로 비교합니다.

자릿수가 다른 소수의 크기 비교하기

• 2.47과 2.473의 크기 비교하기

① 자연수 부분부터 같은 자리 수끼리 차례대로 수의 크기를 비교합니다.

② 비교한 수가 모두 같으면 오른쪽 끝자리에 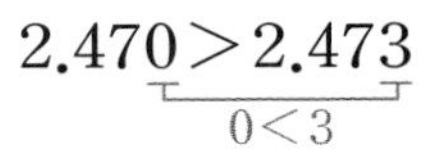 ❷ 을 붙여 자릿수를 같게 만든 후 비교합니다.

2.470>2.473

0<3

[답] ❶ 1.278 ❷ 0

핵심 체크

1 0.424와 0.429 중 더 큰 수는 0.424입니다. (○ , ×)

2 1.23과 1.189 중 더 큰 수는 1.23입니다. (○ , ×)

14 소수 사이의 관계

1, 0.1, 0.01, 0.001 사이의 관계 알아보기

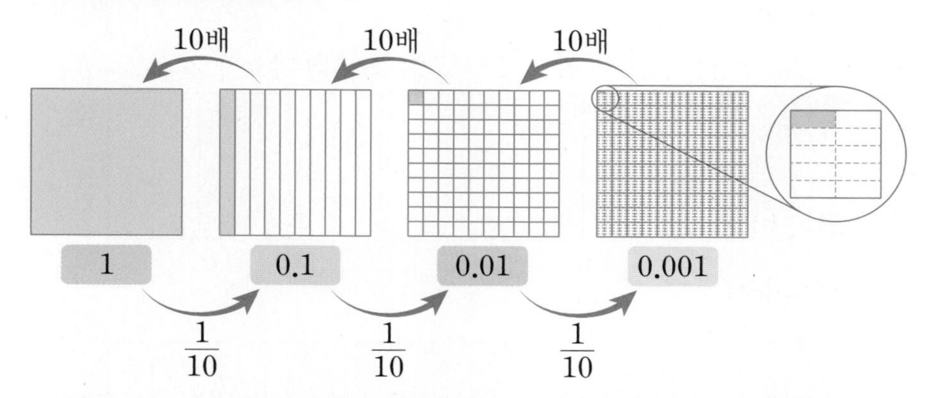

- 소수를 10배, 100배, 1000배 하면 소수점을 기준으로 수가 왼쪽으로 한 자리, 두 자리, 세 자리 이동합니다.
- 소수의 $\frac{1}{10}$, $\frac{1}{100}$, $\frac{1}{1000}$은 소수점을 기준으로 수가 오른쪽으로 한 자리, 두 자리, 세 자리 이동합니다.

0.001을 10배 하면 0.01이 됩니다.
0.01을 10배 하면 0.1이 됩니다.
0.1을 10배 하면 ❶ ☐ 이 됩니다.

1의 $\frac{1}{10}$은 0.1이 됩니다.
0.1의 $\frac{1}{10}$은 0.01이 됩니다.
0.01의 $\frac{1}{10}$은 ❷ ☐ 이 됩니다.

[답] ❶ 1 ❷ 0.001

핵심 체크

1 0.01을 10배 하면 (0.1 , 0.001)이고 0.1을 10배 하면 (0.01 , 1)입니다.

2 0.1의 $\frac{1}{100}$은 (0.01 , 0.001)입니다.

15 소수 한 자리 수의 덧셈

1.6+0.6의 계산

• 그림으로 알아보기

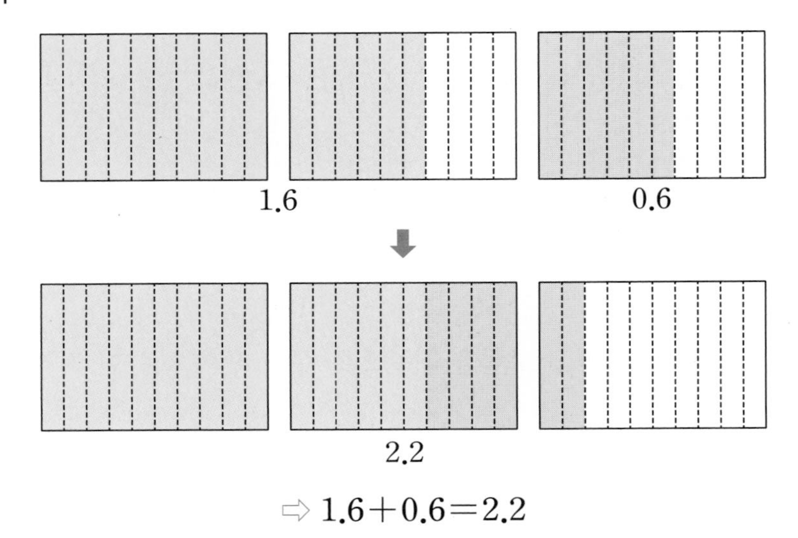

⇨ 1.6+0.6=2.2

• 0.1의 개수를 이용하여 알아보기

1.6은 0.1이 ❶ ☐개
+0.6은 0.1이 6개
0.1이 22개이면 ❷ ☐

• 세로로 계산하기

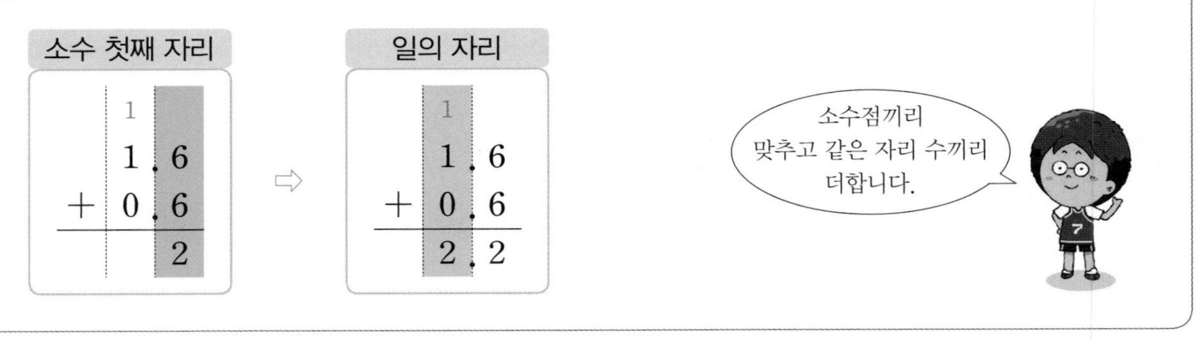

[답] ❶ 16 ❷ 2.2

핵심 체크

1 0.4는 0.1이 (4개 , 40개)이고 0.8은 0.1이 (8개 , 80개)이므로 0.4+0.8=(1.2 , 12)입니다.

16 소수 한 자리 수의 뺄셈

2.4−1.5의 계산

• 수직선으로 알아보기

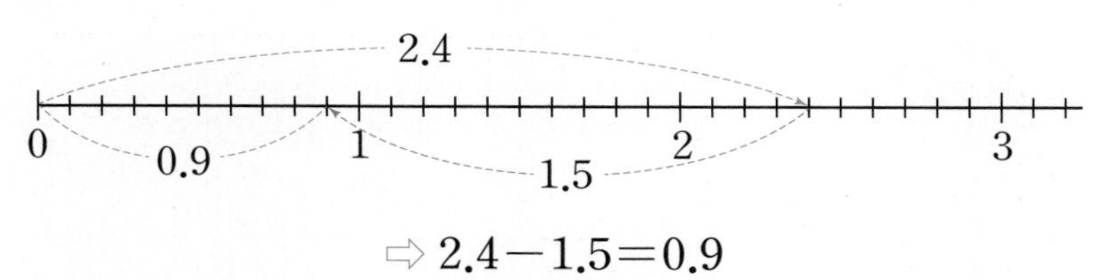

⇨ $2.4-1.5=0.9$

• 0.1의 개수를 이용하여 알아보기

2.4는 0.1이 ❶ ☐개
−1.5는 0.1이 15개
0.1이 9개이면 ❷ ☐

• 세로로 계산하기

소수 첫째 자리

⇨

일의 자리

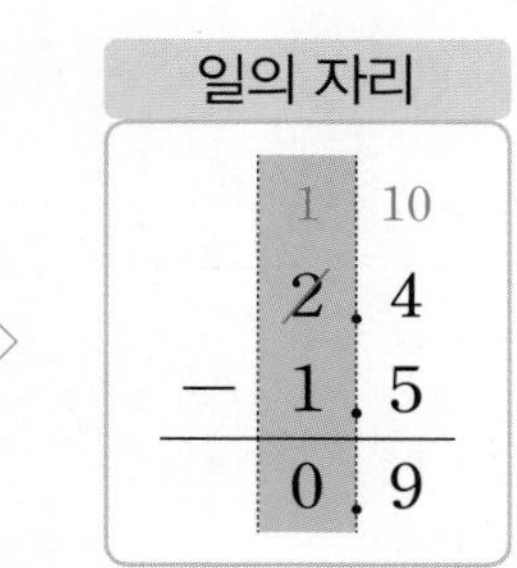

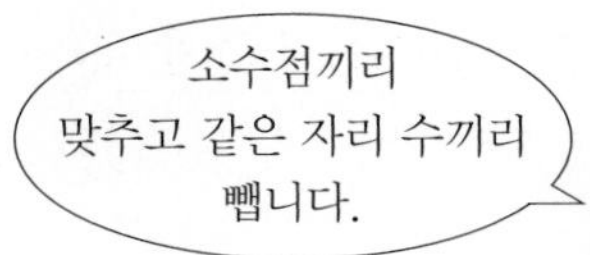

[답] ❶ 24 ❷ 0.9

핵심 체크

1 3.6은 0.1이 (36개 , 360개)이고 2.2는 0.1이 (22개 , 220개)이므로
3.6−2.2는 0.1이 (14개 , 140개)입니다.

2 1.7에서 1.2를 빼면 (0.5 , 1.5)입니다.

17 소수 두 자리 수의 덧셈

● 0.34+0.42의 계산

• 그림으로 알아보기

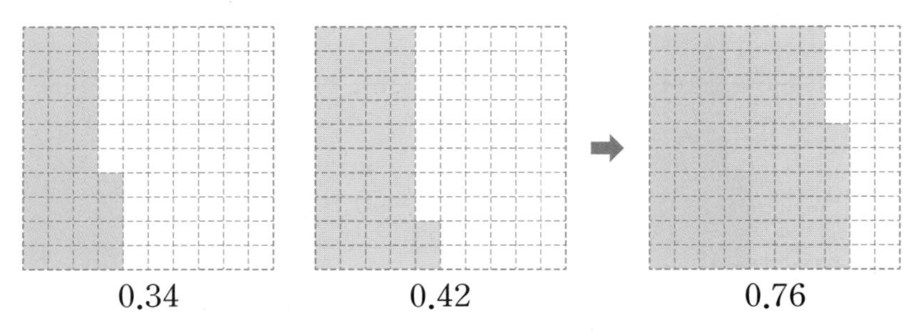

⇨ 0.34+0.42=0.76

• 세로로 계산하기

소수 둘째 자리

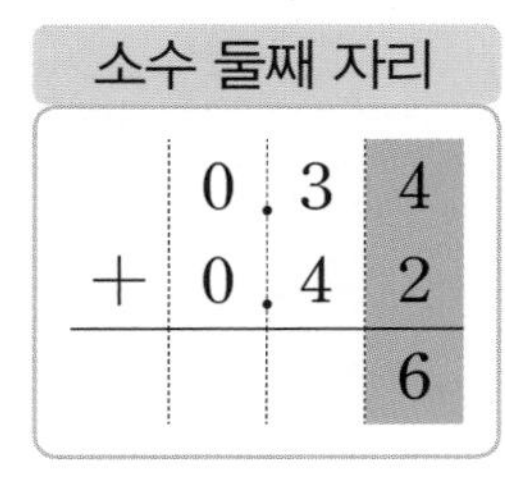

소수 첫째 자리

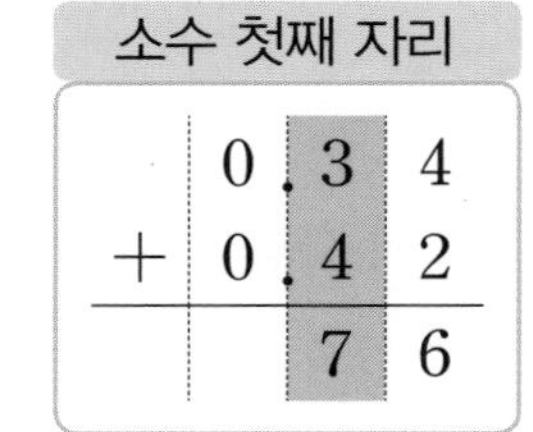

일의 자리

	0	. 3	4
+	0	. 4	2
	0	. 7	6

● 0.4+0.72의 계산

소수 둘째 자리

소수 첫째 자리

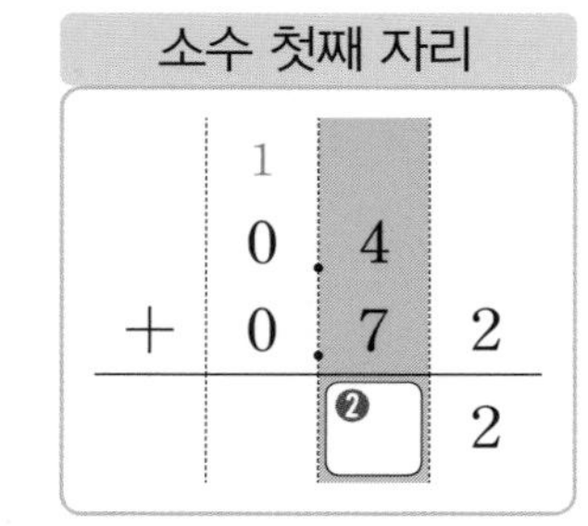

일의 자리

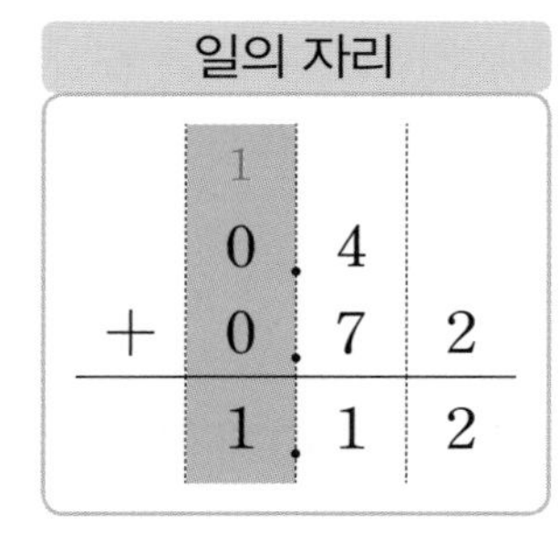

0.4는 0.40으로 생각하여 계산합니다.

[답] ❶ 2 ❷ 1

핵심 체크

1 1.52+2.53에서 소수 둘째 자리끼리 더하면 (3 , 5)입니다.

2 1.5+0.86은 (1.05+0.86 , 1.50+0.86)과 같습니다.

18 소수 두 자리 수의 뺄셈

0.45－0.18의 계산

• 수직선으로 알아보기

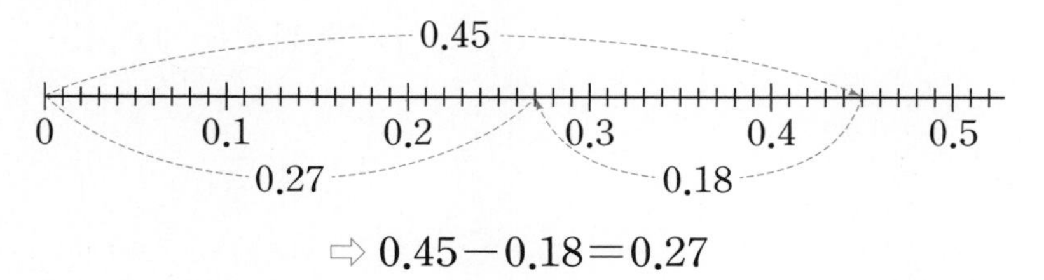

⇨ 0.45－0.18＝0.27

• 세로로 계산하기

3.2－1.55의 계산

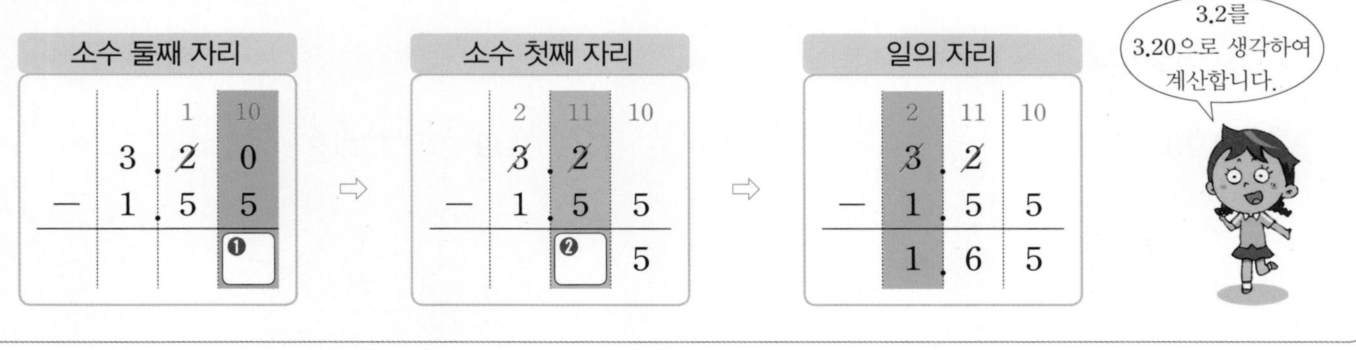

[답] ❶ 5 ❷ 6

핵심체크

1 3.14－1.12에서 소수 둘째 자리끼리 빼면 (0 , 2)입니다.

2 1.5－0.58은 (1.05－0.58 , 1.50－0.58)과 같습니다.

집중 연습

[01~08] 크기를 비교하여 ○ 안에 >, =, <를 알맞게 써넣으시오.

01 3.21 ○ 2.54

02 1.571 ○ 2.463

03 3.23 ○ 3.89

04 2.68 ○ 2.57

05 0.414 ○ 0.43

06 0.757 ○ 0.76

07 1.41 ○ 1.419

08 0.328 ○ 0.32

[09~16] 계산을 하시오.

09 $\begin{array}{r} 3.1 \\ +\ 1.2 \\ \hline \end{array}$

10 $\begin{array}{r} 2.4 \\ +\ 3.7 \\ \hline \end{array}$

11 $\begin{array}{r} 4.5 \\ -\ 2.3 \\ \hline \end{array}$

12 $\begin{array}{r} 2.6 \\ -\ 1.9 \\ \hline \end{array}$

13 $\begin{array}{r} 0.36 \\ +\ 1.28 \\ \hline \end{array}$

14 $\begin{array}{r} 1.25 \\ +\ 2.47 \\ \hline \end{array}$

15 $\begin{array}{r} 2.57 \\ -\ 1.26 \\ \hline \end{array}$

16 $\begin{array}{r} 3.14 \\ -\ 1.66 \\ \hline \end{array}$

19 수직

● 수직과 수선

두 직선이 만나서 이루는 각이 ❶ ☐ 일 때, 두 직선은 서로 수직이라고 합니다.
두 직선이 서로 ❷ ☐ 으로 만났을 때, 한 직선을 다른 직선에 대한 수선이라고 합니다.

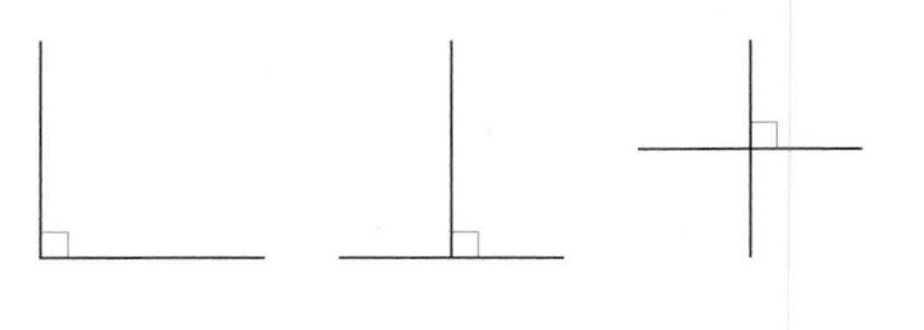

● 삼각자를 이용하여 수선 긋기

삼각자에서 직각을 낀 변 중 한 변을 주어진 직선에 맞춥니다.

➡

직각을 낀 다른 한 변을 따라 선을 긋습니다.

● 각도기를 이용하여 수선 긋기

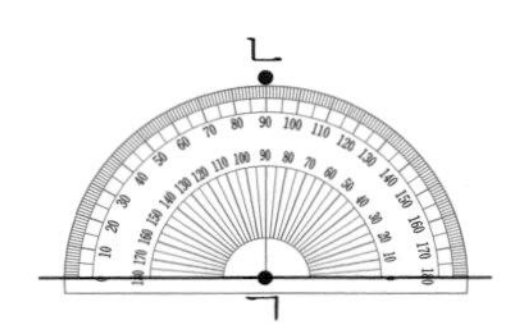

각도기의 중심을 점 ㄱ에 맞추고 90°가 되는 눈금 위에 점 ㄴ을 찍습니다.

➡

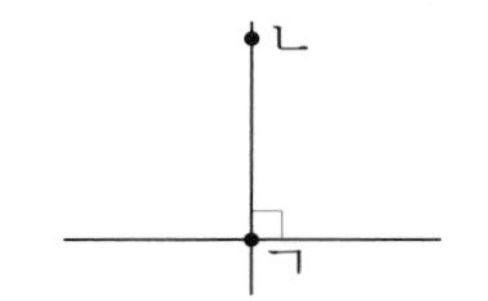

점 ㄱ과 점 ㄴ을 직선으로 잇습니다.

[**답**] ❶ 직각 ❷ 수직

핵심 체크

1 두 직선이 만나서 이루는 각이 (직각 , 60°)일 때 두 직선은 서로 수직입니다.

2 두 직선이 서로 수직으로 만나면 한 직선을 다른 직선에 대한 (변 , 수선)이라고 합니다.

20 평행

● 평행과 평행선

한 직선에 수직인 두 직선을 그었을 때, 그 두 직선은 서로 만나지 않습니다.
이와 같이 서로 만나지 않는 두 ❶ ______ 을 평행하다고 합니다.
이때 평행한 두 ❷ ______ 을 평행선이라고 합니다.

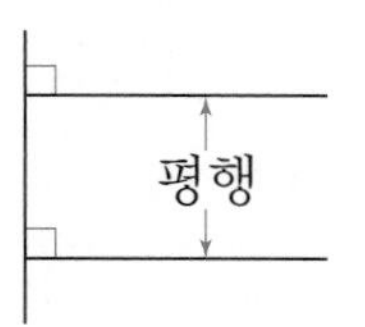

● 점 ㄱ을 지나는 평행선 그리기

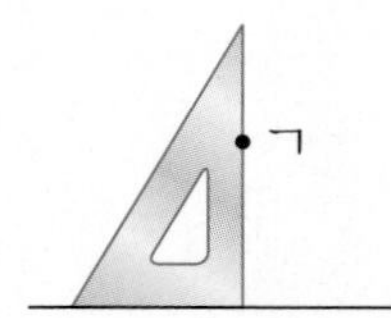

삼각자에서 직각을 낀 변 중 한 변을 직선에 맞추고 다른 한 변이 점 ㄱ을 지나도록 놓습니다.

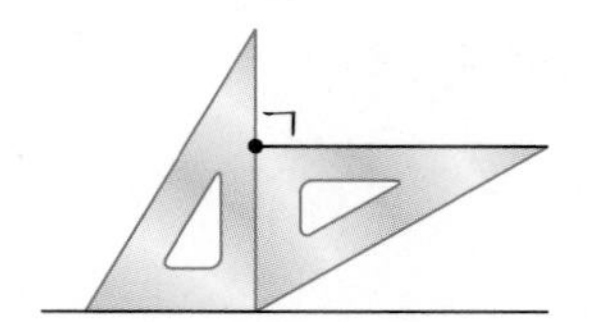

다른 삼각자를 이용하여 점 ㄱ을 지나는 평행선을 긋습니다.

● 평행선 사이의 거리

평행선에 수직인 선분 중 그림과 같은 선분의 길이를 평행선 사이의 거리라고 합니다.

평행선 사이의 거리

[답] ❶ 직선 ❷ 직선

핵심 체크

1 한 직선에 수직인 두 직선을 그었을 때, 그 두 직선은 서로 (만납니다 , 만나지 않습니다).

2 서로 만나지 않는 두 직선은 (수직입니다 , 평행합니다).
이때 두 직선을 (수선 , 평행선)이라고 합니다.

21 사다리꼴

평행한 변에 따라 사각형 분류하기

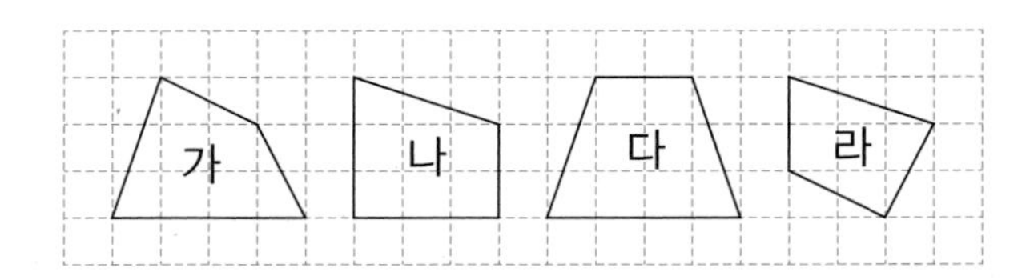

평행한 변이 있는 사각형	평행한 변이 없는 사각형
나, ❶	가, ❷

사다리꼴 알아보기

평행한 변이 한 쌍이라도 있는 사각형을 사다리꼴이라고 합니다.

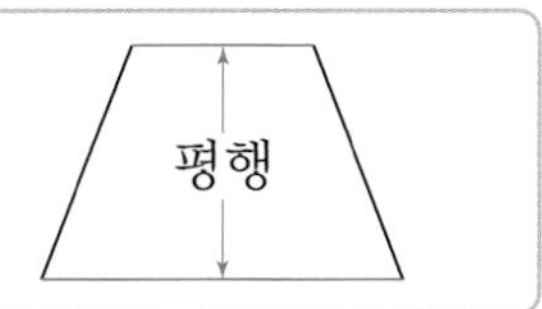

사다리꼴 찾기

• 직사각형 모양의 종이띠를 잘랐을 때 사다리꼴 찾기

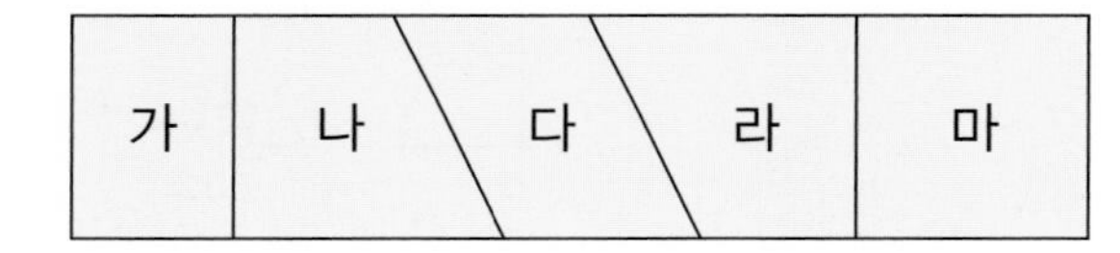

⇨ 잘라 낸 도형들은 모두 위와 아래의 변이 평행하기 때문에 사다리꼴입니다.

[답] ❶ 다 ❷ 라

핵심 체크

1 (평행한 , 수직인) 변이 한 쌍이라도 있는 사각형을 사다리꼴이라고 합니다.

2 [도형] 은 사다리꼴이 (맞습니다 , 아닙니다).

22 평행사변형

● 평행한 변의 수에 따라 사각형 분류하기

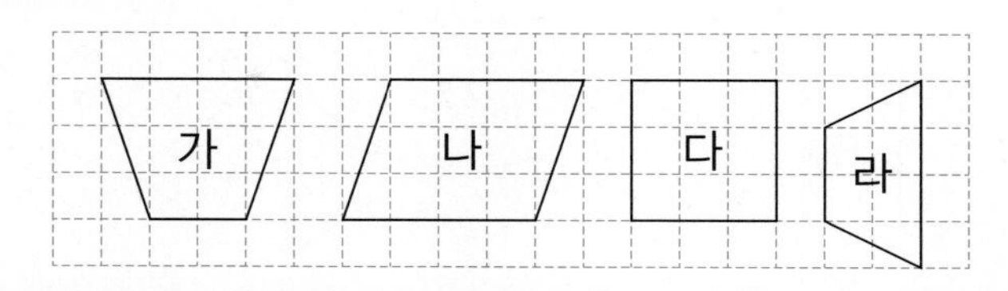

평행한 변이 1쌍인 사각형	평행한 변이 2쌍인 사각형
가, ❶	나, ❷

● 평행사변형 알아보기

마주 보는 두 쌍의 변이 서로 평행한 사각형을 평행사변형이라고 합니다.

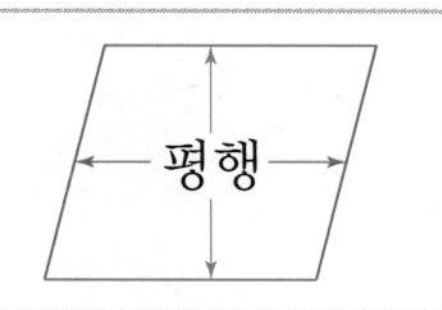

● 평행사변형의 성질

마주 보는 두 변의 길이가 같습니다.

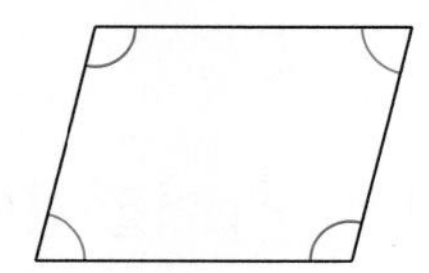

마주 보는 두 각의 크기가 같습니다.

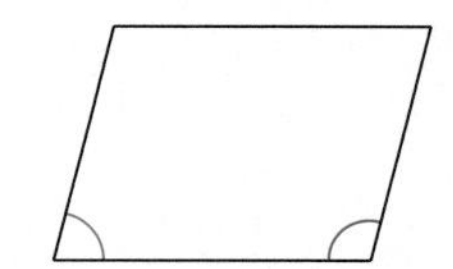

이웃하는 두 각의 크기의 합이 180°입니다.

[답] ❶ 라 ❷ 다

핵심 체크

1 마주 보는 (한 , 두) 쌍의 변이 서로 평행한 사각형을 평행사변형이라고 합니다.

2 평행사변형은 마주 보는 두 변의 길이가 (같습니다 , 다릅니다).

23 마름모

● 변의 길이에 따라 사각형 분류하기

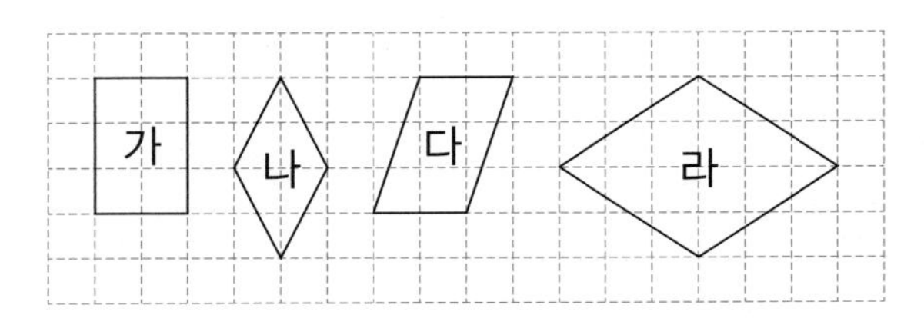

네 변의 길이가 모두 같은 사각형	네 변의 길이가 모두 같지 않은 사각형
나, ❶	가, ❷

● 마름모 알아보기

네 변의 길이가 모두 같은 사각형을 마름모라고 합니다.

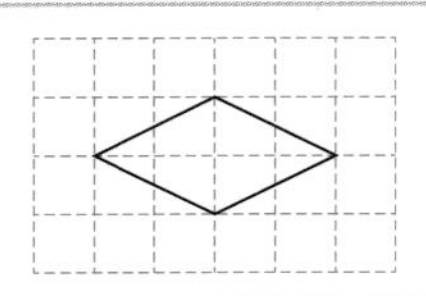

● 마름모의 성질

- 마주 보는 두 각의 크기가 같습니다.
- 마주 보는 꼭짓점끼리 이은 두 선분이 만나서 나누어진 길이가 같습니다.
- 마주 보는 꼭짓점끼리 이은 두 선분은 서로 수직입니다.
- 마주 보는 두 쌍의 변이 서로 평행합니다.
- 이웃하는 두 각의 크기의 합은 180°입니다.

[답] ❶ 라 ❷ 다

핵심 체크

1 네 변의 길이가 모두 (같은 , 다른) 사각형을 마름모라고 합니다.

2 마름모에서 마주 보는 꼭짓점끼리 이은 두 선분은 서로 (수직입니다 , 평행합니다).

24 여러 가지 사각형

● 직사각형과 정사각형의 성질

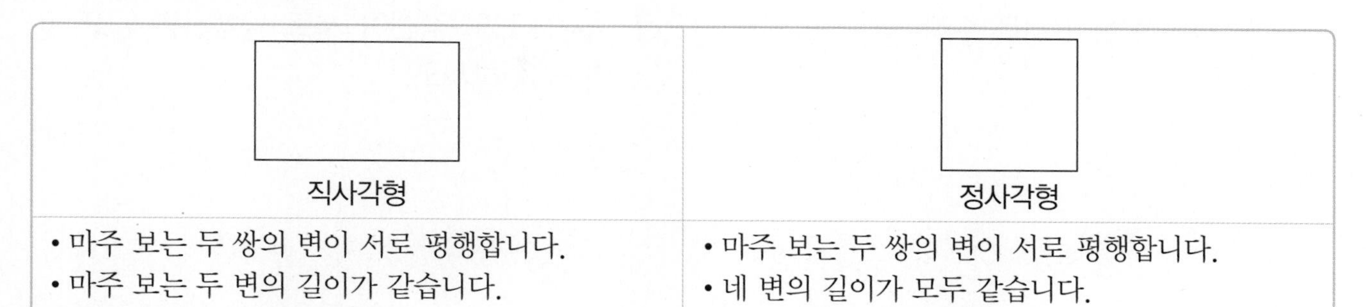

직사각형	정사각형
• 마주 보는 두 쌍의 변이 서로 평행합니다. • 마주 보는 두 변의 길이가 같습니다. • 네 각이 모두 직각입니다.	• 마주 보는 두 쌍의 변이 서로 평행합니다. • 네 변의 길이가 모두 같습니다. • 네 각이 모두 직각입니다.

● 여러 가지 사각형 알아보기

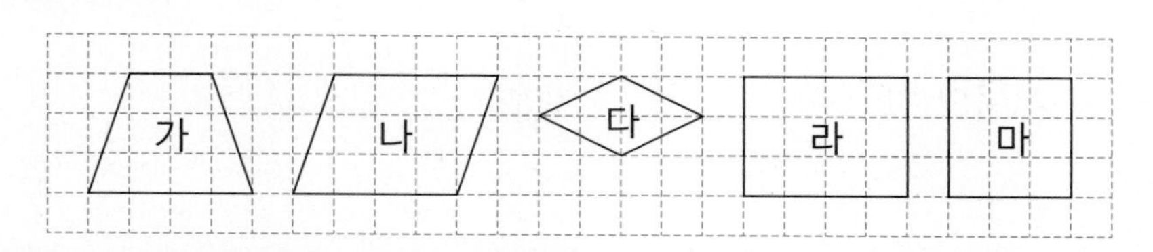

사각형	기호	이유
사다리꼴	가, 나, 다, 라, 마	평행한 변이 한 쌍이라도 있습니다.
평행사변형	나, 다, 라, 마	마주 보는 두 쌍의 변이 평행합니다.
마름모	❶ ☐, 마	네 변의 길이가 모두 같습니다.
직사각형	❷ ☐, 마	네 각이 모두 직각입니다.
정사각형	마	네 변의 길이가 모두 같고, 네 각이 모두 직각입니다.

[**답**] ❶ 다 ❷ 라

핵심 체크

1 직사각형은 마주 보는 두 변의 길이가 (같습니다 , 다릅니다).

2 정사각형은 네 변의 길이가 모두 (같습니다 , 다릅니다).

집중 연습

[01~03] 두 직선이 서로 수직이면 ○표, 아니면 ×표 하시오.

01

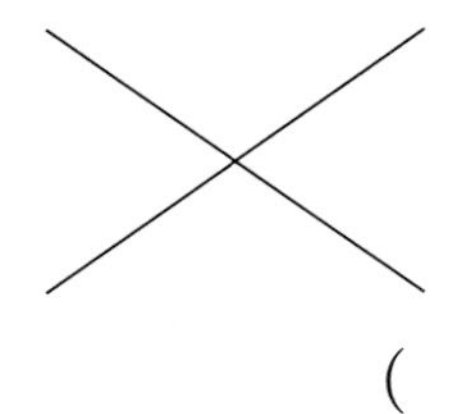

(　　　　　　　　　　)

02

(　　　　　　　　　　)

03

(　　　　　　　　　　)

[04~06] 두 직선이 서로 평행하면 ○표, 아니면 ×표 하시오.

04

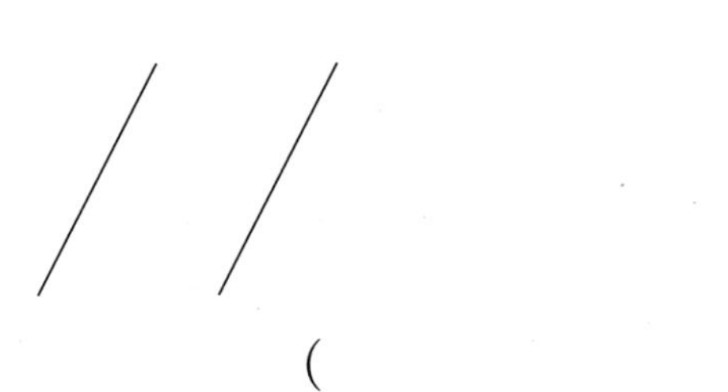

(　　　　　　　　　　)

05

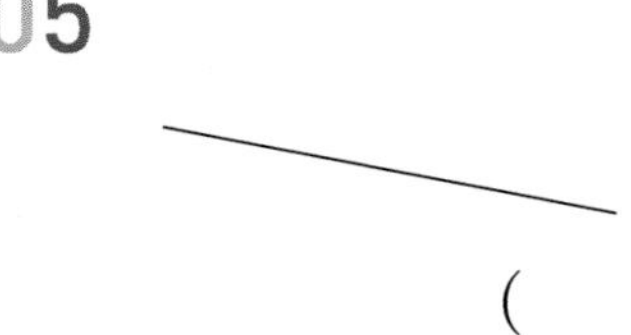

(　　　　　　　　　　)

06

(　　　　　　　　　　)

[07~09] 사다리꼴이면 ○표, 아니면 ×표 하시오.

07

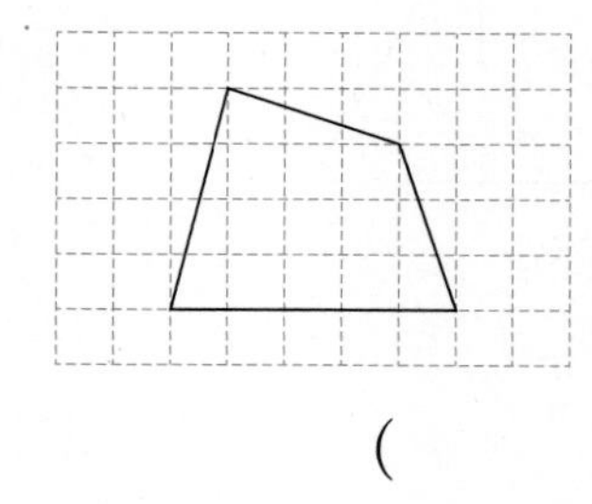

(　　　　　　　　　　)

08

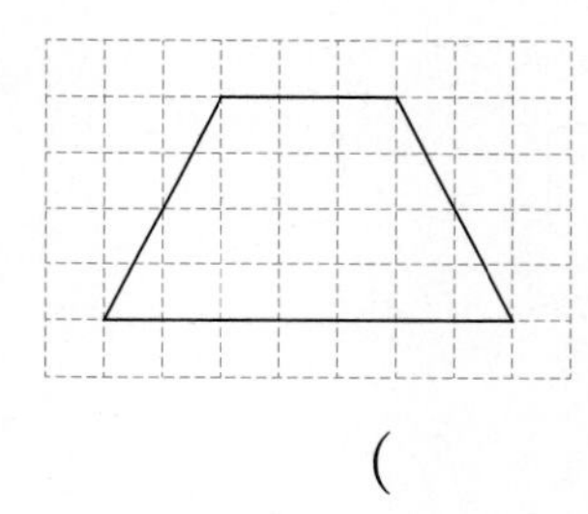

(　　　　　　　　　　)

09

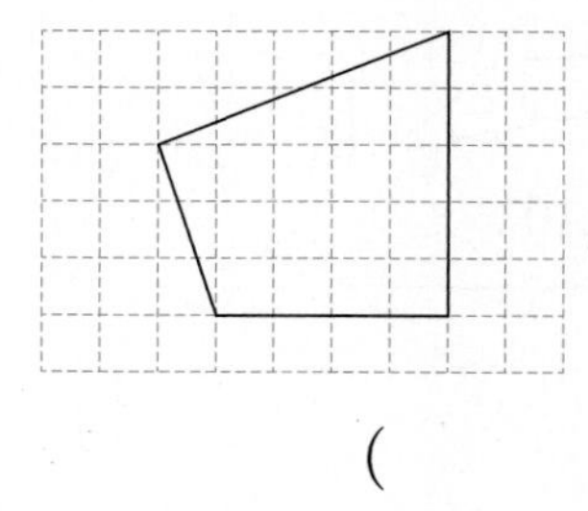

(　　　　　　　　　　)

[10~12] 평행사변형이면 ○표, 아니면 ×표 하시오.

10

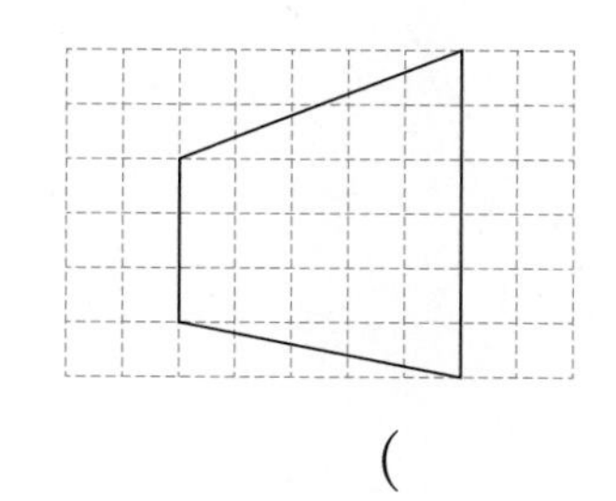

(　　　　　　　　　　)

11

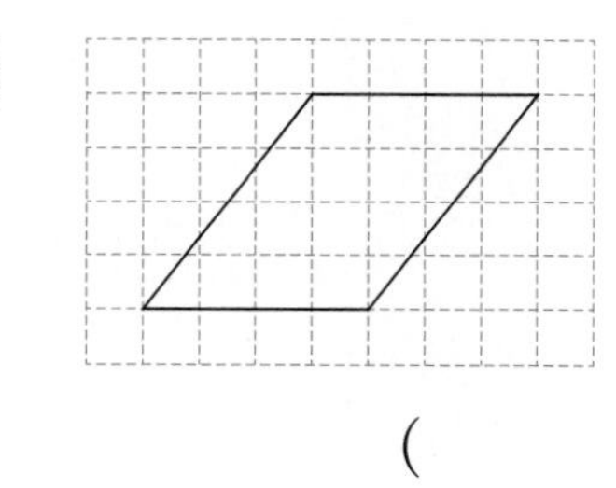

(　　　　　　　　　　)

12

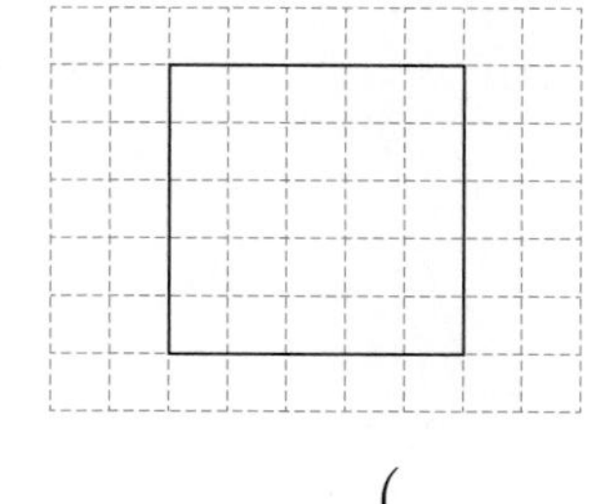

(　　　　　　　　　　)

집중 연습

[13~18] 평행사변형을 보고 □ 안에 알맞은 수를 써넣으시오.

13

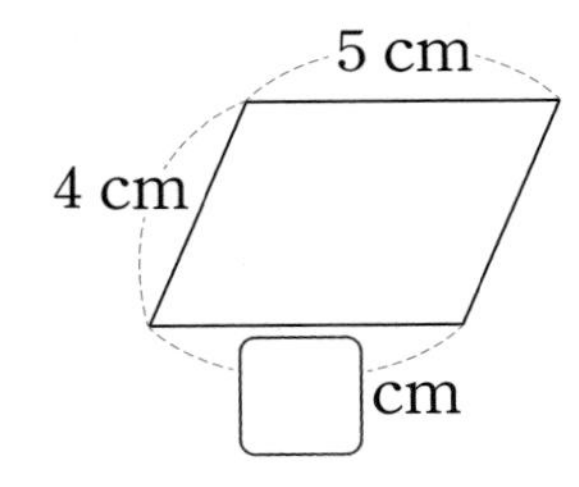

14

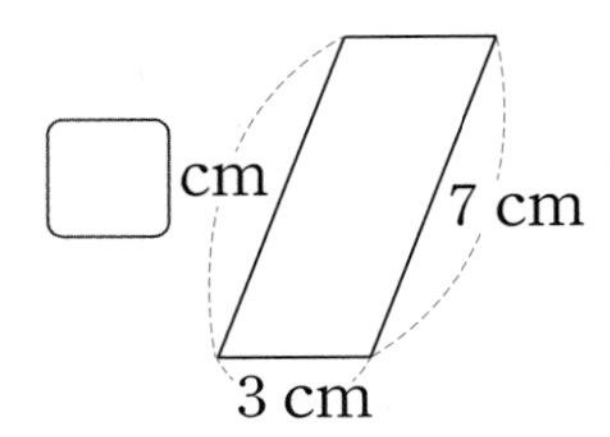

15

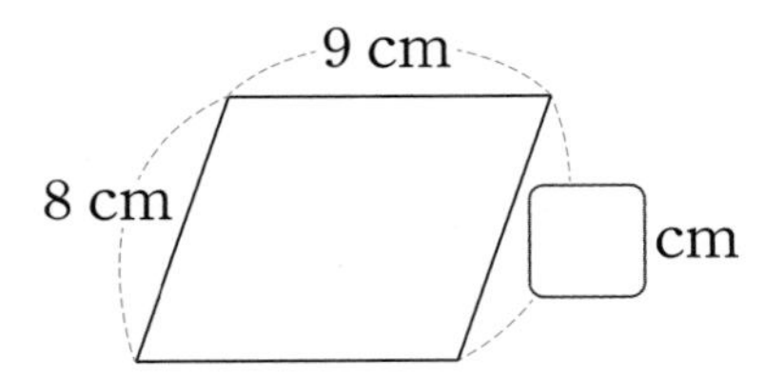

16

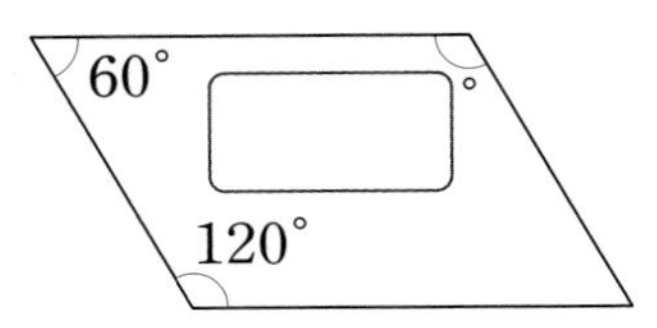

17

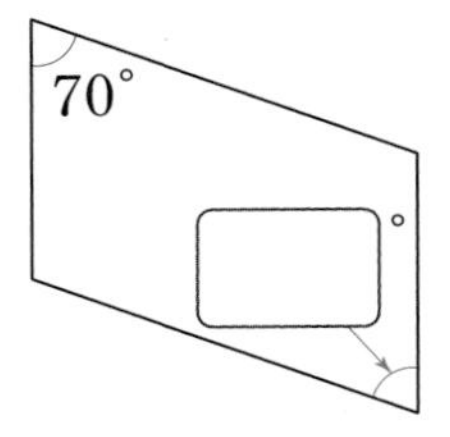

18

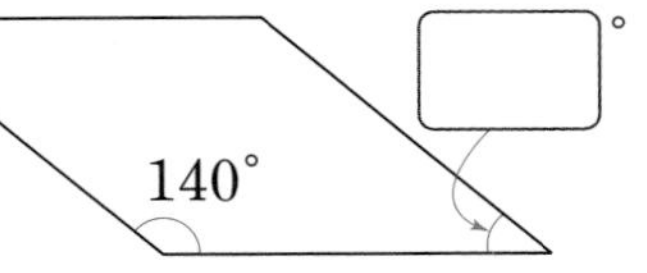

[19~24] 마름모를 보고 □ 안에 알맞은 수를 써넣으시오.

19

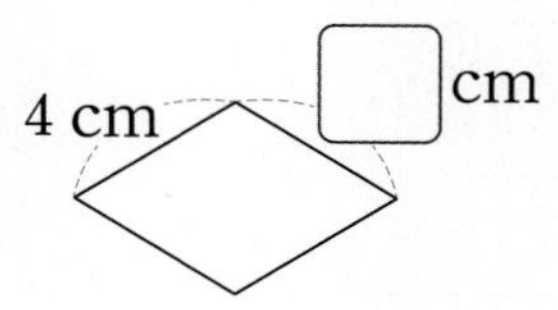

20

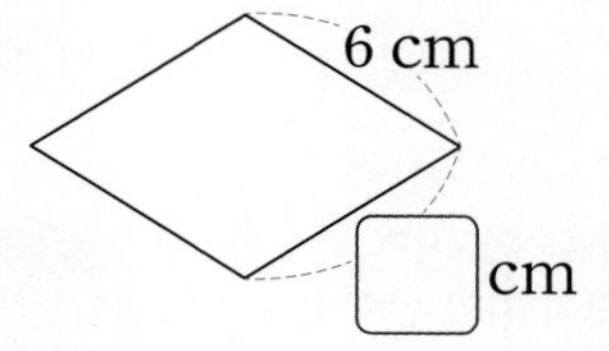

21

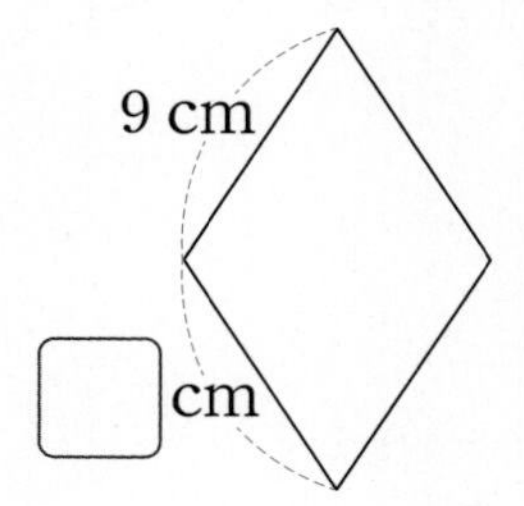

22

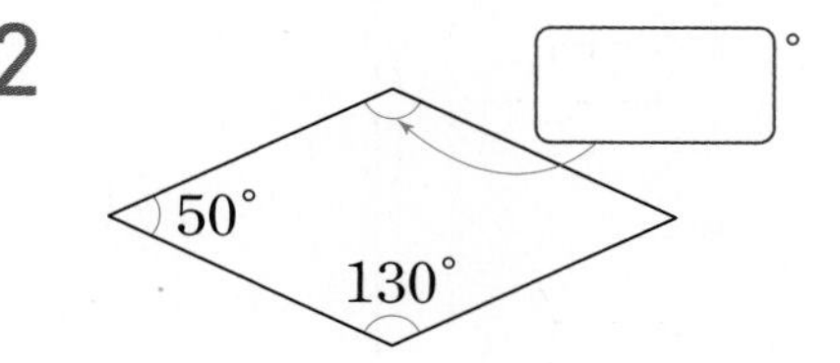

23

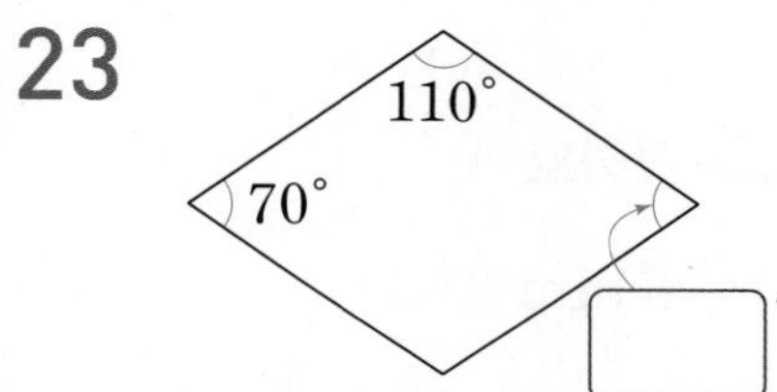

24

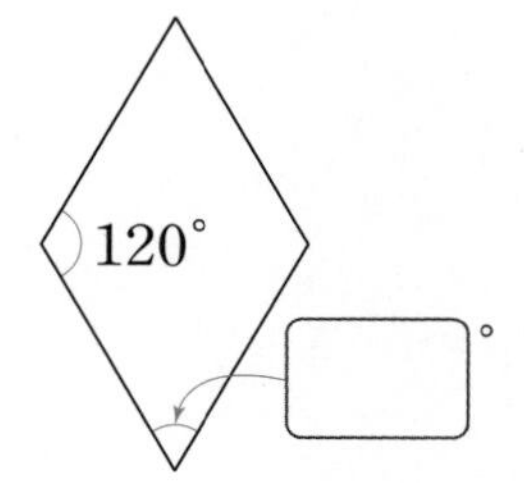

25 꺾은선그래프 알아보기

● 꺾은선그래프 알아보기

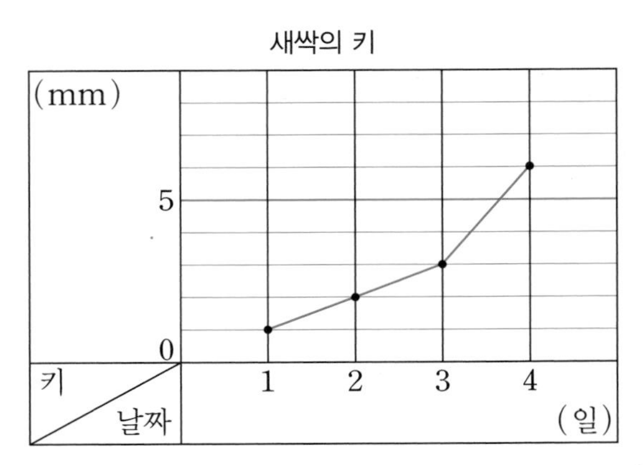

- 위의 그래프와 같이 연속적으로 변화하는 양을 점으로 표시하고, 그 점들을 선분으로 이어 그린 그래프를 꺾은선그래프라고 합니다.
- 꺾은선그래프를 그릴 때 필요 없는 부분은 물결선(≈)으로 줄여서 나타냅니다.

● 꺾은선그래프의 내용 알아보기

- 4일의 새싹의 키는 6 mm입니다.
- 새싹의 키가 가장 많이 자란 때는 ❶ ☐과 ❷ ☐ 사이입니다.
- 세로 눈금 한 칸의 크기는 1 mm입니다.

꺾은선이 기울어진 것이 클수록 많이 자란 것입니다.

[답] ❶ 3일 ❷ 4일

핵심 체크

1 새싹의 키를 조사하여 나타낸 위의 꺾은선그래프에서 가로는 (날짜 , 키)를 나타냅니다.

2 새싹의 키를 조사하여 나타낸 위의 꺾은선그래프에서 세로는 (날짜 , 키)를 나타냅니다.

26 꺾은선그래프로 나타내기

● 꺾은선그래프로 나타내는 방법

천재 초등학교 3학년 학생 수

연도(년)	2019	2020	2021	2022
학생 수(명)	204	205	202	201

⬇

천재 초등학교 3학년 학생 수

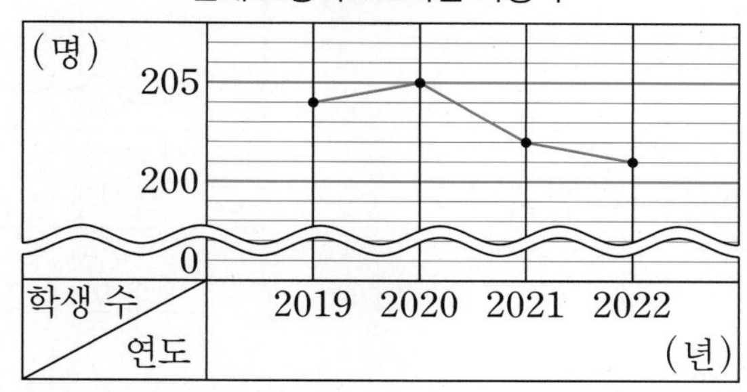

① 가로와 세로에 각각 무엇을 나타낼지 정합니다.

② 세로 눈금 한 칸의 크기를 정합니다.

물결선을 사용할 경우에는 물결선 위로 시작할 수를 정하고 필요 없는 부분을 ❶ [   ]으로 나타냅니다.

③ 가로 눈금과 ❷ [   ] 눈금이 만나는 자리에 점을 찍습니다.

④ 점들을 선분으로 이어 꺾은선그래프로 나타냅니다.

⑤ 꺾은선그래프에 알맞은 제목을 붙입니다.

[답] ❶ 물결선 ❷ 세로

핵심 체크

1 꺾은선그래프로 나타낼 때에는 물결선을 사용할 경우에는 물결선 (위 , 아래)로 시작할 수를 정하고 필요 없는 부분을 물결선으로 나타냅니다.

2 꺾은선그래프로 나타낼 때에는 가로 눈금과 세로 눈금이 만나는 자리에 점을 찍고 (곡선 , 선분)으로 잇습니다.

집중 연습

[01~03] 식물의 키를 조사하여 나타낸 꺾은선그래프입니다. 물음에 답하시오.

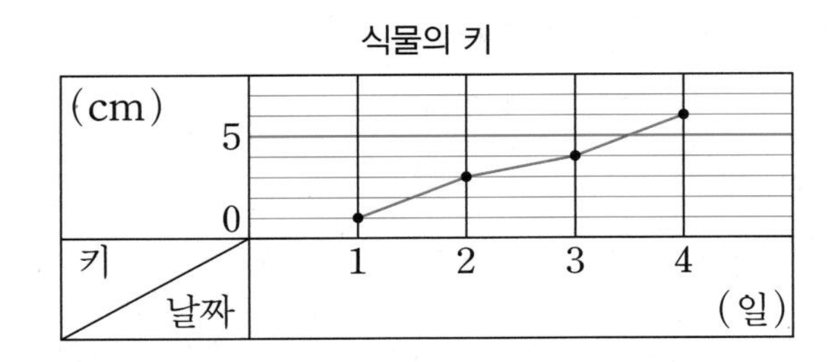

01 그래프에서 가로는 무엇을 나타냅니까?

( )

02 그래프에서 세로는 무엇을 나타냅니까?

( )

03 세로 눈금 한 칸은 몇 cm입니까?

( )

[04~06] 강아지의 몸무게를 조사하여 나타낸 꺾은선그래프입니다. 물음에 답하시오.

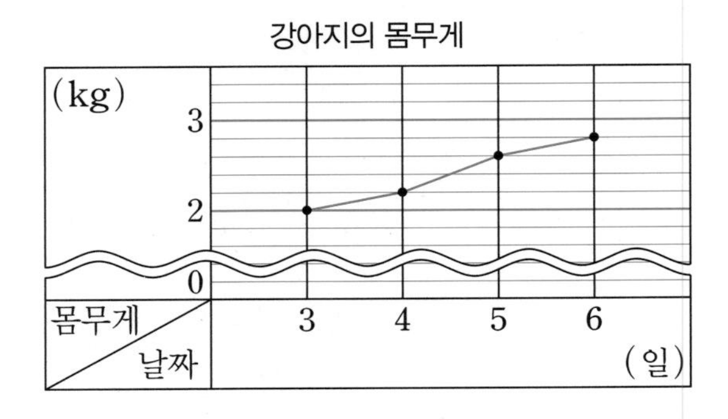

04 그래프에서 가로는 무엇을 나타냅니까?

( )

05 그래프에서 세로는 무엇을 나타냅니까?

( )

06 세로 눈금 한 칸은 몇 kg입니까?

( )

[07~09] 연필의 길이를 조사하여 나타낸 표입니다. 표를 보고 꺾은선그래프를 그리려고 할 때 물음에 답하시오.

연필의 길이

날짜(일)	3	10	17	24
길이(cm)	15	13	10	8

07 그래프에서 가로에는 무엇을 나타내면 좋겠습니까?

( )

08 그래프에서 세로에는 무엇을 나타내면 좋겠습니까?

( )

09 꺾은선그래프로 나타내시오.

연필의 길이

(cm) 15 10 5 0

길이 / 날짜 3 10 17 24 (일)

[10~12] 바다의 수온을 조사하여 나타낸 표입니다. 표를 보고 꺾은선그래프를 그리려고 할 때 물음에 답하시오.

바다의 수온

시각(시)	1	2	3	4
수온(℃)	6.2	6.6	6.3	5.8

10 그래프에서 가로에는 무엇을 나타내면 좋겠습니까?

( )

11 그래프에서 세로에는 무엇을 나타내면 좋겠습니까?

( )

12 꺾은선그래프로 나타내시오.

바다의 수온

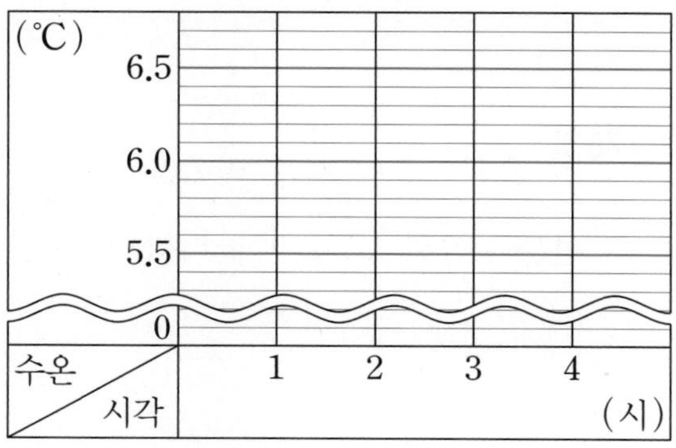

27 다각형

● 도형을 선의 특징에 따라 분류하기

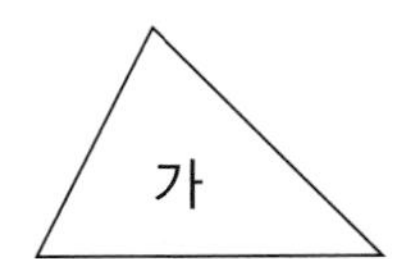

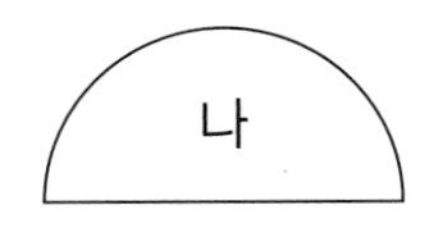

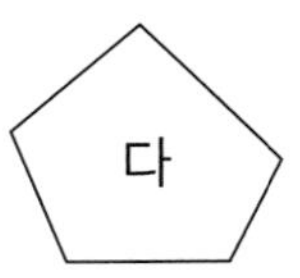

선분으로만 둘러싸인 도형	곡선이 포함된 도형
가, ❶ □	나, ❷ □

● 다각형 알아보기

선분으로만 둘러싸인 도형을 다각형이라고 합니다.

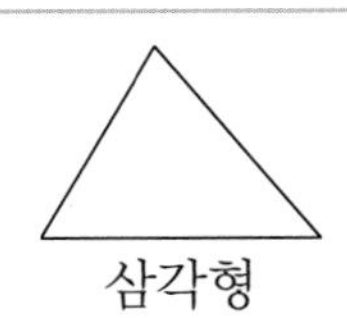
삼각형
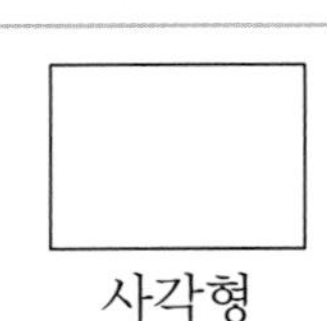
사각형

오각형

● 다각형의 이름 알아보기

다각형은 변의 수에 따라 변이 6개이면 육각형, 변이 7개이면 칠각형, 변이 8개이면 팔각형이라고 부릅니다.

다각형			
변의 수(개)	6	7	8
이름	육각형	칠각형	팔각형

[답] ❶ 다 ❷ 라

핵심 체크

1 (선분 , 곡선)으로만 둘러싸인 도형을 다각형이라고 합니다.

2 변이 6개인 다각형을 (오각형, 육각형)이라고 합니다.

28 정다각형

● 변의 길이와 각의 크기에 따라 도형 분류하기

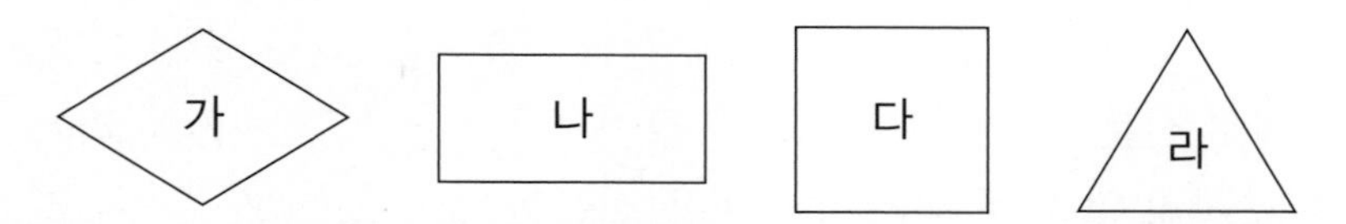

	모두 같은 도형	모두 같지는 않은 도형
변의 길이	❶ [ ], 다, 라	❷ [ ]
각의 크기	나, 다, 라	가

⇨ 변의 길이가 모두 같고 각의 크기가 모두 같은 다각형: 다, 라

● 정다각형 알아보기

변의 길이가 모두 같고,
각의 크기가 모두 같은 다각형을
정다각형이라고 합니다.

정삼각형 정사각형 정오각형

● 정다각형의 이름 알아보기

정다각형	(삼각형)	(사각형)	(오각형)
변의 수(개)	3	4	5
각의 수(개)	3	4	5
이름	정삼각형	정사각형	정오각형

[답] ❶ 가 ❷ 나

핵심 체크

1 정다각형은 변의 길이가 모두 (같고 , 다르고), 각의 크기가 모두 (같습니다 , 다릅니다).

2 변이 6개인 정다각형은 (정육각형 , 정팔각형)입니다.

29 대각선

● 대각선 알아보기

다각형에서 선분 ㄱㄷ, 선분 ㄴㄹ과 같이 서로 이웃하지 않는 두 꼭짓점을 이은 선분을 대각선이라고 합니다.

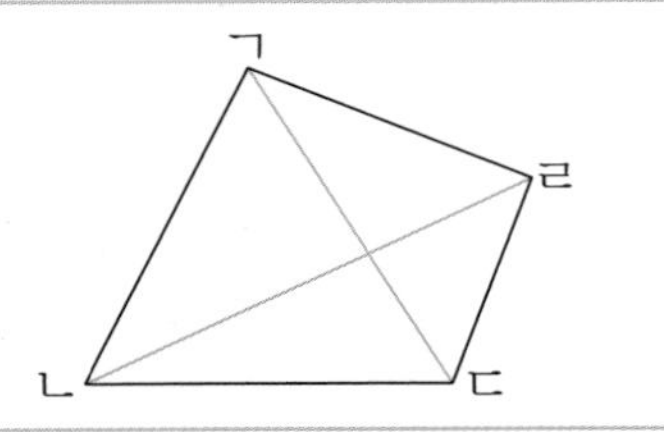

● 대각선의 수 알아보기

삼각형	사각형	오각형
0개	❶ 개	❷ 개

● 사각형에서 대각선의 성질 알아보기

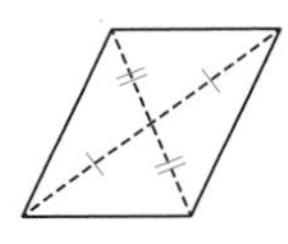
평행사변형

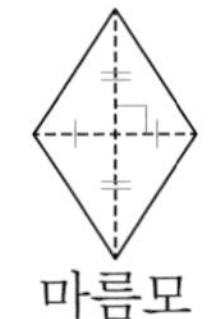
마름모

직사각형

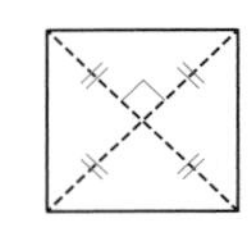
정사각형

- 두 대각선이 서로 수직으로 만나는 사각형 ⇨ 마름모, 정사각형
- 두 대각선의 길이가 같은 사각형 ⇨ 직사각형, 정사각형
- 한 대각선이 다른 대각선을 똑같이 둘로 나누는 사각형 ⇨ 평행사변형, 마름모, 직사각형, 정사각형

[답] ❶ 2 ❷ 5

핵심 체크

1 다각형에서 서로 이웃하지 않는 두 꼭짓점을 이은 선분을 (수직선 , 대각선)이라고 합니다.

2 정사각형은 두 대각선이 서로 수직으로 (만납니다 , 만나지 않습니다).

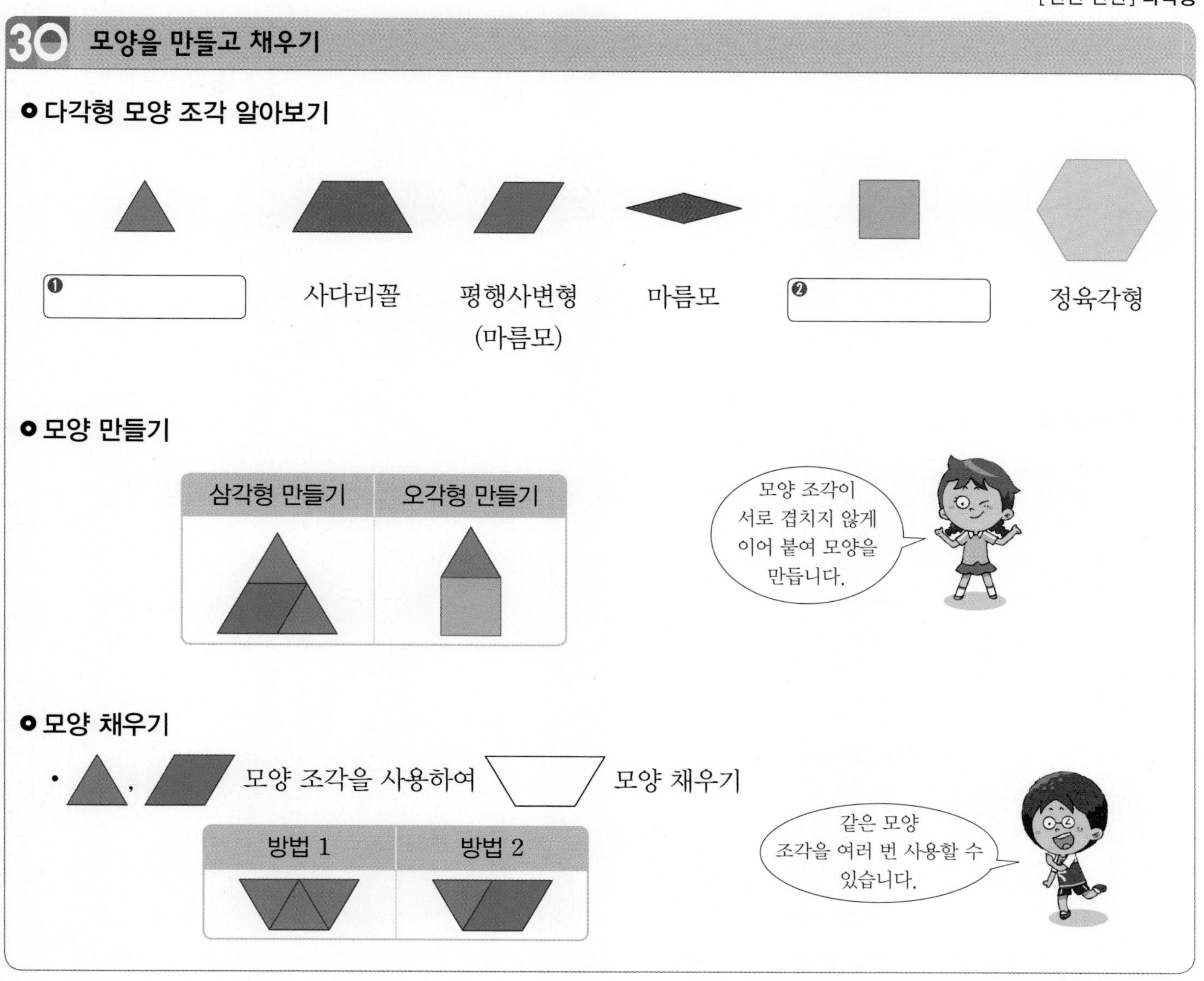

[답] ❶ 정삼각형 ❷ 정사각형

핵심 체크

1 모양 조각은 (사다리꼴 , 마름모) 모양입니다.

2 은 모양 조각 (2개 , 3개)를 사용하여 채웠습니다.

집중 연습

[01~03] 다각형이면 ○표, 아니면 ×표 하시오.

01

( )

02

( )

03

( )

[04~06] 다각형의 이름을 쓰시오.

04

( )

05

( )

06

( )

[07~09] 정다각형이면 ○표, 아니면 ×표 하시오.

07

(　　　　　　　　　)

08

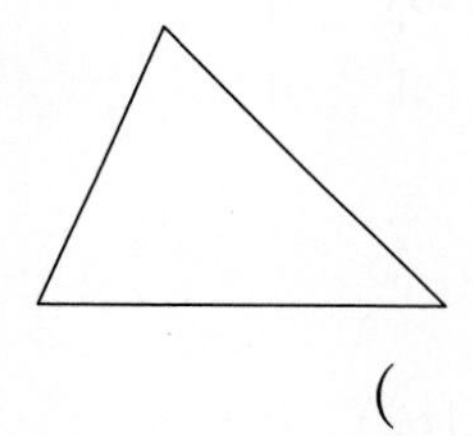

(　　　　　　　　　)

09

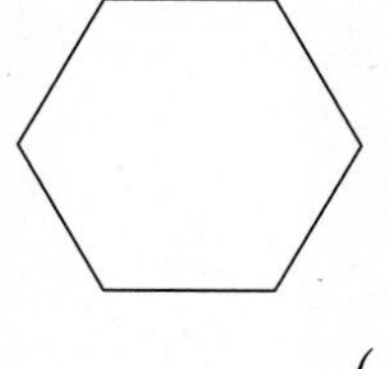

(　　　　　　　　　)

[10~12] 정다각형의 이름을 쓰시오.

10

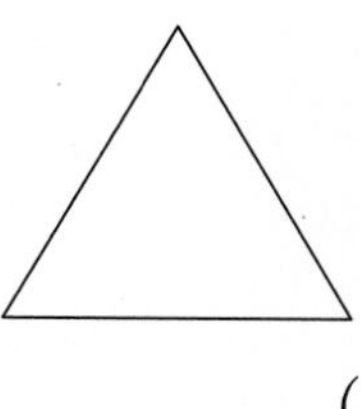

(　　　　　　　　　)

11

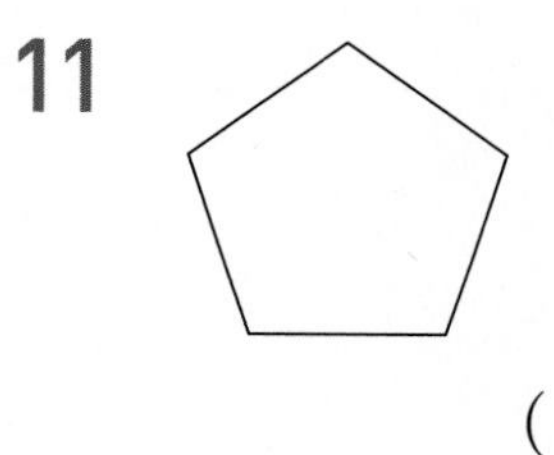

(　　　　　　　　　)

12

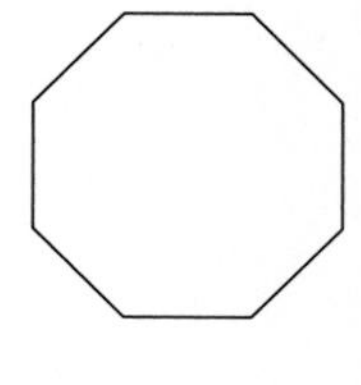

(　　　　　　　　　)

정답

2쪽

1 분자에 ○표

2 $\frac{5}{7}$에 ○표

3쪽

1 분자에 ○표

2 $\frac{2}{3}$에 ○표

4쪽

1 진분수에 ○표

2 $2\frac{3}{6}$에 ○표

5쪽

1 진분수에 ○표

2 $1\frac{1}{7}$에 ○표

6쪽

1 1에 ○표

2 $3\frac{1}{8}$에 ○표

7쪽

1 $3\frac{4}{3}$에 ○표, $1\frac{2}{3}$에 ○표

2 $1\frac{3}{6}$에 ○표

8쪽

01 $\frac{5}{7}$

02 $\frac{7}{9}$

03 $1\frac{3}{8}$

04 $1\frac{4}{11}$

05 $\frac{4}{6}$

06 $\frac{4}{10}$

07 $\frac{1}{4}$

08 $2\frac{4}{9}$

9쪽

09 $3\frac{2}{3}$

10 $5\frac{3}{5}$

11 $4\frac{1}{7}$

12 $3\frac{2}{4}$

13 $1\frac{4}{6}$

14 $1\frac{4}{8}$

15 $1\frac{2}{3}$

16 $2\frac{4}{5}$

10쪽

1 이등변삼각형에 ○표

2 정삼각형에 ○표

11쪽

1 같습니다에 ○표

2 아닙니다에 ○표

12쪽

1 같습니다에 ○표

2 60°에 ○표

13쪽

1 세에 ○표

2 한에 ○표

14쪽

01 ×

02 ○

03 ○

04 ×

05 ○

06 ×

15쪽

07 ○

08 ○

09 ×

10 ×

11 ×

12 ×

정답

16쪽
1 영 점 팔육에 ○표

17쪽
1 영 점 사칠오에 ○표
2 첫째에 ○표, 셋째에 ○표

18쪽
1 ×
2 ○

19쪽
1 0.1에 ○표, 1에 ○표
2 0.001에 ○표

20쪽
1 4개에 ○표, 8개에 ○표, 1.2에 ○표

21쪽
1 36개에 ○표, 22개에 ○표, 14개에 ○표
2 0.5에 ○표

22쪽
1 5에 ○표
2 1.50+0.86에 ○표

23쪽
1 2에 ○표
2 1.50−0.58에 ○표

24쪽
01 >
02 <
03 <
04 >
05 <
06 <
07 <
08 >

25쪽
09 4.3
10 6.1
11 2.2
12 0.7
13 1.64
14 3.72
15 1.31
16 1.48

26쪽
1 직각에 ○표
2 수선에 ○표

27쪽
1 만나지 않습니다에 ○표
2 평행합니다에 ○표, 평행선에 ○표

28쪽
1 평행한에 ○표
2 맞습니다에 ○표

29쪽
1 두에 ○표
2 같습니다에 ○표

30쪽
1 같은에 ○표
2 수직입니다에 ○표

31쪽
1 같습니다에 ○표
2 같습니다에 ○표

정답

32쪽

01 ×
02 ○
03 ×
04 ○
05 ×
06 ×

33쪽

07 ×
08 ○
09 ×
10 ×
11 ○
12 ○

34쪽

13 5
14 7
15 8
16 120
17 70
18 40

35쪽

19 4
20 6
21 9
22 130
23 70
24 60

36쪽

1 날짜에 ○표
2 키에 ○표

37쪽

1 위에 ○표
2 선분에 ○표

38쪽

01 날짜
02 키
03 1 cm
04 날짜
05 몸무게
06 0.2 kg

39쪽

07 날짜
08 길이
09

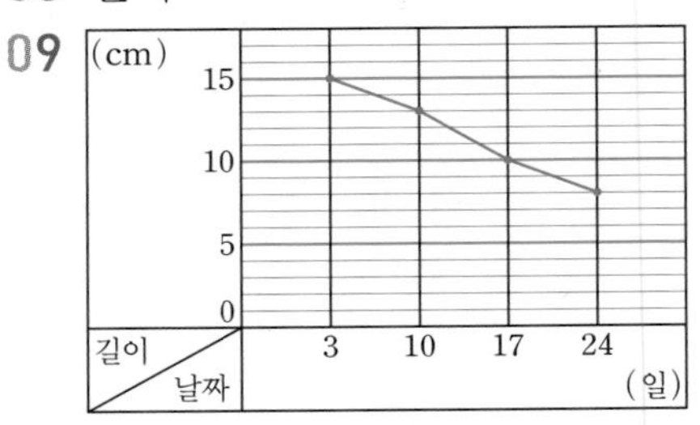

10 시각
11 수온
12

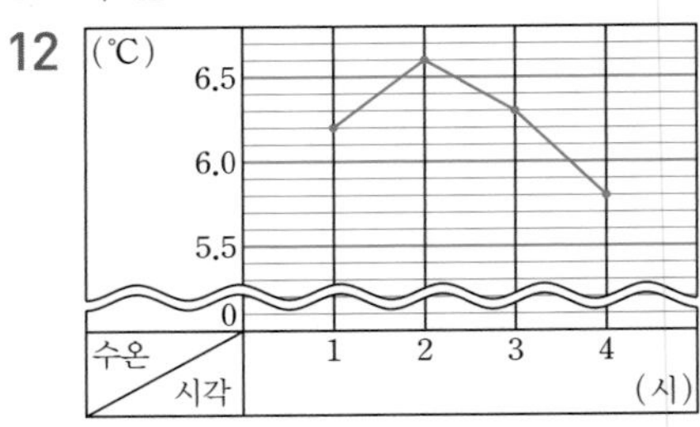

40쪽

1 선분에 ○표
2 육각형에 ○표

41쪽

1 같고에 ○표, 같습니다에 ○표
2 정육각형에 ○표

42쪽

1 대각선에 ○표
2 만납니다에 ○표

43쪽

1 사다리꼴에 ○표
2 3개에 ○표

44쪽

01 ○
02 ×
03 ○
04 육각형
05 칠각형
06 구각형

45쪽

07 ○
08 ×
09 ○
10 정삼각형
11 정오각형
12 정팔각형

우리 아이만
알고 싶은
상위권의
시작

최고를
경험해 본 아이의 성취감은
학년이 오를수록
빛을 발합니다

최고수준
완성
초등수학
5-2

* 1~6학년 / 학기 별 출시
동영상 강의 제공

핵심개념
유형연습
탄탄하게!

수학
전략

꿈을 위한 동행

축구 선수, 래퍼, 선생님, 요리사, ...
배움을 통해 아이들은 꿈을 꿉니다.

학교에서 공부하고, 뛰어놀고 싶은 마음을
잠시 미뤄 둔 친구들이 있습니다.
어린이 병동에 입원해 있는 아이들.

이 아이들도 똑같이 공부하고
맘껏 꿈 꿀 수 있어야 합니다.
천재교육 학습봉사단은
직접 병원으로 찾아가
같이 공부하고 얘기를 나눕니다.

함께 하는 시간이
아이들이 꿈을 키우는 밑바탕이 되길 바라며
천재교육은 앞으로도
나눔을 실천하며 세상과 소통하겠습니다.

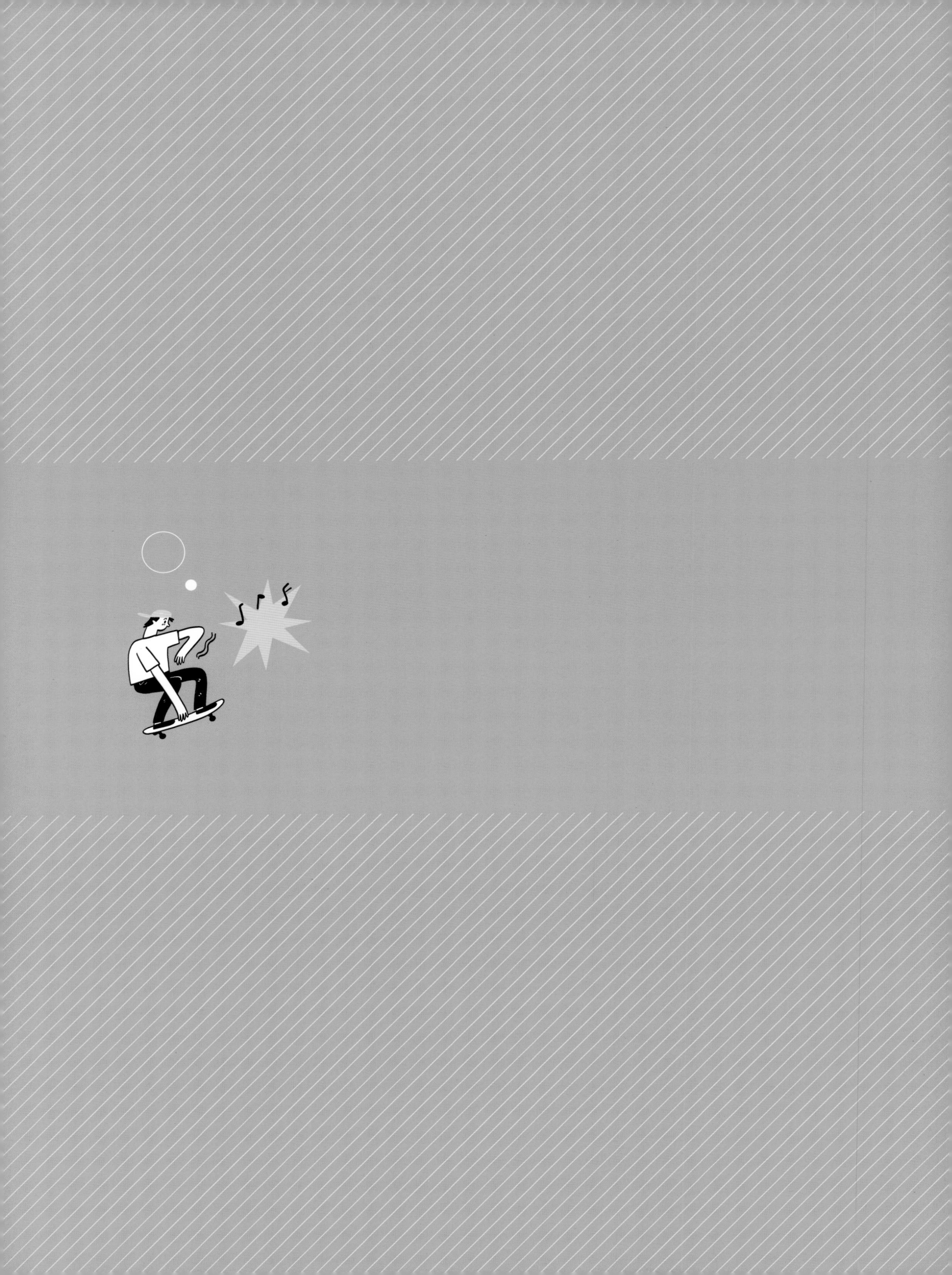

초등생의 필수 학습! 탄탄하게 다져두자!

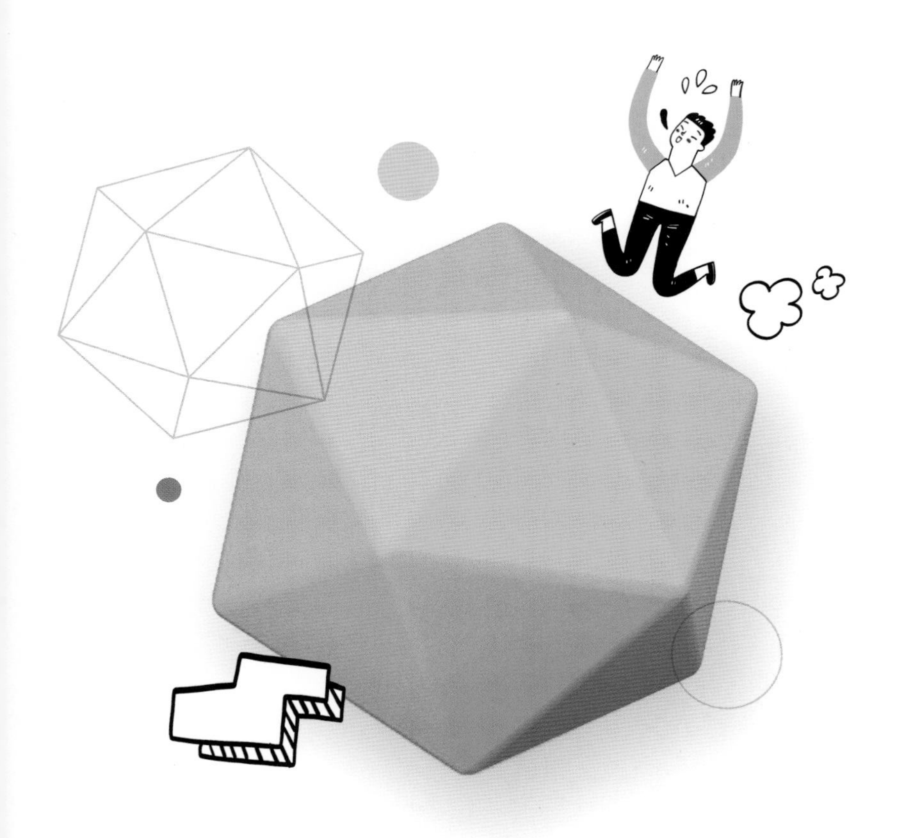

초등 **수학**

정답 및 풀이

4·2

천재교육

모르는 문제는
확실하게
알고 가자!

정답 및 풀이

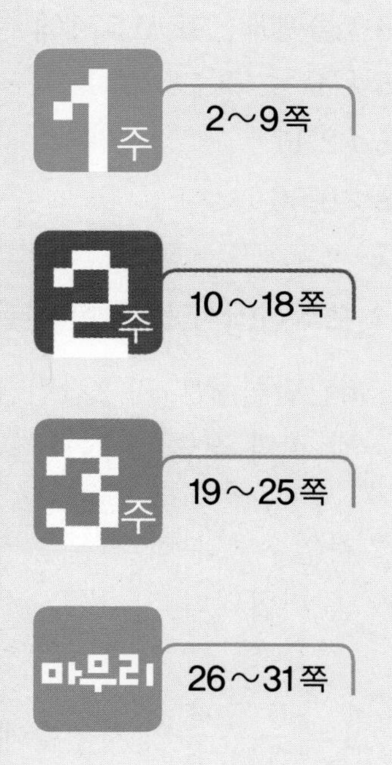

초등 수학 4-2

정답 및 풀이

1주 01일

개념 돌파 전략❶ 개념 기초 확인 9, 11쪽

1-1 $\frac{\boxed{5}}{\boxed{7}}$　　1-2 $\frac{\boxed{4}}{\boxed{8}}$

2-1 6, 1, 7, 3, $\boxed{7}\frac{\boxed{3}}{4}$

2-2 2, 3, 2, 6, $6\frac{5}{9}$

3-1 4, 4, 3, 2, $\boxed{3}\frac{\boxed{2}}{3}$

3-2 $\boxed{6}\frac{\boxed{10}}{6}$, 6, 10, 4, 5, $4\frac{5}{6}$

4-1 0.87

4-2 0.38

5-1 둘째에 ○표, 0.571에 ○표

5-2 (1) < (2) > (3) >

6-1 2.17

6-2 0.56

1-2 수직선에서 눈금 한 칸은 $\frac{1}{8}$을 나타냅니다. 6칸만큼 갔다가 2칸만큼 되돌아오면 4칸만큼 간 것과 같습니다.

2-2 자연수 부분과 진분수 부분을 따로 계산한 다음 더합니다.

3-2 $1=\frac{6}{6}$, $7\frac{4}{6}$의 자연수에서 1만큼을 가분수로 바꿉니다. 자연수 부분은 $7-1=6$이고, 분자는 $4+6=10$입니다.

4-2 색칠된 부분은 전체 100칸 중에서 38칸이므로 분수로 나타내면 $\frac{38}{100}$이고, 소수로 나타내면 0.38입니다.

5-2 (1) 소수 첫째 자리 수를 비교합니다. $0<4$
(2) 소수 둘째 자리 수를 비교합니다. $1>0$
(3) 소수 첫째 자리 수를 비교합니다. $5>1$

6-2 소수 둘째 자리 수끼리 뺄 수 없으므로 소수 첫째 자리에서 받아내림합니다.

	0	.	6 7	10 4
−	0	.	1	8
	0	.	5	6

개념 돌파 전략❷ 12~13쪽

1 (1) 8, 6, 2 (2) 8, 6, $\boxed{1}\frac{\boxed{2}}{8}$

2 (1) 29, 13, 16, $\boxed{1}\frac{\boxed{7}}{9}$ (2) 17, 7, 10, $\boxed{2}\frac{\boxed{2}}{4}$

3 $1\frac{5}{6}$　　4 5.671

5 (1) 1.51, 0.151 (2) 1.15, 11.5

6 (위에서부터) 132, 49, 1, 8, 1, 181

1 (1) 1을 분모가 8인 가분수로 바꾸면 $\frac{8}{8}$입니다.
(2) 2에서 1만큼을 분모가 8인 가분수로 바꾸면 2는 $1\frac{8}{8}$입니다.

2 (1) $3\frac{2}{9}$와 $1\frac{4}{9}$를 가분수로 바꾸어 뺄셈을 합니다.

$3\frac{2}{9}=3+\frac{2}{9}=\frac{3\times9}{9}+\frac{2}{9}=\frac{27}{9}+\frac{2}{9}$
$=\frac{29}{9}$,

$1\frac{4}{9}=1+\frac{4}{9}=\frac{9}{9}+\frac{4}{9}=\frac{13}{9}$

⇨ $3\frac{2}{9}-1\frac{4}{9}=\frac{29}{9}-\frac{13}{9}=\frac{16}{9}=1\frac{7}{9}$

3 3을 $2\frac{6}{6}$으로 바꾸어 뺄셈을 합니다.

4 1이 5개이면 5, 0.1이 6개이면 0.6, 0.01이 7개이면 0.07, 0.001이 1개이면 0.001입니다.
$5+0.6+0.07+0.001=5.671$

5 (1) 소수점을 기준으로 수를 오른쪽으로 한 자리씩 옮기면 1.51, 0.151이 됩니다.
(2) 소수점을 기준으로 수를 왼쪽으로 한 자리씩 옮기면 1.15, 11.5가 됩니다.

6 각각 0.01이 몇 개인 수인지 구하여 자연수의 덧셈과 같은 방법으로 계산합니다.

필수 체크 전략❶ 14~17쪽

필수 예제 01 (○)(   )
확인 1-1 (   )
(△)
확인 1-2 (   )
(○)
필수 예제 02 $2\frac{9}{10}$ km
확인 2-1 $13\frac{10}{11}$ m
확인 2-2 $14\frac{9}{12}$ m
필수 예제 03 20.445
확인 3-1 10.732
확인 3-2 411.68
필수 예제 04 (1) $\frac{1}{10}$ (2) 0.002
확인 4-1 0.003
확인 4-2 0.001

확인 1-1 $4\frac{1}{7}-\frac{4}{7}=3\frac{8}{7}-\frac{4}{7}=3\frac{4}{7}$,
$2\frac{3}{7}+\frac{6}{7}=2+\frac{9}{7}=3\frac{2}{7}$
⇨ $3\frac{4}{7}>3\frac{2}{7}$

확인 1-2 $5\frac{1}{11}+\frac{6}{11}=5\frac{7}{11}$,
$7\frac{3}{11}-\frac{7}{11}=6\frac{14}{11}-\frac{7}{11}=6\frac{7}{11}$
⇨ $5\frac{7}{11}<6\frac{7}{11}$

확인 2-1 $7\frac{5}{11}+6\frac{5}{11}=(7+6)+\left(\frac{5}{11}+\frac{5}{11}\right)$
$=13\frac{10}{11}$ (m)

확인 2-2 $8\frac{6}{12}+6\frac{3}{12}=(8+6)+\left(\frac{6}{12}+\frac{3}{12}\right)$
$=14\frac{9}{12}$ (m)

확인 3-1
$$\begin{array}{r} {\scriptstyle 2\ 10\ 3\ 10} \\ 1\,\not3.5\,\not4\,0 \\ -\quad 2.8\,0\,8 \\ \hline 1\,0.7\,3\,2 \end{array}$$

확인 3-2
$$\begin{array}{r} {\scriptstyle 1\ 10\ 6\ 10} \\ 4\,\not2\,0.\not7\,0 \\ -\quad 9.0\,2 \\ \hline 4\,1\,1.6\,8 \end{array}$$

확인 4-1 색칠된 부분은 전체를 똑같이 10칸으로 나눈 것 중의 1이므로 전체의 $\frac{1}{10}$입니다.
0.03의 $\frac{1}{10}$은 0.003입니다.

확인 4-2 색칠된 부분은 전체를 똑같이 100칸으로 나눈 것 중의 1이므로 전체의 $\frac{1}{100}$입니다. 0.1의 $\frac{1}{100}$은 0.001입니다.

필수 체크 전략❷ 18~19쪽

1 나　　2 $\frac{13}{14}$ L

3 $3\frac{2}{9}$, $\frac{12}{9}$, $4\frac{5}{9}$ (또는 $\frac{12}{9}$, $3\frac{2}{9}$, $4\frac{5}{9}$)

4 0.856

5 나 편의점　　6 1.7

1 가 $1\frac{6}{7}$ > 다 $1\frac{5}{7}$ > 나 $1\frac{4}{7}$

2 왼쪽 컵에 보리차를 따르고 물병에 남은 보리차의 양 ⇨ $1\frac{4}{14}-\frac{2}{14}=1\frac{2}{14}$ (L),
오른쪽 컵에 보리차를 따르고 물병에 남은 보리차의 양
⇨ $1\frac{2}{14}-\frac{3}{14}=\frac{16}{14}-\frac{3}{14}=\frac{13}{14}$ (L)

다른 풀이
물병에 들어 있는 보리차의 양에서 컵에 따르는 보리차의 양의 합을 뺍니다.
컵에 따르는 보리차의 양:
$\frac{2}{14}+\frac{3}{14}=\frac{5}{14}$ (L)
물병에 남는 보리차의 양:
$1\frac{4}{14}-\frac{5}{14}=\frac{18}{14}-\frac{5}{14}=\frac{13}{14}$ (L)

3 가장 큰 수와 두 번째로 큰 수를 더합니다.
$3\frac{2}{9}+\frac{12}{9}=3+\frac{14}{9}=4\frac{5}{9}$

4 0.1이 8칸, 0.01이 5칸, 0.001이 6칸 색칠되어 있으므로 0.856입니다.

5 거리가 짧을수록 더 가깝습니다.
50.51 > 50.014이므로 더 가까운 곳은 나 편의점입니다.

6 $3.615-1.906=1.709$
1.709보다 작은 소수 한 자리 수는 1.7, 1.6, 1.5, 1.4……입니다.
이 중에서 가장 큰 소수 한 자리 수는 1.7입니다.

1주 03일

필수 체크 전략❶ 20~23쪽

필수 예제 01 $1\frac{6}{8}$

확인 1-1 $12\frac{2}{11}$

확인 1-2 $3\frac{6}{13}$

필수 예제 02 $7\frac{5}{7}$

확인 2-1 $15\frac{1}{9}$

확인 2-2 $1\frac{11}{12}$

필수 예제 03 0.463

확인 3-1 1.37

확인 3-2 1.504

필수 예제 04 (1) 2.156, 1.46, 0.17 (2) 1.986

확인 4-1 4.804

확인 4-2 22.94

확인 1-1 $6\frac{7}{11}+5\frac{6}{11}=(6+5)+\left(\frac{7}{11}+\frac{6}{11}\right)$
$=11+\frac{13}{11}=11+1\frac{2}{11}$
$=12\frac{2}{11}$

확인 1-2 $8\frac{2}{13}-4\frac{9}{13}=7\frac{15}{13}-4\frac{9}{13}$
$=(7-4)+\left(\frac{15}{13}-\frac{9}{13}\right)$
$=3+\frac{6}{13}=3\frac{6}{13}$

확인 2-1 $10\frac{6}{9}+4\frac{4}{9}=(10+4)+\left(\frac{6}{9}+\frac{4}{9}\right)$
$=14+\frac{10}{9}=14+1\frac{1}{9}$
$=15\frac{1}{9}$

확인 2-2 $7\frac{3}{12}-5\frac{4}{12}=6\frac{15}{12}-5\frac{4}{12}$
$=(6-5)+\left(\frac{15}{12}-\frac{4}{12}\right)$
$=1+\frac{11}{12}=1\frac{11}{12}$

확인 3-1 눈금 한 칸이 나타내는 크기는 0.01이므로 1.3에서 오른쪽으로 7칸 간 곳은 1.37입니다.

확인 3-2 1.5를 1.50으로 바꿔서 나타낼 수 있습니다. 눈금 한 칸이 나타내는 크기는 0.001이므로 1.50에서 오른쪽으로 4칸 간 곳은 1.504입니다.

확인 4-1 가장 큰 수에서 가장 작은 수를 뺍니다.
$5.004-0.2=4.804$

확인 4-2 차가 가장 큰 두 소수는 가장 큰 소수와 가장 작은 소수입니다.
$20.47>4.87>2.47$
⇨ $20.47+2.47=22.94$

필수 체크 전략❷ 24~25쪽

1 $9\frac{3}{11}$ cm
2 $3\frac{1}{10}$
3 4, 9, 1
4 5.248
5 3.07
6 3.91

1 $5\frac{5}{11}+3\frac{9}{11}=(5+3)+\left(\frac{5}{11}+\frac{9}{11}\right)$
$=8+\frac{14}{11}=8+1\frac{3}{11}=9\frac{3}{11}$ (cm)

2 $5\frac{2}{10}>5\frac{1}{10}>2\frac{6}{10}>2\frac{1}{10}$
⇨ $5\frac{2}{10}-2\frac{1}{10}=3\frac{1}{10}$

3 분모에 9를 써넣고 자연수 부분에 4 또는 1을 넣어 계산이 맞는지 확인합니다.
$4\frac{7}{9}+1\frac{3}{9}=(4+1)+\left(\frac{7}{9}+\frac{3}{9}\right)=5+\frac{10}{9}$
$=5+1\frac{1}{9}=6\frac{1}{9}$

4 자연수 부분은 5이므로 5의 오른쪽에 소수점을 찍습니다.

5.248
- 소수 셋째 자리
- 소수 둘째 자리
- 소수 첫째 자리

5 $2.05>1.02>0.308$
⇨ $2.05+1.02=3.07$

6 가: 2.81, 나: 6.72
⇨ $6.72-2.81=3.91$

정답 및 풀이

1주 04일

교과서 대표 전략❶ 26~29쪽

대표 예제 01 $3\frac{9}{10}$

대표 예제 02 $<$

대표 예제 03 $\frac{4}{7}$ L

대표 예제 04 $1\frac{2}{4}$

대표 예제 05 $1\frac{2}{8}$ L

대표 예제 06 $2\frac{6}{8}$

대표 예제 07 23 g

대표 예제 08 $\frac{4}{6}$ kg

대표 예제 09 0.2

대표 예제 10 4.12

대표 예제 11 0.226

대표 예제 12 2.934 kg

대표 예제 13 ㉢

대표 예제 14 ㉢

대표 예제 15 100

대표 예제 16 12.1

대표 예제 01 $2\frac{6}{10}+1\frac{3}{10}=3\frac{9}{10}$

대표 예제 02 $2\frac{3}{9}+2\frac{4}{9}=4\frac{7}{9}$,

$8\frac{1}{9}-1\frac{3}{9}=7\frac{10}{9}-1\frac{3}{9}=6\frac{7}{9}$

⇨ $4\frac{7}{9}<6\frac{7}{9}$

대표 예제 03 $1\frac{2}{7}-\frac{5}{7}=\frac{9}{7}-\frac{5}{7}=\frac{4}{7}$ (L)

대표 예제 04 $1=\frac{4}{4}$이므로 1보다 작은 분수 중에서 분모가 4인 분수는 분자가 4보다 작은 진분수입니다.

⇨ $\frac{1}{4}$, $\frac{2}{4}$, $\frac{3}{4}$

$\frac{1}{4}+\frac{2}{4}+\frac{3}{4}=\frac{3}{4}+\frac{3}{4}=\frac{6}{4}=1\frac{2}{4}$

대표 예제 05 $\frac{4}{8}+\frac{6}{8}=\frac{10}{8}=1\frac{2}{8}$ (L)

대표 예제 06 $\square+2\frac{3}{8}=5\frac{1}{8}$ ⇨ $5\frac{1}{8}-2\frac{3}{8}=\square$

$5\frac{1}{8}-2\frac{3}{8}=4\frac{9}{8}-2\frac{3}{8}=2\frac{6}{8}$

대표 예제 07 두 사람이 사용한 팥의 양을 더합니다.

$10\frac{4}{5}+12\frac{1}{5}=(10+12)+\left(\frac{4}{5}+\frac{1}{5}\right)$

$=22+1=23$ (g)

대표 예제 08 $1\frac{3}{6}=\square+\frac{5}{6}$ ⇨ $1\frac{3}{6}-\frac{5}{6}=\square$,

$1\frac{3}{6}-\frac{5}{6}=\frac{9}{6}-\frac{5}{6}=\frac{4}{6}$ (kg)

대표 예제 09 20의 $\frac{1}{10}$은 2입니다. 2의 $\frac{1}{10}$은 0.2입니다.

대표 예제 10 $60.02>4.12>4.097$

대표 예제 11 $0.231-0.005=0.226$

대표 예제 12
$$\begin{array}{r} \scriptstyle 1 \quad \\ 1.57 \\ +\,1.364 \\ \hline 2.934 \end{array}$$

대표 예제 13 ㉠ 300의 $\frac{1}{10}$은 30입니다.
㉡ 0.3의 100배는 30입니다.
㉢ 0.03의 10배는 0.3입니다.

대표 예제 14 ㉠ 2 m=0.002 km
㉡ 3 m=0.003 km
㉣ 50 cm=0.5 m

대표 예제 15 0.52는 52의 소수점을 기준으로 수가 오른쪽으로 두 자리 옮겨진 것입니다.
129는 1.29의 소수점을 기준으로 수가 왼쪽으로 두 자리 옮겨진 것입니다.

대표 예제 16 만들 수 있는 소수 한 자리 수는 3.8과 8.3입니다.
⇨ 3.8+8.3=12.1

교과서 대표 전략❷ 30~31 쪽

1 $1\frac{11}{12}$	**2** $5\frac{4}{6}$
3 $\frac{1}{6}$ L	**4** 7 cm
5 0, 1, 2, 3	**6** 15.6
7 2.488 cm	**8** 72.27

1 $1\frac{6}{12}+1\frac{8}{12}=2\frac{14}{12}=3\frac{2}{12}$

$3\frac{2}{12}=\square+1\frac{3}{12}$,

$\square=3\frac{2}{12}-1\frac{3}{12}=2\frac{14}{12}-1\frac{3}{12}$
$=1\frac{11}{12}$

2 $2\frac{5}{6}+2\frac{5}{6}=(2+2)+\left(\frac{5}{6}+\frac{5}{6}\right)=4+\frac{10}{6}$
$=4+1\frac{4}{6}=5\frac{4}{6}$

3 어제 마시고 남은 우유의 양:
$1-\frac{2}{6}=\frac{6}{6}-\frac{2}{6}=\frac{4}{6}$ (L),
오늘 남은 우유의 양: $\frac{4}{6}-\frac{3}{6}=\frac{1}{6}$ (L)

4 $3\frac{2}{7}+3\frac{5}{7}=(3+3)+\left(\frac{2}{7}+\frac{5}{7}\right)=6+\frac{7}{7}$
$=6+1=7$ (cm)

5 □ 안에 4를 넣으면 27.64<27.645이므로 □ 안에는 4보다 작은 수를 넣을 수 있습니다.

6 0.156을 100배 하면 소수점을 기준으로 수가 왼쪽으로 두 자리 이동합니다.
따라서 어떤 수는 15.6입니다.

7 7.5>6.65>5.012
⇨ 7.5−5.012=2.488 (cm)

8 가장 큰 소수 한 자리 수는 왼쪽에 가장 큰 수를 써서 만듭니다. ⇨ 71.1
가장 작은 소수 두 자리 수는 오른쪽에 가장 큰 수를 써서 만듭니다. ⇨ 1.17
71.1+1.17=72.27

누구나 만점 전략 32~33쪽

01 $10\frac{2}{11}$
02 <
03 ④
04 $\frac{5}{8}$ m
05 $1\frac{7}{13}$ kg
06 0.142, 0.146
07 (1) 0.34 (2) 0.34
08 19.094
09 (위에서부터) 4, 5, 9
10 13.447 cm

01 $4\frac{6}{11}+5\frac{7}{11}=9\frac{13}{11}=10\frac{2}{11}$

02 $3\frac{7}{12}-\frac{9}{12}=2\frac{19}{12}-\frac{9}{12}=2\frac{10}{12}$

⇨ $2\frac{8}{12}<2\frac{10}{12}$

03 ① $\frac{39}{9}=$② $4\frac{3}{9}$　③ $3\frac{2}{9}+1\frac{1}{9}=4\frac{3}{9}$

④ $2\frac{1}{9}+2\frac{1}{9}=4\frac{2}{9}$　⑤ $6\frac{5}{9}-2\frac{2}{9}=4\frac{3}{9}$

04 $1\frac{1}{8}>\frac{7}{8}>\frac{4}{8}$

⇨ $1\frac{1}{8}-\frac{4}{8}=\frac{9}{8}-\frac{4}{8}=\frac{5}{8}$ (m)

05 $1\frac{5}{13}+\frac{2}{13}=1\frac{7}{13}$ (kg)

06 0.14와 0.15 사이에 눈금이 10칸 있습니다. 0.15−0.14=0.01이므로 눈금 한 칸의 크기는 0.01의 $\frac{1}{10}$인 0.001입니다.
0.14에서 오른쪽으로 두 칸 간 곳은 0.142, 오른쪽으로 6칸 간 곳은 0.146입니다.

07 (1) 0.034의 10배는 소수점을 기준으로 수를 왼쪽으로 1칸 이동시킨 0.34입니다.
(2) 3.4의 $\frac{1}{10}$은 소수점을 기준으로 수를 오른쪽으로 1칸 이동시킨 0.34입니다.

08 자연수 부분을 비교하면 가장 큰 수는 23.15, 가장 작은 수는 4.056입니다.
23.15−4.056=19.094

09 같은 자리의 수끼리 더합니다.
소수 둘째 자리의 계산: 5+□가 0이 될 수 없으므로 5+□=10이고 소수 첫째 자리로 받아올림합니다. □=5
소수 첫째 자리의 계산: 1+□+1=6,
□=4

$$\begin{array}{r} \overset{1}{} \\ 0\,.\,\boxed{4}\,5\,9 \\ +\;0\,.\,1\,\boxed{5} \\ \hline 0\,.\,6\,0\,\boxed{9} \end{array}$$

10 4.67+3.677=8.347 (cm)
8.347+5.1=13.447 (cm)

창의·융합·코딩 전략❶ 34~35쪽

1 (　　)(○)　　2 0.01, 1

1 이 먹는 양:

$30\frac{1}{4}-14\frac{2}{4}=29\frac{5}{4}-14\frac{2}{4}=15\frac{3}{4}$ (cm)

⇨ $15\frac{3}{4}>14\frac{2}{4}$

2 $\frac{1}{100}$을 소수로 바꾸면 0.01입니다.
0.01의 소수 첫째 자리 숫자는 0, 소수 둘째 자리 숫자는 1입니다.

창의•융합•코딩 전략❷ 36~39쪽

1 $1\frac{8}{11}$ km

2

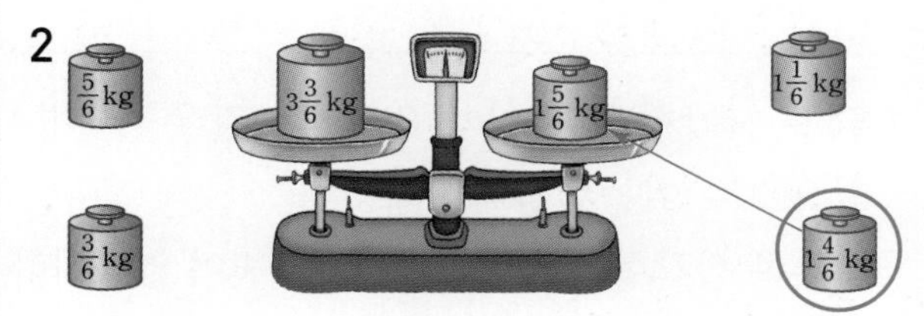

3 $\boxed{6}\frac{\boxed{4}}{\boxed{9}}$, $\frac{\boxed{1}}{\boxed{9}}$, $\boxed{6}\frac{\boxed{5}}{\boxed{9}}$

4

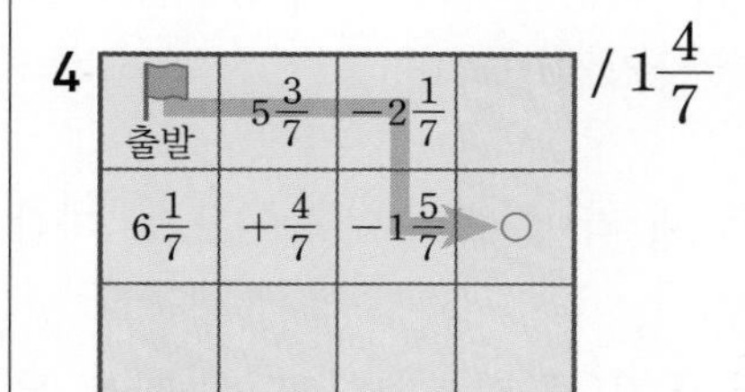

/ $1\frac{4}{7}$

5

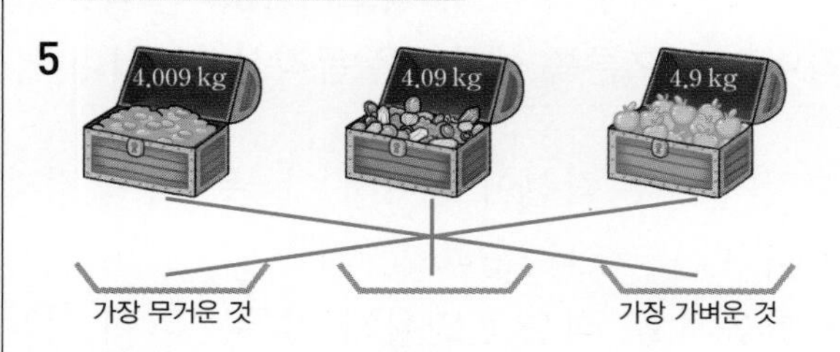

6 0.015, 0.067, 0.005

7 1.497 km

8 1.007

1 $\frac{8}{11}+\frac{7}{11}+\frac{4}{11}=\frac{15}{11}+\frac{4}{11}=\frac{19}{11}$
$=1\frac{8}{11}$ (km)

2 $3\frac{3}{6}>1\frac{5}{6}$이므로 오른쪽에 추를 더 올려야 합니다.
$3\frac{3}{6}-1\frac{5}{6}=2\frac{9}{6}-1\frac{5}{6}=1\frac{4}{6}$ (kg)인 추를 올립니다.

3 $6\frac{4}{9}+\frac{1}{9}=6+\frac{4+1}{9}=6\frac{5}{9}$

4 $5\frac{3}{7}-2\frac{1}{7}=3\frac{2}{7}$,
$3\frac{2}{7}-1\frac{5}{7}=2\frac{9}{7}-1\frac{5}{7}=1\frac{4}{7}$

5 자연수 부분이 모두 같으므로 소수 첫째 자리 수를 비교하면 4.9가 가장 큽니다.
소수 둘째 자리 수를 비교하면 4.09가 두 번째로 크고, 4.009가 가장 작습니다.

6 5의 $\frac{1}{10}$인 수는 0.5, 0.5의 $\frac{1}{100}$인 수는 0.005입니다.
0.15의 $\frac{1}{10}$인 수는 0.015입니다.
6.7의 $\frac{1}{100}$인 수는 0.067입니다.

7 $0.647+0.85=1.497$ (km)

8 0.257부터 거꾸로 계산합니다.
$0.257-0.01=0.247 \rightarrow 0.247+0.1=0.347$
$\rightarrow 0.347-0.3=0.047 \rightarrow 0.047-0.04=0.007$
$\rightarrow 0.007+1=1.007$

2주 01일

개념 돌파 전략❶ 개념 기초 확인 43, 45쪽

1-1
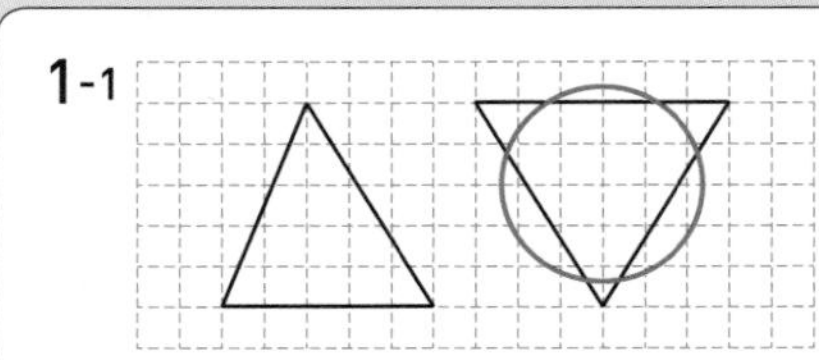

1-2 (○) (   )

2-1

2-2 (   ) (○)

3-1

3-2 (○) (△)

4-1
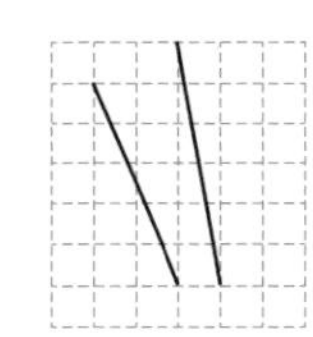

4-2
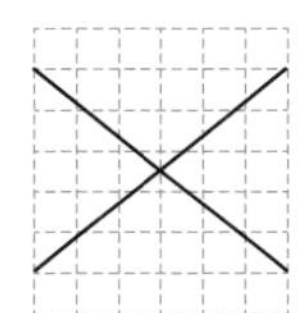

5-1
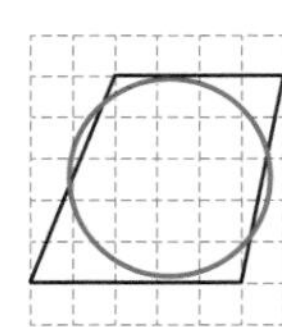

5-2
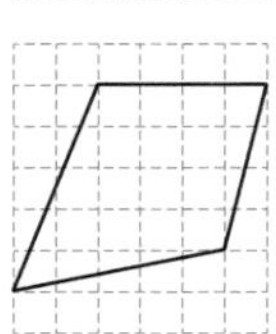

6-1
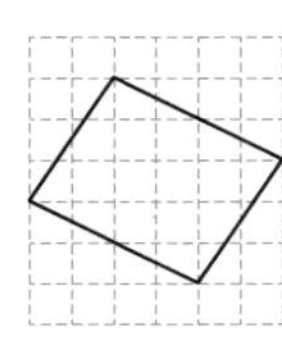

6-2
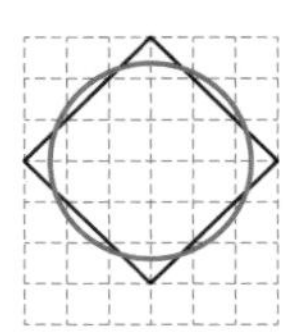

1-2 왼쪽 삼각형은 길이가 6 cm로 같은 두 변이 있으므로 이등변삼각형입니다.
오른쪽 삼각형은 길이가 같은 두 변이 없습니다.

2-2 왼쪽 삼각형은 두 변의 길이만 같습니다.
오른쪽 삼각형은 세 변의 길이가 6 cm로 모두 같으므로 정삼각형입니다.

3-2 왼쪽 삼각형은 세 각이 모두 예각이므로 예각삼각형입니다.
오른쪽 삼각형의 각 중 각도가 105°인 각은 둔각이므로 오른쪽 삼각형은 둔각삼각형입니다.

4-2 수직이면 두 직선이 만나서 이루는 각이 직각입니다.
오른쪽의 두 직선은 만나서 이루는 각이 직각이 아닙니다.

5-2 사다리꼴은 평행한 두 변이 있습니다.
오른쪽 사각형은 평행한 변이 없으므로 사다리꼴이 아닙니다.

6-2 마름모는 네 변의 길이가 모두 같습니다. 왼쪽 사각형은 마주 보는 변끼리만 길이가 같으므로 마름모가 아닙니다.

참고

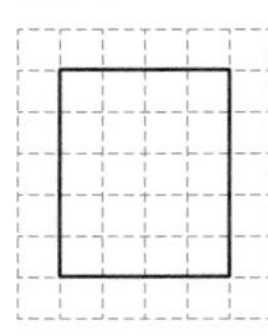
직사각형

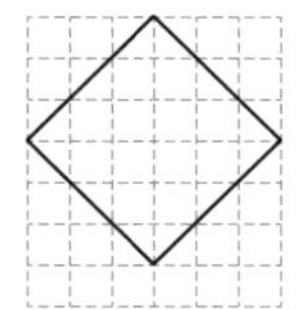
정사각형

⇨ 정사각형은 네 변의 길이가 같으므로 마름모입니다.

개념 돌파 전략❷ 46~47쪽

1 (1) 45 (2) 80 **2** 60, 60, 60

3 ①

4 예

3 cm

5 (1) (위에서부터) 8, 5 (2) 80, 100

6 (1) 6, 6 (2) 65, 90

1 이등변삼각형이므로 길이가 같은 두 변의 끝에 있는 각의 크기가 같습니다.

2 정삼각형은 각의 크기가 모두 60°입니다.

3 ① 70°, 40°, 70° ⇨ 예각삼각형
② 80°, 10°, 90° ⇨ 직각삼각형
③ 40°, 30°, 110° ⇨ 둔각삼각형
④ 40°, 90°, 50° ⇨ 직각삼각형
⑤ 130°, 20°, 30° ⇨ 둔각삼각형

4 ① 주어진 직선과 수직인 직선을 긋습니다.

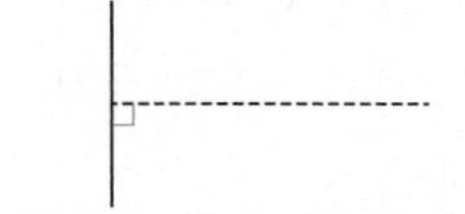

② 3 cm 떨어진 점을 지나는 평행한 직선을 긋습니다.

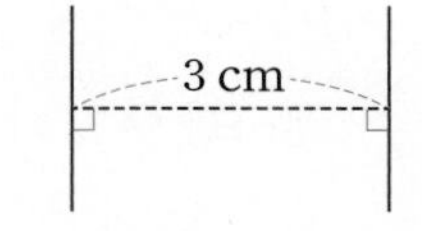

5 (1) 평행사변형에서 마주 보는 변의 길이는 같습니다.
(2) 평행사변형에서 마주 보는 각의 크기는 같습니다.

6 (1) 마름모는 네 변의 길이가 모두 같습니다.
(2) 마름모에서 마주 보는 꼭짓점끼리 이은 선분이 서로 수직입니다.
마름모에서 마주 보는 각의 크기는 같습니다.

필수 체크 전략❶ 48~51쪽

필수 예제 01 (1) 70° (2) 35°
확인 1-1 30°
확인 1-2 75°, 75°
필수 예제 02 (1) 직, 둔, 예 (2) 2개
확인 2-1 3개
확인 2-2 1개
필수 예제 03 변 ㄴㄷ
확인 3-1 선분 ㄱㄷ
확인 3-2 변 ㄴㄹ, 변 ㅇㅂ
필수 예제 04 52 cm
확인 4-1 48 cm
확인 4-2 56 cm

확인 1-1 이등변삼각형에서 크기가 같은 두 각의 크기의 합은 180°−120°=60°입니다.
㉠의 크기는 60÷2=30(°)입니다.

확인 1-2 이등변삼각형이므로 ㉠과 ㉡의 크기가 같습니다. ㉠과 ㉡의 크기의 합은 180°−30°=150°입니다.
⇨ 150÷2=75(°)

확인 2-1

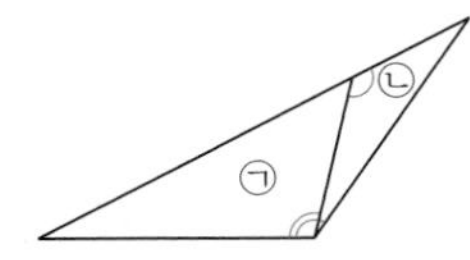

찾을 수 있는 삼각형은 ㉠, ㉡, ㉠+㉡이고 모두 한 각이 둔각인 둔각삼각형입니다.

확인 2-2

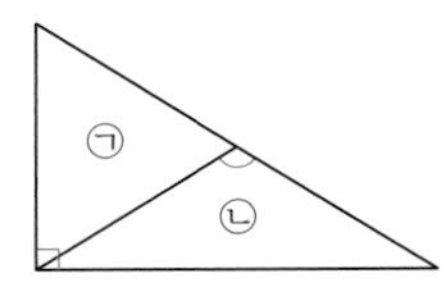

찾을 수 있는 삼각형은 ㉠, ㉡, ㉠+㉡입니다.
㉠은 예각삼각형, ㉡은 둔각삼각형, ㉠+㉡은 직각삼각형입니다.

확인 3-1 선분 ㄴㄹ과 만나는 선분 중에서 직각으로 만나는 선분은 선분 ㄱㄷ입니다.

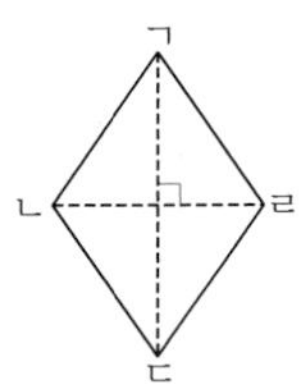

확인 3-2 선분 ㄷㅅ과 만나는 변은 변 ㄴㄹ과 변 ㅇㅂ이고 모두 선분 ㄷㅅ과 직각으로 만납니다.

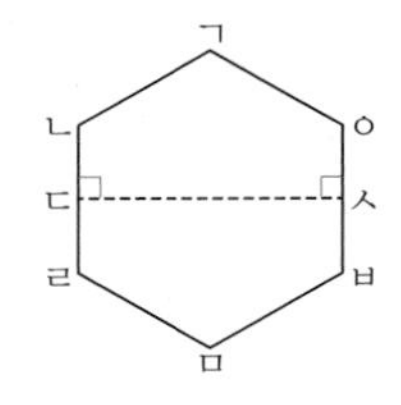

확인 4-1 길이가 12 cm인 변 4개가 있으므로 둘레의 길이는
$12 \times 4 = 48$ (cm)입니다.

확인 4-2 길이가 14 cm인 변 4개가 있으므로 둘레의 길이는
$14 \times 4 = 56$ (cm)입니다.

필수 체크 전략❷ 52~53쪽

1 60°
2 3개
3 ○ (V) ○
4 다, 라
5 가, 나, 다 / 가, 나, 다 / 가, 나 / 나
6 12

1 정삼각형은 세 각이 모두 크기가 60°입니다.

2

㉠, ㉣, ㉢+㉣+㉤은 예각삼각형입니다.
㉡, ㉢은 둔각삼각형입니다.
㉠+㉡, ㉡+㉣, ㉢+㉣, ㉠+㉢은 직각삼각형입니다.

3 둔각삼각형은 한 각만 둔각입니다.
한 각이 예각인 삼각형은 예각삼각형, 직각삼각형, 둔각삼각형 중 어느 삼각형인지 알 수 없습니다.

4 길게 늘여도 만나지 않는 두 직선은 다와 라입니다.

5

사다리꼴	평행한 두 변이 있습니다.
평행사변형	마주 보는 변은 모두 평행합니다.
직사각형	네 각이 모두 직각입니다.
정사각형	네 각이 모두 직각이고 네 변의 길이가 모두 같습니다.

6 마름모는 네 변의 길이가 모두 같으므로 한 변의 길이는 $48 \div 4 = 12$ (cm)입니다.

필수 체크 전략❶ 54~57쪽

필수 **예제 01** (1) 100°
(2) 이등변삼각형, 둔각삼각형
확인 1-1 예각삼각형
확인 1-2 이등변삼각형, 예각삼각형
필수 **예제 02** 1개, 2개, 0개
확인 2-1 6개
확인 2-2 1개
필수 **예제 03** 가, 나, 다, 마 / 나, 마
확인 3-1 가, 나, 라
확인 3-2 가, 나, 다
필수 **예제 04** (1) 16 cm (2) 9 cm
확인 4-1 12 cm
확인 4-2 10 cm

확인 1-1 두 각의 크기의 합이 $50^\circ+60^\circ=110^\circ$일 때 나머지 한 각의 크기는
$180^\circ-110^\circ=70^\circ$입니다.
세 각이 모두 예각이므로 예각삼각형입니다.

확인 1-2 두 각의 크기의 합이 $80^\circ+20^\circ=100^\circ$일 때 나머지 한 각의 크기는
$180^\circ-100^\circ=80^\circ$입니다.
크기가 같은 두 각이 있으므로 이등변삼각형이고, 모두 예각이므로 예각삼각형입니다.

확인 2-1 잘린 삼각형은 세 각이 모두 예각인 예각삼각형입니다.
따라서 예각삼각형이 6개 만들어집니다.

확인 2-2

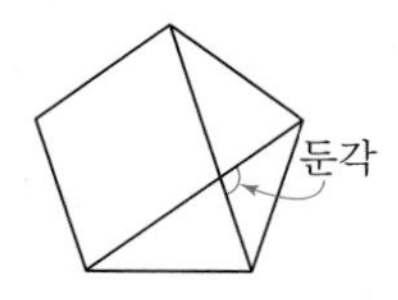

잘린 도형은 예각삼각형 2개와 둔각삼각형 1개, 사각형입니다.

확인 3-1 평행한 두 변이 있는 사각형은 사다리꼴입니다.
다는 평행한 두 변이 없으므로 사다리꼴이 아닙니다.

확인 3-2 마주 보는 변이 모두 평행한 사각형을 찾으면 가, 나, 다입니다.

확인 4-1 변 ㄱㄴ과 변 ㄱㄹ의 합은
$40\div2=20$ (cm)입니다.
변 ㄱㄹ의 길이가 8 cm이므로 변 ㄱㄴ의 길이는 $20-8=12$ (cm)입니다.

참고
평행사변형은 마주 보는 변끼리 길이가 같습니다.

확인 4-2 변 ㄱㄴ과 변 ㄱㄹ의 합은
$48\div2=24$ (cm)입니다.
변 ㄱㄹ의 길이가 14 cm이므로 변 ㄱㄴ의 길이는 $24-14=10$ (cm)입니다.

다른 풀이
변 ㄱㄹ과 변 ㄴㄷ의 길이는 14 cm로 같습니다. $48-14-14=20$이므로
변 ㄱㄴ과 변 ㄹㄷ의 길이의 합은 20 cm입니다.
변 ㄱㄴ과 변 ㄹㄷ의 길이는 같고,
$20\div2=10$이므로 변 ㄱㄴ의 길이는 10 cm입니다.

필수 체크 전략❷ 58~59쪽

1 60　　2 0, 2, 2
3 (1) 둔 (2) 예　　4 4 cm
5 다 / 예 네 변의 길이가 모두 같지 않습니다.
6 4개

1 정삼각형이므로 세 각의 크기는 각각 60°입니다.

2 둔각이 있는 삼각형은 둔각삼각형입니다.
직각이 있는 삼각형은 직각삼각형입니다.

3 (1) $70°+10°=80°$, $180°-80°=100°$
세 각이 70°, 10°, 100°이고 둔각이 있으므로 둔각삼각형입니다.
(2) $45°+85°=130°$, $180°-130°=50°$
세 각이 45°, 85°, 50°이고 모두 예각이므로 예각삼각형입니다.

4 변 ㄱㄴ과 변 ㅁㄹ이 평행합니다. 두 변 사이에 수직인 선분을 긋고 길이를 잽니다.

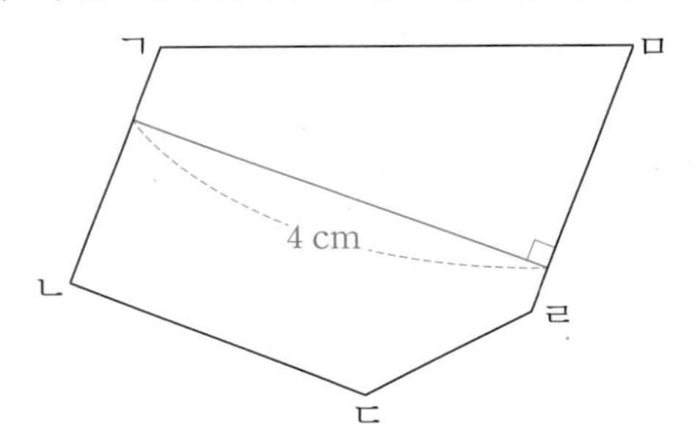

5 정사각형은 네 변의 길이가 모두 같고, 네 각이 모두 직각입니다.

6
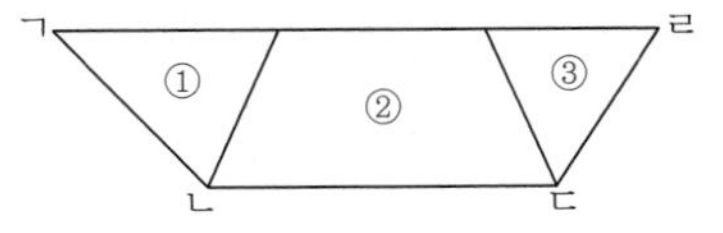

사다리꼴은 평행한 두 변이 있는 사각형입니다. ①, ③은 삼각형입니다. ②, ①+②, ②+③, ①+②+③은 위와 아래의 변이 평행하므로 사다리꼴입니다.

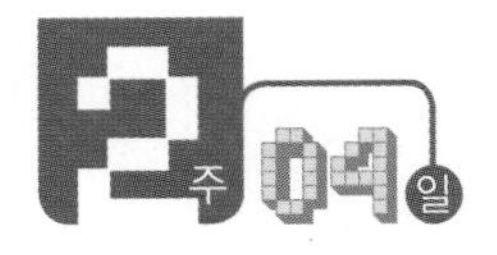

교과서 대표 전략❶ 60~63쪽

대표 예제 01 8 cm
대표 예제 02 30°
대표 예제 03 ㉡
대표 예제 04 예
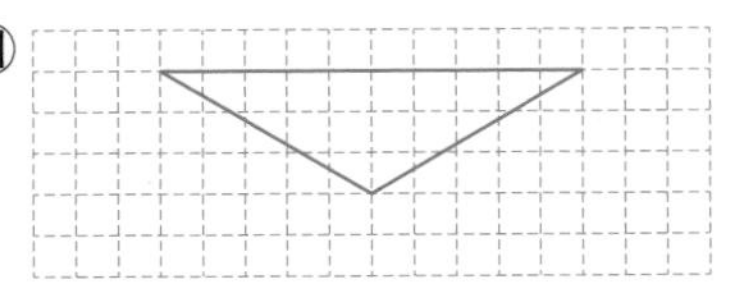
대표 예제 05 28 cm
대표 예제 06 아래쪽에 ○표
대표 예제 07 ㉠, ㉡, ㉣
대표 예제 08 (위에서부터) 13, 8
대표 예제 09 90, 7
대표 예제 10
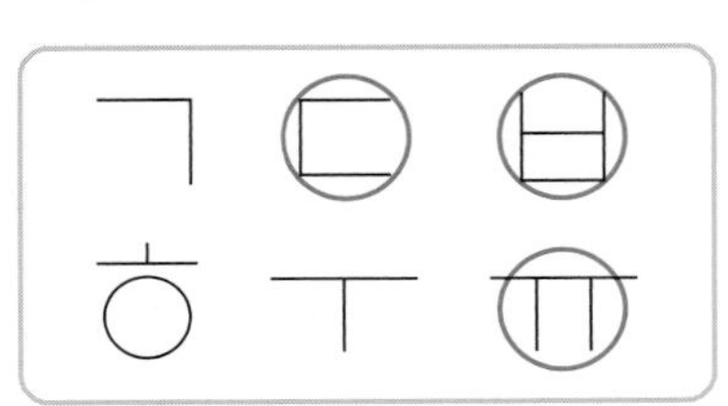
대표 예제 11 180°
대표 예제 12 예 직선은 끝이 없는 곧은 선이므로 두 직선은 서로 만납니다. 따라서 두 직선은 평행하지 않습니다.
대표 예제 13 ㉠
대표 예제 14
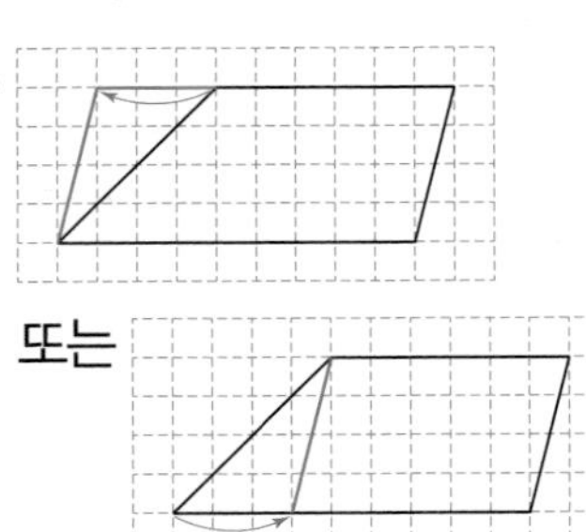
대표 예제 15 13 cm, 53°
대표 예제 16 9 cm

대표 예제 01 두 각의 크기가 60°이므로 나머지 한 각의 크기는 $180° - 60° - 60° = 60°$입니다. 따라서 정삼각형이므로 세 변의 길이가 같습니다.
⇨ $24 \div 3 = 8$ (cm)

대표 예제 02 변 ㄱㄴ과 변 ㄱㄷ의 길이가 같으므로 각 ㄱㄴㄷ과 각 ㄱㄷㄴ의 크기가 같습니다.
$180° - 120° = 60°$ ⇨ $60 \div 2 = 30(°)$

대표 예제 03 나머지 한 각의 크기는
$180° - 65° - 85° = 30°$입니다.
세 각이 모두 예각이므로 예각삼각형이고, 크기가 같은 두 각이 없으므로 이등변삼각형이 아닙니다.

대표 예제 05 이등변삼각형은 두 변의 길이가 같으므로 변 ㄱㄷ의 길이는 12 cm입니다. 따라서 세 변의 길이의 합은 $12 + 4 + 12 = 28$ (cm)입니다.

대표 예제 06 예각삼각형은 세 각이 모두 예각입니다.
130°는 둔각이므로 한 각이 130°인 삼각형은 둔각삼각형입니다.

대표 예제 07 길이가 같은 두 변의 끝에 있는 각의 크기는 같으므로 오른쪽에 있는 각의 크기는 60°입니다. 나머지 한 각의 크기도 $180° - 60° - 60° = 60°$이므로 정삼각형입니다.

대표 예제 08 변 ㄷㄹ은 8 cm이고, 변 ㄴㄹ의 길이는 $29 - 8 - 8 = 13$ (cm)입니다.
정삼각형의 세 변의 길이는 같으므로 변 ㄱㄹ의 길이는 13 cm입니다.

대표 예제 09 마름모는 마주 보는 꼭짓점끼리 이은 선분이 서로 수직이고, 네 변의 길이가 같습니다.

대표 예제 10 수직으로 만나는 두 직선이 모두 있으므로 평행선이 있는 것을 찾아 ○표 합니다.

대표 예제 11 평행사변형은 마주 보는 각의 크기가 같습니다. 네 각의 크기의 합은 360°이므로 이웃한 두 각의 크기는 $360 \div 2 = 180(°)$입니다.

대표 예제 13 ㉠ 마름모는 네 각이 모두 직각이 아닐 수도 있으므로 모든 마름모가 정사각형인 것은 아닙니다.

대표 예제 15 평행사변형은 마주 보는 변끼리 길이가 같습니다.
각 ㄱㄹㄷ의 크기는 $180° - 127° = 53°$입니다.

대표 예제 16 가의 네 변의 길이의 합은
$7 + 11 + 7 + 11 = 36$ (cm)입니다.
나의 한 변의 길이는
$36 \div 4 = 9$ (cm)입니다.

교과서 대표 전략❷ 64~65쪽

1 예 정삼각형은 각의 크기가 모두 60°로 예각이므로 예각삼각형입니다.

2 33 cm
3 2개
4 7
5 70°
6 26 cm
7 6 cm
8 70°

2 나머지 한 각의 크기가 60°이므로 세 각의 크기가 같은 정삼각형입니다. 정삼각형은 변의 길이가 모두 같으므로 세 변의 길이의 합은 $11+11+11=33$ (cm)입니다.

3

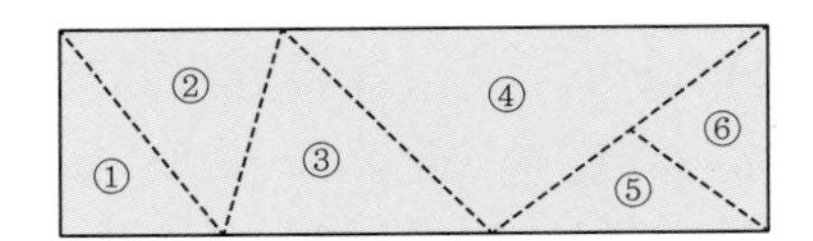

①: 직각삼각형
②, ③, ⑥: 예각삼각형
④, ⑤: 둔각삼각형

4 정삼각형의 세 변의 길이의 합은 $8+8+8=24$ (cm)입니다.
오른쪽 이등변삼각형의 두 변의 길이가 같으므로 $\square+\square+10=24$입니다.
$\square+\square=14$, $\square=7$ (cm)

5 마름모에서 이웃한 두 각의 크기의 합은 180°입니다. 각 ㄱㄹㄷ의 크기는 $180°-110°=70°$입니다.

6

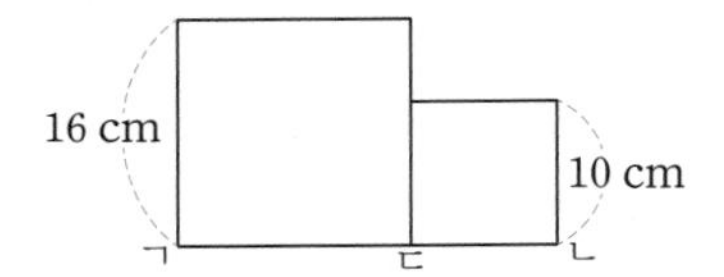

변 ㄱㄷ의 길이는 16 cm이고 변 ㄷㄴ의 길이는 10 cm이므로 변 ㄱㄴ의 길이는 $16+10=26$ (cm)입니다.

7 선분 ㄴㅁ의 길이는 9 cm이므로 변 ㅁㄷ의 길이는 $15-9=6$ (cm)입니다.

8 각 ㄹㄴㄷ의 크기는 $180°-60°-50°=70°$입니다.

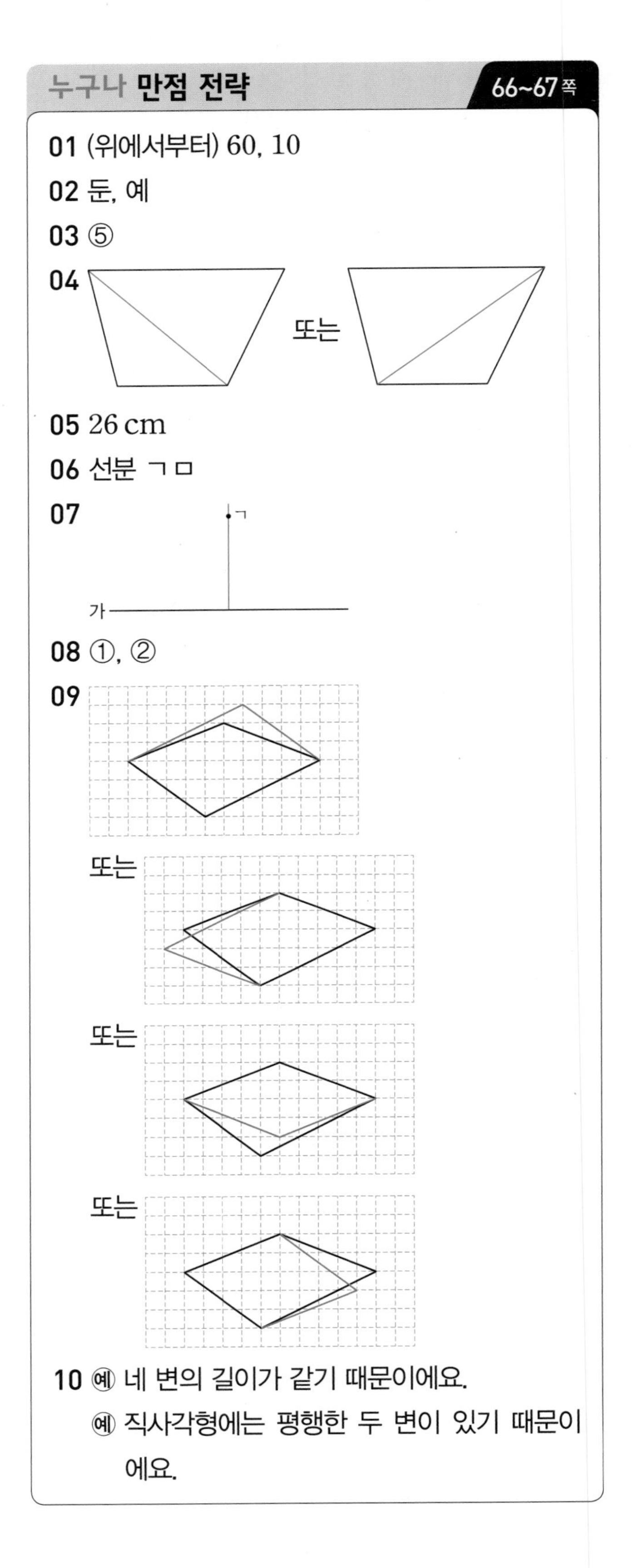

누구나 만점 전략 66~67쪽

01 (위에서부터) 60, 10
02 둔, 예
03 ⑤
04 또는
05 26 cm
06 선분 ㄱㅁ
07

08 ①, ②
09 또는 또는 또는
10 예 네 변의 길이가 같기 때문이에요.
예 직사각형에는 평행한 두 변이 있기 때문이에요.

01 정삼각형은 각의 크기가 60°입니다.
정삼각형은 변의 길이가 모두 같습니다.

02 둔각이 있는 왼쪽 삼각형은 둔각삼각형입니다. 세 각이 모두 예각인 오른쪽 삼각형은 예각삼각형입니다.

03 나머지 한 각의 크기를 구하여 둔각이 있는지 알아봅니다.
① $180° - 60° - 60° = 60°$ (예각삼각형)
② $180° - 90° - 10° = 80°$ (직각삼각형)
③ $180° - 70° - 80° = 30°$ (예각삼각형)
④ $180° - 30° - 60° = 90°$ (직각삼각형)
⑤ $180° - 20° - 50° = 110°$ (둔각삼각형)

04 둔각이 있는 삼각형과 모두 예각인 삼각형으로 나누어지도록 선분을 긋습니다.

05 이등변삼각형에는 길이가 같은 두 변이 있습니다.
⇨ $6 + 10 + 10 = 26$ (cm)

06 선분 ㄴㄷ과 만나는 선분 중에서 선분 ㄴㄷ과 수직으로 만나는 것을 찾습니다.

07 점 ㄱ을 지나는 직선 중에서 직선 가와 수직으로 만나는 직선을 긋습니다.

08 마주 보는 두 변이 모두 평행합니다.
평행한 변이 두 쌍 있으므로 평행사변형이고 사다리꼴이라고 할 수 있습니다.

09 한 꼭짓점을 골라 평행사변형이 되도록 알맞게 옮깁니다.

10 네 변의 길이가 같은 사각형을 마름모라고 합니다. 평행한 두 변이 있는 사각형을 사다리꼴이라고 합니다.

창의•융합•코딩 전략❶ 68~69쪽

1 60°
2 8 cm, 평행선 사이의 거리

1 정삼각형은 세 각의 크기가 같으므로 한 각의 크기는 삼각형의 세 각의 크기의 합인 180°를 3으로 나눈 몫과 같습니다.

2 가와 나 사이에 수직인 선분을 평행선 사이의 거리라고 합니다. 가와 나의 평행선 사이의 거리는 8 cm입니다.

창의•융합•코딩 전략❷ 70~73쪽

1 ( )
(○)
(○)
( )
2 다
3 ( )(○)(○)(○)
4 (위에서부터) 나, 라 / 다, 가
5 예 1 cm
1 cm
6

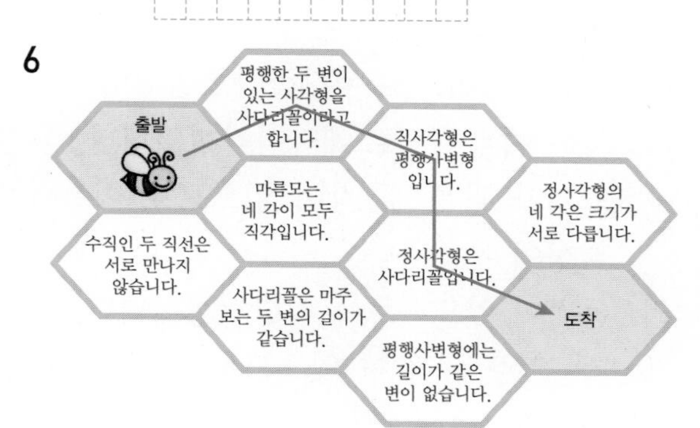

7
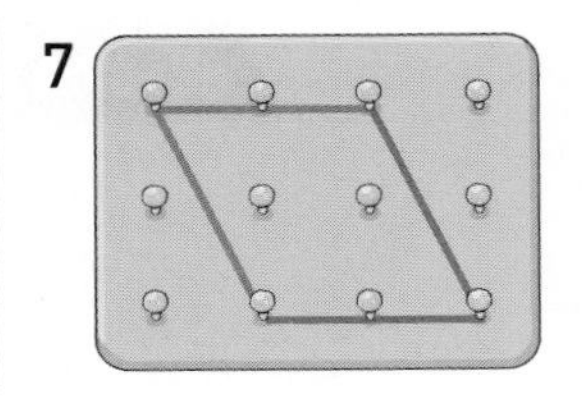
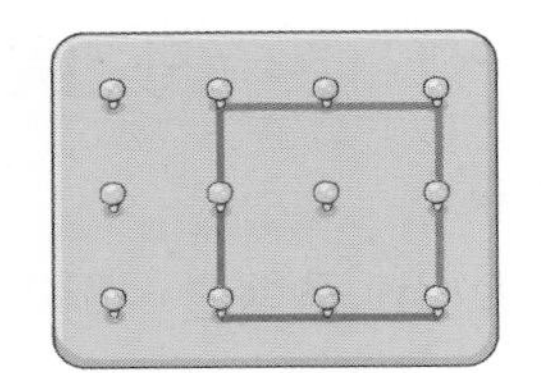

8 (1) 수직 (2) 평행

1 길이가 같은 두 변이 있으므로 이등변삼각형입니다. 삼각형을 그려 보면 예각삼각형이 됩니다.

2 아래에 놓인 변의 길이를 구하여 세 변의 길이가 같은 삼각형을 찾습니다.
가의 세 변의 길이는 7 cm, 7 cm, 8 cm이고 나의 세 변의 길이는 5 cm, 5 cm, 8 cm이고, 라의 세 변의 길이는 8 cm, 8 cm, 4 cm이므로 가, 나, 라는 이등변삼각형입니다.
다는 변의 길이가 6 cm인 정삼각형입니다.

3 크기가 같은 두 각을 찾으면 45°, 45°입니다. 삼각형의 세 각의 크기의 합은 180°이므로 나머지 한 각의 크기는 $180^\circ-45^\circ-45^\circ=90^\circ$입니다.

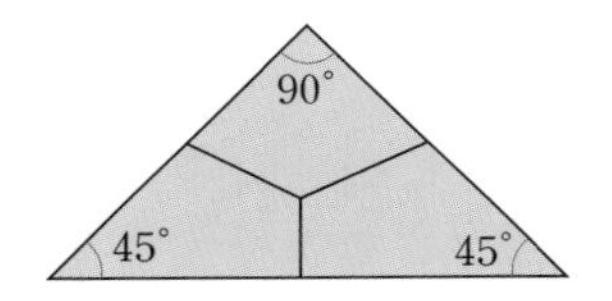

4 가: 둔각이 있으므로 둔각삼각형입니다. 크기가 같은 두 각이 없으므로 이등변삼각형이 아닙니다.
나: 정삼각형이므로 예각삼각형입니다.
다: 모두 예각이므로 예각삼각형입니다.
크기가 같은 두 각이 없으므로 이등변삼각형이 아닙니다.
라: 둔각이 있으므로 둔각삼각형입니다. 크기가 같은 두 각이 있으므로 이등변삼각형입니다.

5 길이가 6 cm인 변과 평행선 사이의 거리가 4 cm가 되도록 5 cm인 변을 그려 사다리꼴을 완성할 수 있습니다.

예 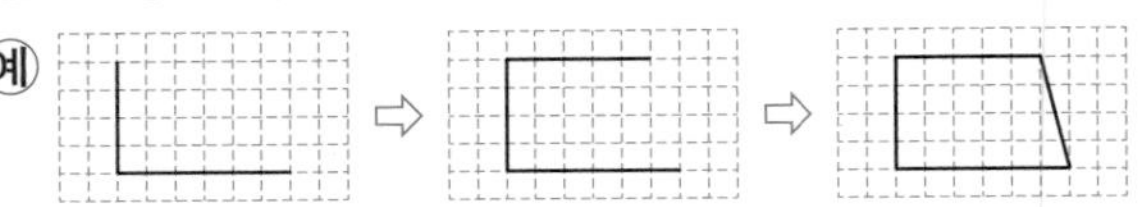

6 • 수직인 두 직선은 서로 만납니다.
• 마름모는 네 각이 모두 직각이 아닐 수도 있습니다.
• 사다리꼴은 마주 보는 변의 길이가 항상 같은 것은 아닙니다.
• 평행사변형은 마주 보는 변끼리 길이가 같습니다.
• 정사각형은 네 각의 크기가 모두 같습니다.

7 마주 보는 변끼리 평행하도록 마지막 꼭짓점을 찾습니다.

8 (1) 가와 나를 이은 직선과 나와 라를 이은 직선은 직각으로 만나므로 수직입니다.
(2) 가와 나를 이은 직선과 다와 라를 이은 직선은 길게 늘여도 만나지 않으므로 평행합니다.

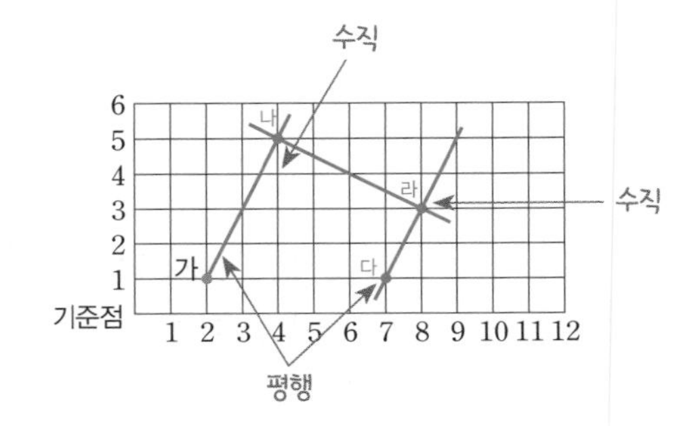

개념 돌파 전략❶ 개념 기초 확인 77, 79쪽

1-1 (　　)(○)

1-2 나

2-1 정오각형

2-2 정육각형

3-1 (　　)(○)

3-2 ○

4-1 1 ℃

4-2 2 ℃

5-1 강낭콩의 키

(mm) 15, 10, 5, 0 / 키, 날짜: 1, 2, 3, 4 (일)

5-2 수진이의 키

(cm) 131.0, 130.5, 130.0, 0 / 키, 월: 3, 4, 5, 6 (월)

1-2 선분으로만 둘러싸인 도형을 찾으면 나입니다.
가: 선분으로 둘러싸여 있지 않습니다.
다: 곡선이 포함되었습니다.

2-2 변이 6개인 정다각형은 정육각형입니다.

3-2 서로 이웃하지 않는 두 꼭짓점을 이었으므로 바르게 그었습니다.

4-2 세로 눈금 5칸이 10 ℃이므로 세로 눈금 1칸은 $10 \div 5 = 2$ (℃)를 나타냅니다.

5-2 표를 보고 가로 눈금과 세로 눈금이 만나는 자리에 점을 찍고 선분으로 잇습니다.

개념 돌파 전략❷ 80~81쪽

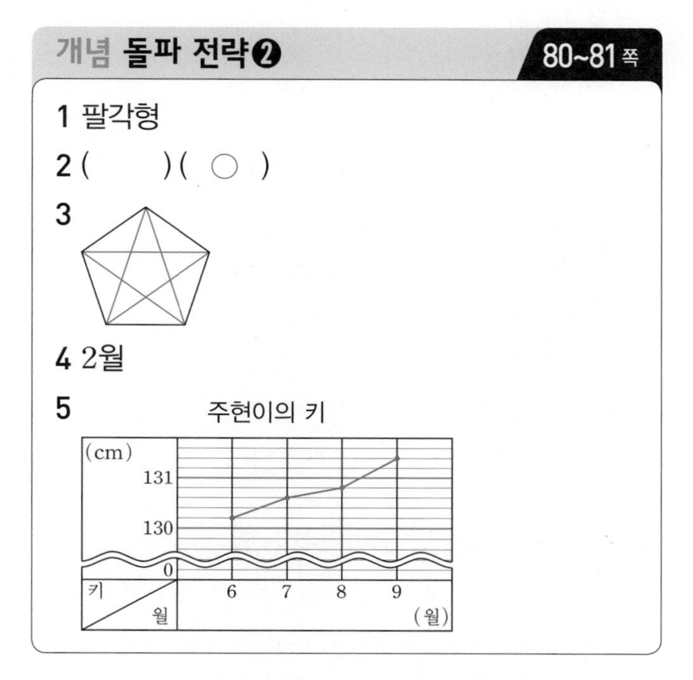

1 팔각형

2 (　　)(○)

3

4 2월

5 주현이의 키

1 변이 8개인 다각형이므로 팔각형입니다.

2 정다각형은 변의 길이가 모두 같고 각의 크기가 모두 같습니다.
왼쪽의 도형은 변의 길이가 모두 같지 않으므로 정다각형이 아닙니다.

3 서로 이웃하지 않는 두 꼭짓점을 모두 선으로 잇습니다.

4 꺾은선그래프를 보면 몸무게가 가장 무거운 달은 2월입니다.

5 가로 눈금과 세로 눈금이 만나는 곳에 점을 찍고 점들을 선분으로 이어 꺾은선그래프를 완성합니다.

필수 체크 전략❶ 82~85쪽

필수 예제 01 (1) 나, 다, 바 (2) 바
확인 1-1 다, 라
확인 1-2 나
필수 예제 02 9개
확인 2-1 0개
확인 2-2 5개
필수 예제 03 1, 2
확인 3-1 6, 7
확인 3-2 4, 5
필수 예제 04 (1) 5 (2) 1
확인 4-1 1번
확인 4-2 2번

확인 1-1 선분으로만 둘러싸인 도형은 다, 라입니다.

확인 1-2 변의 길이가 모두 같고 각의 크기가 모두 같은 다각형은 나입니다.

확인 2-1 삼각형은 서로 이웃하지 않는 꼭짓점이 없으므로 대각선이 0개입니다.

확인 2-2 오각형에서 서로 이웃하지 않는 두 꼭짓점을 이은 선분은 모두 5개입니다.

확인 3-1 꺾은선이 가장 크게 기울어진 곳을 찾으면 6일과 7일 사이입니다.

확인 3-2 꺾은선이 가장 작게 기울어진 곳을 찾으면 4월과 5월 사이입니다.

확인 4-1 세로 눈금 5칸의 크기는 5번이므로 세로 눈금 한 칸의 크기는
$5 \div 5 = 1$(번)입니다.

확인 4-2 세로 눈금 5칸의 크기는 10번이므로 세로 눈금 한 칸의 크기는
$10 \div 5 = 2$(번)입니다.

필수 체크 전략❷ 86~87쪽

1 540°
2 5
3 삼각형, 육각형
4 예 1400상자
5 예

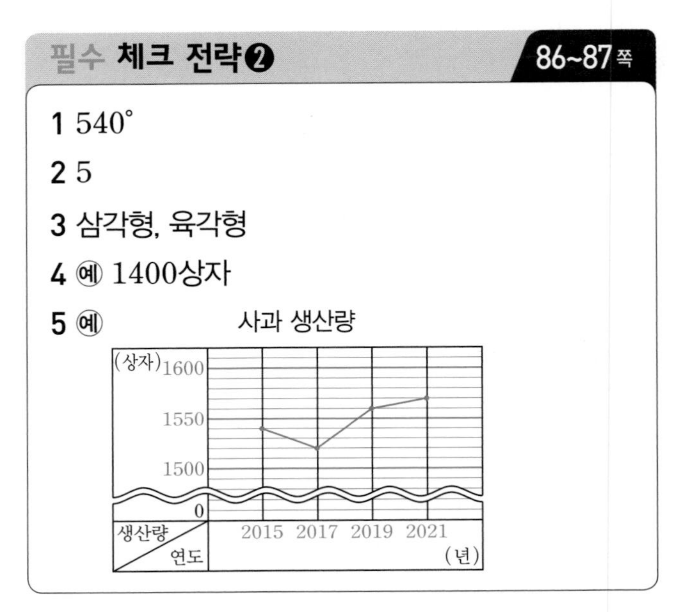

1 삼각형의 세 각의 크기의 합은 180°입니다.
오각형은 삼각형 3개로 나누어지므로 삼각형 3개의 각을 모두 더한 것과 같습니다.
⇨ $180° \times 3 = 540°$

2 직사각형에서 두 대각선의 길이는 같습니다.
한 대각선의 길이는 5 cm이므로 다른 대각선의 길이도 5 cm입니다.

3 초록색 모양 조각은 변이 3개이므로 삼각형입니다.
노란색 모양 조각은 변이 6개이므로 육각형입니다.

4 2017년은 1000상자, 2019년은 1800상자이므로 2018년은 1000상자와 1800상자의 중간인 1400상자쯤 될 것으로 예상할 수 있습니다.

5 세로 눈금 한 칸의 크기를 정하고 물결선에 주의하여 꺾은선그래프를 그립니다.

필수 체크 전략❶ 88~91쪽

필수 **예제 01** 36 cm
확인 1-1 35 cm
확인 1-2 20 cm
필수 **예제 02** 1080°
확인 2-1 720°
확인 2-2 360°
필수 **예제 03** 3 cm
확인 3-1 1 cm
확인 3-2 2 cm
필수 **예제 04** 110 mm
확인 4-1 6시 32분
확인 4-2 6시 22분

확인 1-1 정오각형은 변이 5개입니다.
따라서 정오각형의 모든 변의 길이의 합은 $7\times5=35$ (cm)입니다.

확인 1-2 정사각형은 변이 4개입니다.
따라서 정사각형의 모든 변의 길이의 합은 $5\times4=20$ (cm)입니다.

확인 2-1 정육각형은 각이 6개입니다.
따라서 정육각형의 모든 각의 크기의 합은 $120^\circ\times6=720^\circ$입니다.

확인 2-2 정사각형은 각이 4개입니다.
따라서 정사각형의 모든 각의 크기의 합은 $90^\circ\times4=360^\circ$입니다.

확인 3-1 3일: 10 cm, 5일: 9 cm
⇨ $10-9=1$ (cm)

확인 3-2 10일: 10 cm, 17일: 12 cm
⇨ $12-10=2$ (cm)

확인 4-1 일주일마다 10분씩 일정하게 줄어들고 있습니다.
⇨ 6시 42분−10분=6시 32분으로 예상할 수 있습니다.

확인 4-2 일주일마다 10분씩 일정하게 줄어들고 있습니다.
⇨ 6시 42분−10분−10분=6시 22분으로 예상할 수 있습니다.

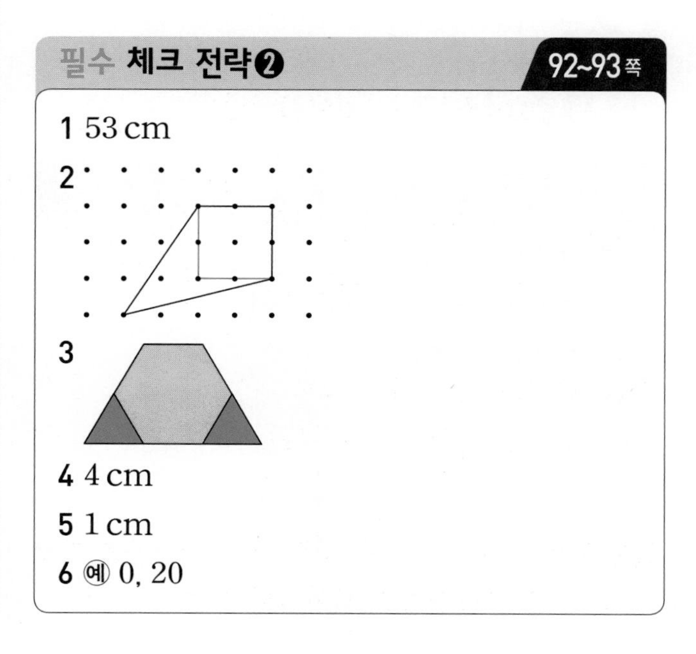
필수 체크 전략❷ 92~93쪽

1 53 cm
2
3
4 4 cm
5 1 cm
6 예 0, 20

정답 및 풀이

1 정오각형: 한 변의 길이가 5 cm이고 변이 5개이므로 모든 변의 길이의 합은 $5\times5=25$ (cm)입니다.
정칠각형: 한 변의 길이가 4 cm이고 변이 7개이므로 모든 변의 길이의 합은 $4\times7=28$ (cm)입니다.
⇨ $25+28=53$ (cm)

2 네 변의 길이가 같고, 네 각의 크기가 모두 같도록 꼭짓점을 옮깁니다.

3 크기가 큰 모양 조각부터 먼저 놓습니다.

4 3일과 4일 사이에 키의 변화가 가장 큽니다.
3일: 6 cm, 4일: 10 cm
⇨ $10-6=4$ (cm)

5 1일과 2일 사이에 키의 변화가 가장 작습니다.
1일: 3 cm, 2일: 4 cm
⇨ $4-3=1$ (cm)

6 표에서 가장 작은 숫자가 20.5 ℃이므로 0 ℃부터 20 ℃ 사이에 물결선을 넣는 것이 좋습니다.

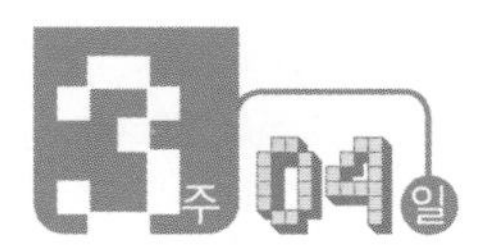

교과서 대표 전략❶ 94~97쪽

대표 예제 01 나, 다

대표 예제 02 (위에서부터) 6, 144

대표 예제 03 4 cm

대표 예제 04 다, 나, 가

대표 예제 05 예

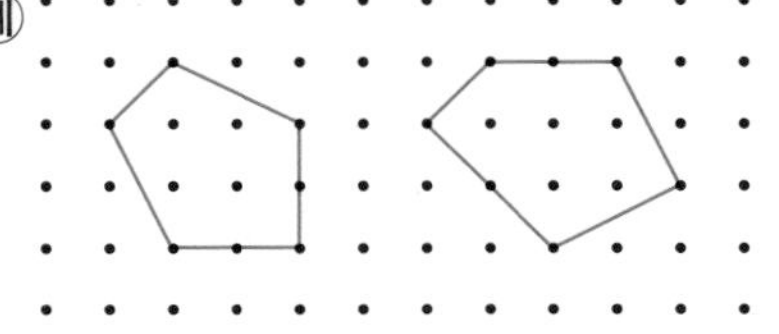

대표 예제 06 예 정삼각형은 세 각의 크기가 같은데 한 각이 직각이므로 정삼각형이 아닙니다.

대표 예제 07 예

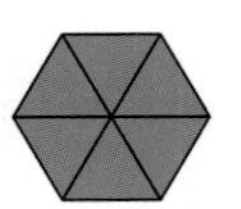

대표 예제 08 ㉢

대표 예제 09 4상자

대표 예제 10

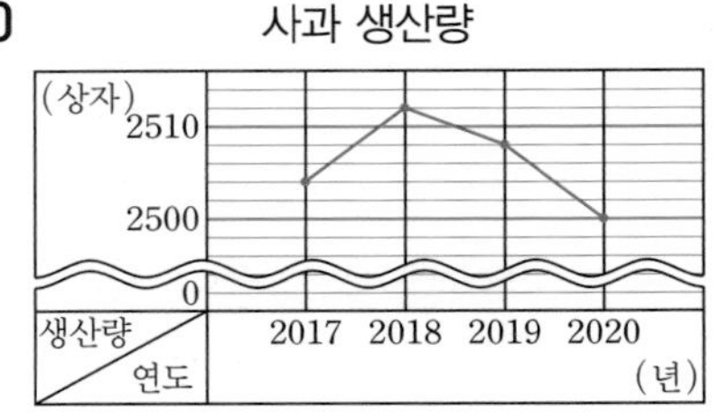

대표 예제 11 37개, 34개

대표 예제 12 예 과자가 가장 많이 팔린 날은 12일입니다.
/ 16일은 과자 35개가 팔렸습니다.

대표 예제 13 예 1일

대표 예제 14

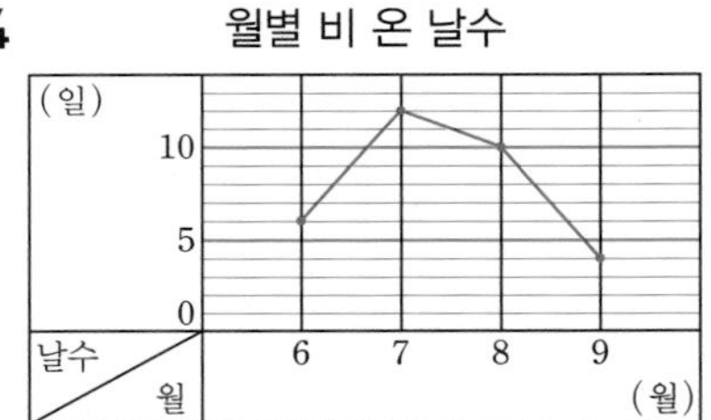

대표 예제 15 예 22 ℃

대표 예제 16 4 ℃

대표 예제 01 나는 곡선이 있으므로 다각형이 아닙니다.
다는 선분으로 둘러싸여 있지 않으므로 다각형이 아닙니다.

대표 예제 02 정십각형의 모든 변의 길이가 같으므로 6 cm입니다.
정십각형의 모든 각의 크기가 같으므로 144°입니다.

대표 예제 03 정사각형은 두 대각선의 길이가 같으므로
(선분 ㄱㄷ)=(선분 ㄴㄹ)=8 cm입니다.
정사각형은 한 대각선이 다른 대각선을 반으로 나누므로
(선분 ㄱㅁ)=(선분 ㅁㄷ)
$=8\div2=4$ (cm)입니다.

대표 예제 04 꼭짓점의 수가 많은 다각형일수록 대각선의 수가 많습니다.
따라서 꼭짓점이 많은 다각형부터 차례로 기호를 쓰면 다, 나, 가입니다.

대표 예제 05 모양이 다른 변이 5개인 다각형을 2개 그립니다.

대표 예제 06 '세 변의 길이가 같지 않습니다.'라고 써도 정답입니다.

대표 예제 07 다음과 같이 만들 수도 있습니다.

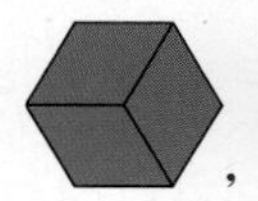, 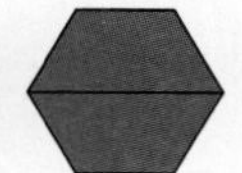

대표 예제 08 ㉢ 사다리꼴은 두 대각선의 길이가 같지 않을 수도 있습니다.

대표 예제 09 세로 눈금 5칸이 20상자를 나타내므로 1칸은 $20\div5=4$(상자)를 나타냅니다.

대표 예제 10 세로 눈금 한 칸은 $10\div5=2$(상자)를 나타냅니다.

대표 예제 11 12일은 35개에서 2칸 위이므로 37개입니다.
14일은 35개에서 1칸 아래이므로 34개입니다.

대표 예제 12 꺾은선그래프를 보고 알 수 있는 점을 적습니다.

대표 예제 13 4일부터 12일까지 나타내야 하므로 세로 눈금 한 칸은 1일로 하는 것이 좋습니다.

대표 예제 14 표에 맞게 꺾은선그래프로 나타냅니다.

대표 예제 15 3시의 온도는 23 ℃이고 4시의 온도는 21 ℃이므로 그 중간인 22 ℃쯤 될 것으로 예상할 수 있습니다.

대표 예제 16 온도가 가장 높을 때는 2시로 25 ℃이고, 가장 낮을 때는 4시로 21 ℃입니다.
따라서 두 온도의 차는
$25-21=4$ (℃)입니다.

교과서 대표 전략❷ 98~99쪽

1 6
2 14
3 6 cm
4 사다리꼴
5 352명
6 354, 350, 348
7 ㉠ 40개
8 48개

1 정오각형은 변이 5개이므로 한 변의 길이는 $30\div5=6$ (cm)입니다.

2 육각형은 변이 6개입니다. ㉠=6
팔각형은 각이 8개입니다. ㉡=8
따라서 ㉠+㉡=6+8=14입니다.

3 (선분 ㄱㄷ)$=$(선분 ㄱㅁ)$\times 2$

$=5\times 2=10$ (cm)

⇨ (선분 ㄴㄹ)$-$(선분 ㄱㄷ)

$=16-10=6$ (cm)

4 모든 각의 크기의 합이 360°인 다각형은 사각형입니다.

평행사변형은 서로 다른 대각선을 반으로 나누므로 평행한 변이 있으면서 서로 다른 대각선을 반으로 항상 나누지 않는 사각형은 사다리꼴입니다.

참고

평행사변형, 마름모, 직사각형, 정사각형은 서로 다른 대각선을 반으로 나눕니다.

5 (2021년의 4학년 학생 수)

$=$(2020년의 4학년 학생 수)$+4$

$=348+4=352$(명)

6 꺾은선그래프를 보고 각 연도에 맞는 세로 눈금을 읽어 표로 나타냅니다.

7 가장 적은 개수는 4일의 41개이므로 41개보다 아래에 있는 40개까지는 물결선으로 표시하는 것이 좋습니다.

8 9일의 세로 눈금은 20개에서 4칸 위에 있으므로 세로 눈금 1칸은 $16\div 4=4$(개)를 나타냅니다.

⇨ 10일에는 20개에서 세로 눈금 7칸 위에 있으므로 48개 했습니다.

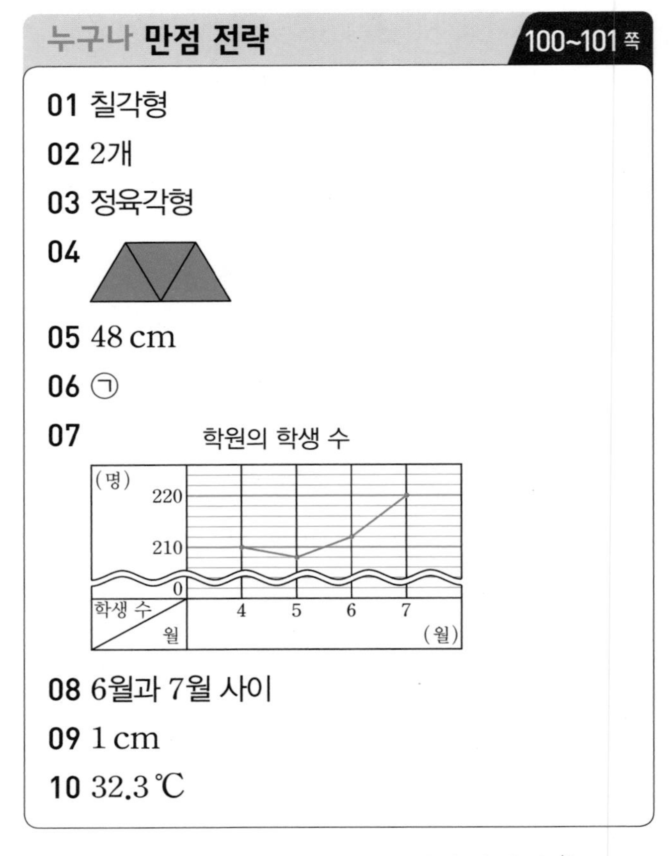

누구나 만점 전략 100~101쪽

01 칠각형

02 2개

03 정육각형

04

05 48 cm

06 ㉠

07 학원의 학생 수

08 6월과 7월 사이

09 1 cm

10 32.3 ℃

01 다각형의 변이 7개이므로 칠각형입니다.

02 평행사변형 ㄱㄴㄷㄹ에서 그을 수 있는 대각선은 선분 ㄱㄷ과 선분 ㄴㄹ로 모두 2개입니다.

03 변이 6개인 다각형은 육각형이고, 모든 각의 크기가 같고 모든 변의 길이가 같으므로 정육각형입니다.

04 모양 조각 3개를 사용합니다.

05 (정팔각형의 모든 변의 길이의 합)

$=$(정팔각형의 한 변의 길이)$\times 8$

$=6\times 8=48$ (cm)

06 꺾은선그래프는 변화가 있는 자료를 나타내기에 더 좋은 그래프입니다.

07 표를 보고 점을 찍어 꺾은선으로 나타냅니다.

08 꺾은선이 가장 크게 기울어진 6월과 7월 사이에 가장 많이 변했습니다.

09 세로 눈금 5칸이 5 cm를 나타내므로 세로 눈금 한 칸은 $5 \div 5 = 1$ (cm)를 나타냅니다.

10 세로 눈금 한 칸이 0.1 ℃를 나타냅니다.
15일의 세로 눈금을 읽으면 32.3 ℃입니다.

창의•융합•코딩 전략❶ 102~103쪽

1 육각형 **2** 37.5 ℃

1 변이 6개이므로 육각형입니다.

2 3시의 세로 눈금을 읽으면 37.5 ℃입니다.

창의•융합•코딩 전략❷ 104~107쪽

1 정십이각형
2 80 cm
3 구각형
4 12
5 홈페이지의 방문자 수

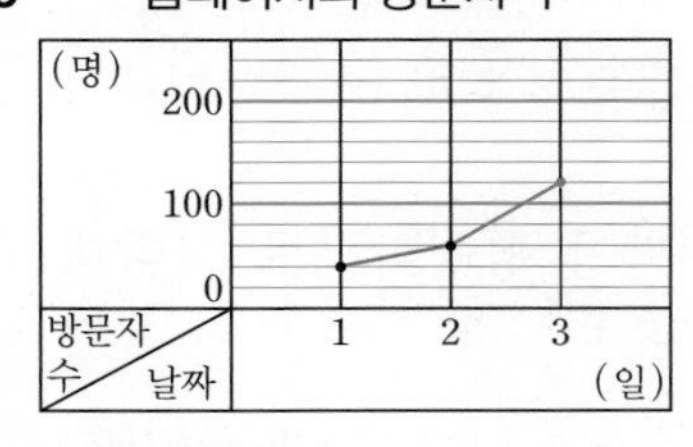

6 375000원
7 2일
8 240개

1 정다각형은 모든 변의 길이가 같고, 변의 수는 $60 \div 5 = 12$(개)이므로 정십이각형입니다.

2 정오각형의 한 변의 길이는 $40 \div 5 = 8$ (cm)입니다.
굵은 선의 길이는 정오각형의 한 변의 길이의 10배와 같으므로 굵은 선의 길이는 $8 \times 10 = 80$ (cm)입니다.

3 변의 수가 6개, 7개, 8개로 1개씩 늘어나고 있습니다.
다음에 나올 도형은 변의 수가 9개인 구각형입니다.

4 정오각형의 모든 각의 크기의 합은 540°이고, 정육각형의 모든 각의 크기의 합은 720°이므로 정오각형의 한 각의 크기는 $540 \div 5 = 108°$이고, 정육각형의 한 각의 크기는 $720 \div 6 = 120°$입니다.
(구하려는 각의 크기)
$= 360° - 108° - 120° - 120° = 12°$

5 세로 눈금 5칸이 100명을 나타내므로 세로 눈금 한 칸은 $100 \div 5 = 20$(명)을 나타냅니다.
2일보다 세로 눈금 $60 \div 20 = 3$(칸)만큼 위에 점을 찍고 선분으로 이어 그래프를 완성합니다.

6 (5일 동안의 단팥빵 판매량)
$= 72 + 80 + 76 + 77 + 70 = 375$(개)
⇨ (단팥빵을 팔고 받은 금액)
$= 375 \times 1000 = 375000$(원)

7 남자와 여자 방문자 수를 날짜별로 더하면 1일: 350명, 2일: 470명, 3일: 450명, 4일: 420명, 5일: 440명이므로 2일에 사람들이 가장 많이 방문했습니다.

8 (생산한 인형의 수)=(3일부터 6일까지 생산한 인형의 수의 합)+(7일에 생산한 인형의 수)
⇨ 7일에 생산한 인형의 수는 생산한 인형의 수에서 3일부터 6일까지 생산한 인형의 수의 합을 빼어 구합니다.
3일부터 6일까지 생산한 인형의 수는
$200 + 220 + 240 + 300 = 960$(개)입니다.
따라서 7일에 생산한 인형의 수는
$1200 - 960 = 240$(개)입니다.

신유형·신경향·서술형 전략 110-115쪽

1 ❶ 9, 9 ❷ $2\frac{5}{9}$ ❸ $1\frac{6}{9}$

2 ❶ 9.421 ❷ 8.755 ❸ 18.176

3 ❶ 예

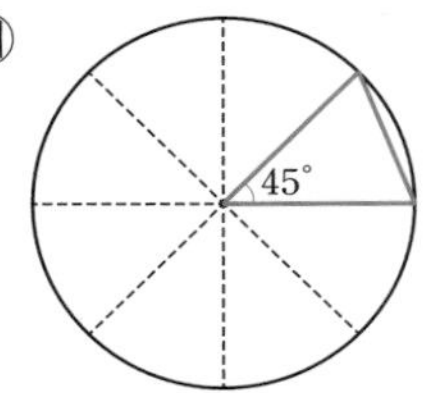

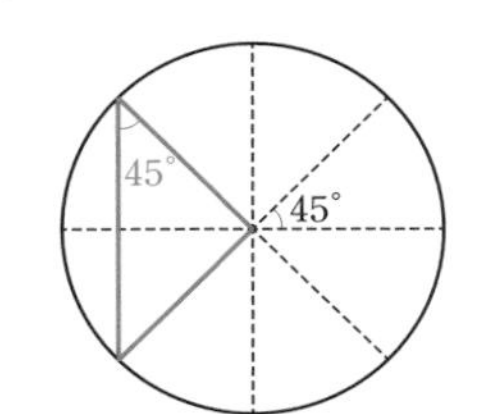

❷ 예

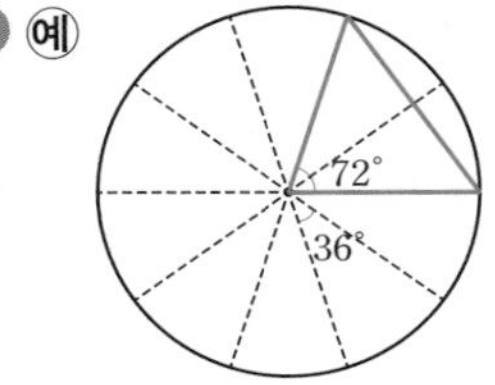

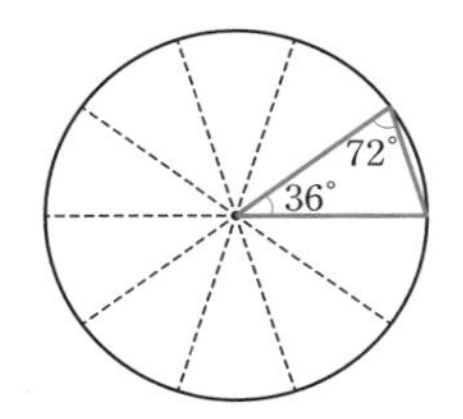

❸ 예

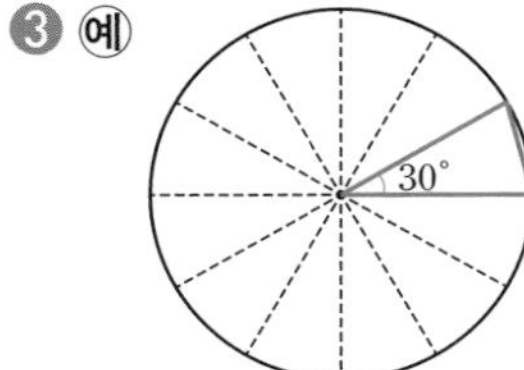

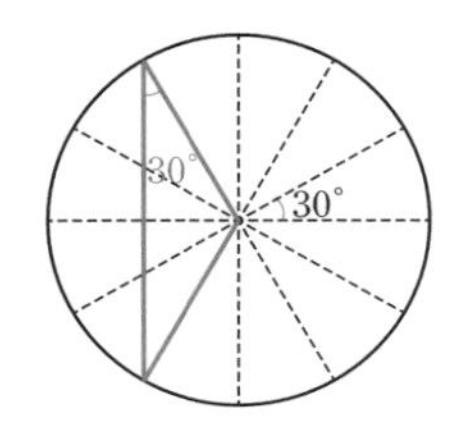

4 ❶ ~~정사각형~~, ~~평행사변형~~, 사다리꼴, ~~마름모~~, 사각형

❷ 정사각형, 평행사변형, 사다리꼴, 마름모, ~~정삼각형~~

❸ ~~정사각형~~, 평행사변형, 사다리꼴, 마름모, 사각형

5 ❶ 1개, 0개 3개 ❷ 다

6 ❶ 6월입니다. / 12월입니다.

❷ 8월입니다. / 2월입니다.

1 ❶ $38-2=36$이므로 자연수 부분과 분모의 곱은 36입니다. $4\times\square=36$, $\square=9$

❷ $\frac{23}{9}=\frac{18}{9}+\frac{5}{9}=2\frac{5}{9}$

❸ $4\frac{2}{9}-2\frac{5}{9}=3\frac{11}{9}-2\frac{5}{9}=1\frac{6}{9}$

또는 $\frac{38}{9}-\frac{23}{9}=\frac{15}{9}=1\frac{6}{9}$

2 ❶ $9>4>2>1$이므로 소수 세 자리 수가 되도록 큰 수부터 높은 자리에 씁니다.

❷ $8>7>5$이므로 소수 세 자리 수가 되도록 큰 수부터 높은 자리에 씁니다.

❸ $9.421+8.755=18.176$

3 ❶ • 한 각이 45°인 이등변삼각형을 그립니다.
• $180°-45°-45°=90°$이고 $45\times2=90$이므로 45°인 각을 2개 더한 각(90°)을 한 각으로 하고 나머지 두 각의 크기가 45°인 이등변삼각형을 그립니다.

❷ • $36\times2=72$이므로 36°인 각을 2개 더한 각(72°)을 한 각으로 하는 이등변삼각형을 그립니다.
• $180°-72°-72°=36°$이므로 한 각이 36°인 이등변삼각형을 그립니다.

❸ • 한 각이 30°인 이등변삼각형을 그립니다.
• $180°-30°-30°=120°$이고 $30\times4=120$이므로 30°인 각을 4개 더한 각(120°)을 한 각으로 하고 나머지 두 각의 크기가 30°인 이등변삼각형을 그립니다.

4 ❶ 위와 아래의 변이 평행하므로 사다리꼴입니다.

❷ 네 변의 길이가 같고 네 각의 크기가 같으므로 정사각형입니다.

❸ 네 변의 길이가 같으므로 마름모입니다.

5 ❶

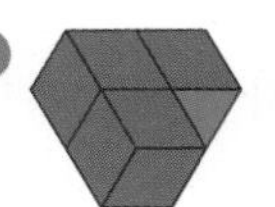

모양 6개, 모양 1개

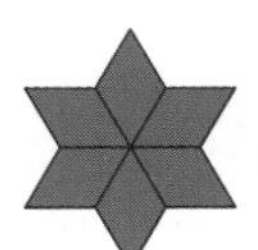

모양 6개

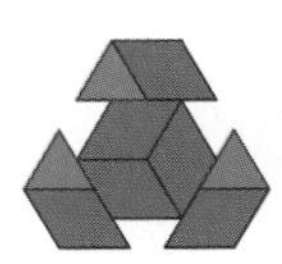

모양 6개, 모양 3개

학력진단 전략 1회 116-119쪽

01 5, 7, 12, $\boxed{1}\frac{\boxed{3}}{9}$

02 6.35, 육 점 삼오

03 3.59

04 0.08

05 2, 6, 2, 1

06 $\frac{6}{13}$

07 (1) $<$ (2) $>$

08 (1) 5.21 (2) 8.4

09 3.36

10 $4\frac{5}{8}$

11 $(4-1)+\left(\frac{5}{6}-\frac{2}{6}\right)=3+\frac{3}{6}=3\frac{3}{6}$

12 (위에서부터) 54, 540, 0.54

13 (위에서부터) $3\frac{6}{9}$, $\frac{5}{9}$

14

15 ㉢, ㉡, ㉠

16
$$\begin{array}{r} 3.2 \\ +\ 0.85 \\ \hline 4.05 \end{array}$$

17 $\frac{20}{8}+2\frac{4}{8}=5$

18 $\frac{2}{15}$ L

19 $2\frac{6}{9}$

20 210

01 분모가 같은 진분수의 덧셈은 분모는 그대로 두고 분자끼리 더합니다.

02 $\frac{35}{100}=0.35$이므로 $6\frac{35}{100}=6.35$입니다.
6.35는 육 점 삼오라고 읽습니다.

03 1이 ●개, 0.1이 ▲개, 0.01이 ■개인 수는 ●.▲■입니다.

04 0.385
- 소수 셋째 자리 숫자, 0.005
- 소수 둘째 자리 숫자, 0.08
- 소수 첫째 자리 숫자, 0.3

05 자연수 3에서 1만큼을 가분수로 바꾸어 계산합니다.
3은 $2\frac{6}{6}$으로 바꿀 수 있습니다.

06 $\frac{9}{13}-\frac{3}{13}=\frac{9-3}{13}=\frac{6}{13}$

07 (1) $5.759<9.3$ ($5<9$) (2) $0.152>0.146$ ($5>4$)

08 (1)
$$\begin{array}{r} {\scriptstyle 1\ 1} \\ 2.43 \\ +\ 2.78 \\ \hline 5.21 \end{array}$$
(2)
$$\begin{array}{r} {\scriptstyle 0\ 12\ 10} \\ \not{1}\not{3}.2 \\ -\ 4.8 \\ \hline 8.4 \end{array}$$

09 $3.7+\square=7.06$ ⇨ $7.06-3.7=\square$, $\square=3.36$

10 $7-2\frac{3}{8}=6\frac{8}{8}-2\frac{3}{8}=4\frac{5}{8}$

12 5.4의 $\frac{1}{10}$은 0.54입니다.
5.4의 10배는 54이고, 54의 10배는 540입니다.

13 $2\frac{1}{9}+1\frac{5}{9}=(2+1)+\left(\frac{1}{9}+\frac{5}{9}\right)=3+\frac{6}{9}$

$=3\frac{6}{9}$

$2\frac{1}{9}-1\frac{5}{9}=1\frac{10}{9}-1\frac{5}{9}$

$=(1-1)+\left(\frac{10}{9}-\frac{5}{9}\right)=\frac{5}{9}$

14 $0.11+0.14=0.25$, $0.32+0.15=0.47$,
$0.5+0.28=0.78$
$0.42-0.17=0.25$, $0.9-0.12=0.78$,
$3-2.53=0.47$

15 ㉠ $1\frac{7}{12}+1\frac{8}{12}=(1+1)+\left(\frac{7}{12}+\frac{8}{12}\right)$

$=2+\frac{15}{12}=2+1\frac{3}{12}$

$=3\frac{3}{12}$

㉡ $9\frac{5}{12}-5\frac{9}{12}=8\frac{17}{12}-5\frac{9}{12}$

$=(8-5)+\left(\frac{17}{12}-\frac{9}{12}\right)$

$=3+\frac{8}{12}=3\frac{8}{12}$

㉢ $7\frac{11}{12}-3\frac{7}{12}=(7-3)+\left(\frac{11}{12}-\frac{7}{12}\right)$

$=4+\frac{4}{12}=4\frac{4}{12}$

16 소수점끼리 맞추어 세로로 쓰고 같은 자리 수끼리 더한 다음 소수점을 그대로 내려 찍습니다.

17 $\frac{20}{8}=2\frac{4}{8}>2\frac{2}{8}$이므로 가장 큰 수는 $\frac{20}{8}=2\frac{4}{8}$입니다.

⇨ $\frac{20}{8}+2\frac{4}{8}=\frac{20}{8}+\frac{20}{8}=\frac{40}{8}=5$

18 $2-\frac{11}{15}=1\frac{15}{15}-\frac{11}{15}=1\frac{4}{15}$ (L),

$1\frac{4}{15}-1\frac{2}{15}=\frac{2}{15}$ (L)

다른 풀이
오전과 오후에 마신 물의 양은
$\frac{11}{15}+1\frac{2}{15}=1\frac{13}{15}$ (L)입니다.
물 2 L에서 마신 물의 양을 뺍니다.
$2-1\frac{13}{15}=1\frac{15}{15}-1\frac{13}{15}=\frac{2}{15}$ (L)

19 (어떤 수)$+1\frac{7}{9}=4\frac{4}{9}$

⇨ (어떤 수)$=4\frac{4}{9}-1\frac{7}{9}=3\frac{13}{9}-1\frac{7}{9}$

$=2\frac{6}{9}$

20 ㉠

1.	5	3	
0.	1	5	3

소수점을 기준으로 수가 왼쪽으로 한 자리 이동했으므로 10배를 한 것입니다.

㉡

9	3.		
	0.	9	3

소수점을 기준으로 수가 왼쪽으로 두 자리 이동했으므로 100배를 한 것입니다.

㉢

7	6	0.	4		
		7.	6	0	4

소수점을 기준으로 수가 왼쪽으로 두 자리 이동했으므로 100배를 한 것입니다.

⇨ ㉠+㉡+㉢$=10+100+100=210$

학력진단 전략 2회 120~123쪽

01 직선 가

02 직선 나와 직선 라

03 7

04 가, 나, 다

05 ④

06 가, 다, 라

07 다, 마

08
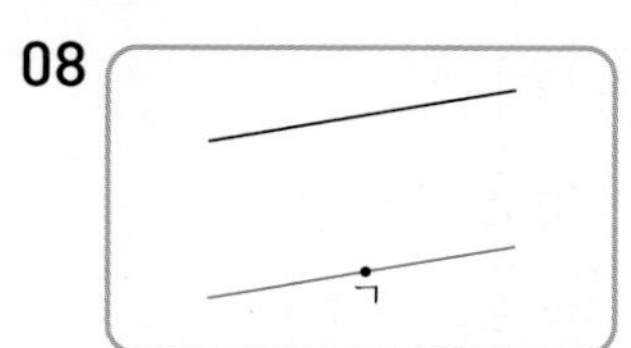

09
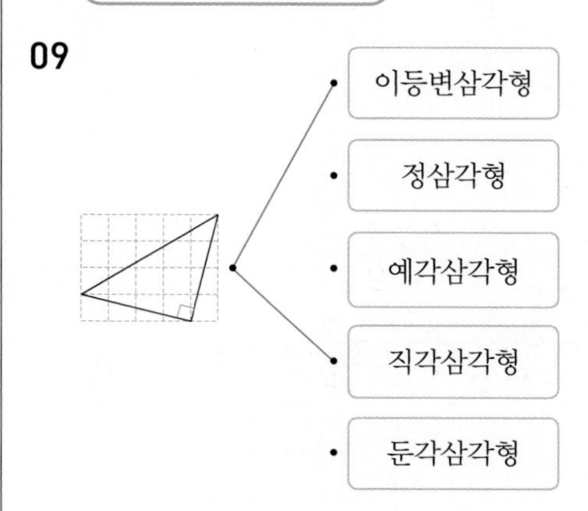

10 5, 60

11 3개

12
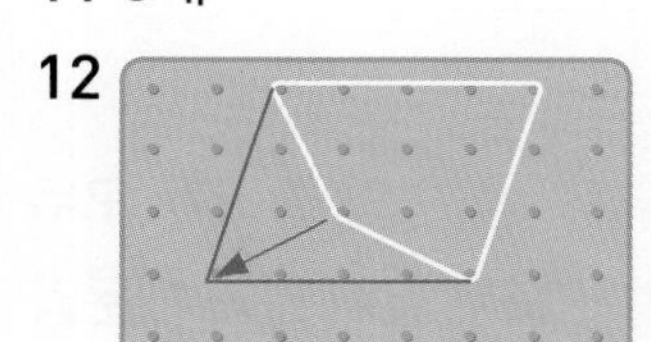

또는
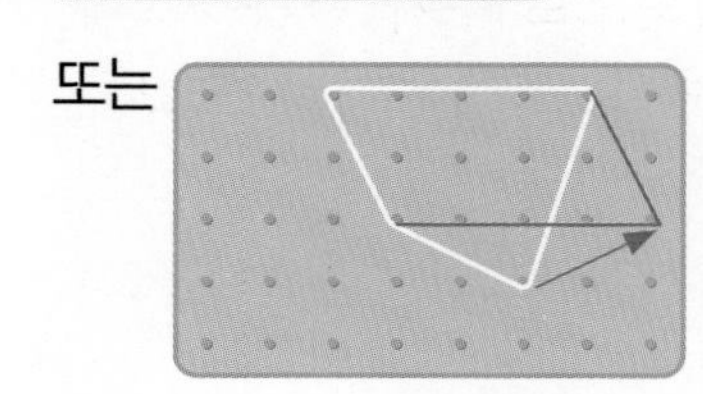

또는
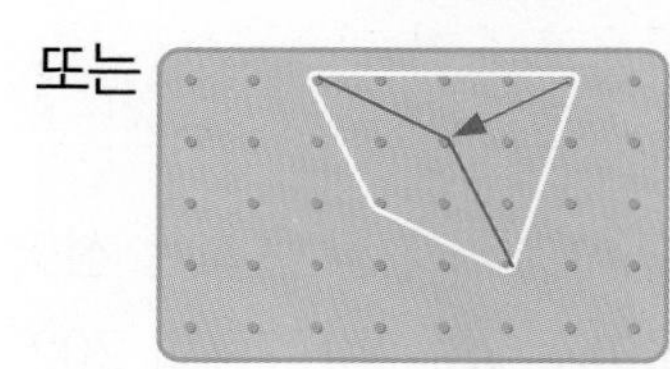

13 예 나머지 한 각의 크기는 $180° - 70° - 50° = 60°$입니다. 크기가 같은 두 각이 없으므로 이등변삼각형이 아닙니다.

14 은지

15 예 평행한 두 변이 있으므로 사다리꼴입니다.

16 예
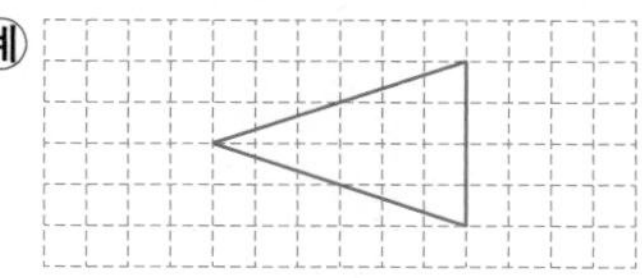

17 31 cm

18 9 cm, 69°

19 ③, ⑤

20 8 cm

01 직선 나와 수직으로 만나는 직선을 찾으면 가입니다.

02 한 직선에 수직인 두 직선은 평행합니다.

03 이등변삼각형에서 길이가 같은 두 변에 있는 두 각의 크기가 같습니다.

04 평행한 변이 한 쌍이라도 있는 사각형을 찾으면 가, 나, 다입니다.

05 평행선 사이의 거리는 평행선 사이에 그은 수선의 길이입니다.

06 삼각형을 변의 길이에 따라 분류해 봅니다.
이등변삼각형은 두 변의 길이가 같은 삼각형입니다.

07 삼각형을 각의 크기에 따라 분류해 봅니다.
둔각삼각형은 한 각이 둔각인 삼각형입니다.

08 점 ㄱ을 지나고 주어진 직선과 평행한 직선은 1개뿐입니다.

09 두 변의 길이가 같으므로 이등변삼각형입니다.
한 각이 직각이므로 직각삼각형입니다.

10 정삼각형은 세 변의 길이가 같고 세 각의 크기가 모두 60°로 같습니다.

11 잘라 낸 도형 중 마주 보는 두 쌍의 변이 서로 평행한 사각형은 나, 라, 마로 모두 3개입니다.

12 마주 보는 두 쌍의 변이 서로 평행하도록 옮깁니다.

13 두 각의 크기가 같은 삼각형은 이등변삼각형입니다.

14 둔각삼각형은 한 각이 둔각인 삼각형입니다. 삼각형의 세 각의 크기의 합이 $180°$이므로 두 각이 둔각인 삼각형은 없습니다.

15 주어진 도형은 마주 보는 두 쌍의 변이 서로 평행하므로 평행사변형입니다.
평행사변형은 사다리꼴이라고 할 수 있습니다.

16 두 변의 길이가 같고 세 각이 모두 예각인 삼각형을 그리는 방법은 여러 가지입니다.

17 이등변삼각형은 두 변의 길이가 같으므로 나머지 한 변의 길이는 13 cm입니다.
⇨ (세 변의 길이의 합) $=5+13+13$
$=31$ (cm)

18 (변 ㄴㄷ) $=$ (변 ㄱㄹ) $=9$ cm
(각 ㄴㄱㄹ) $=180°-111°=69°$

19 나머지 한 각의 크기를 구한 다음 둔각이 없는 것을 찾습니다.
① $100°$는 둔각이므로 둔각삼각형입니다.
② $180°-35°-50°=\underline{95°}$ ⇨ 둔각삼각형
③ $180°-45°-50°=85°$
④ $180°-40°-25°=\underline{115°}$ ⇨ 둔각삼각형
⑤ $180°-80°-55°=45°$

20 마름모는 네 변의 길이가 모두 같습니다.
⇨ (변 ㄱㄴ) $=32\div4=8$ (cm)

학력진단 전략 3회

124~127쪽

01 시각, 길이
02 1 cm
03 오후 3시
04 가, 나, 마, 바
05 바
06 13, 15, 21, 17, 22
07 9일
08 7일
09
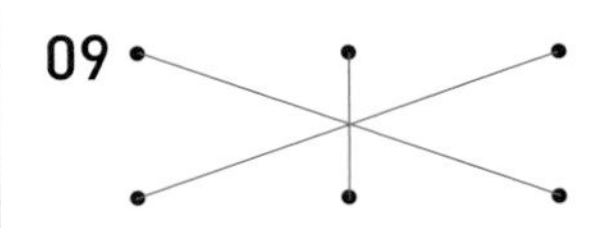
10 가
11 ㉠ 0.1 cm
12
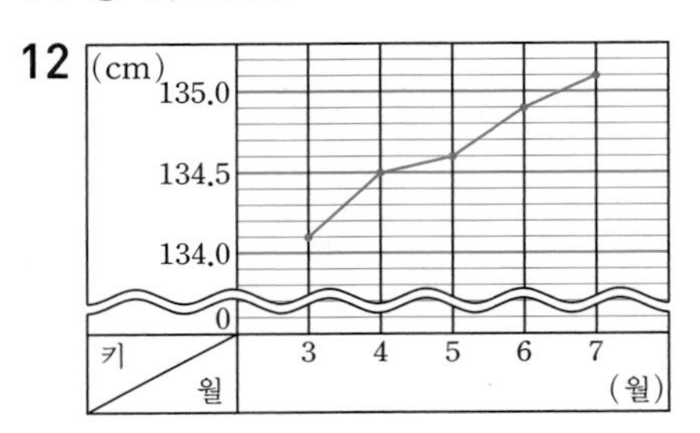

13 135, 7
14 정다각형이 아닙니다. / ㉠ 변의 길이가 모두 같지 않고, 각의 크기가 모두 같지 않기 때문입니다.
15 8개
16 63 cm
17 가, 나 / 나, 다
18 정십이각형
19 5만 명
20 ㉠ 초등학생 수의 변화가 가장 큰 때는 선이 가장 많이 기울어져 있는 2017년과 2020년 사이입니다. 이때 세로 눈금은 3칸이고, 세로 눈금 한 칸은 1만 명을 나타내므로 초등학생은 3만 명 줄어들었습니다. / 3만 명

01 가로는 시각, 세로는 길이를 나타냅니다.

02 세로 눈금 5칸이 5 cm를 나타내므로 세로 눈금 한 칸은 $5 \div 5 = 1$ (cm)를 나타냅니다.

03 그림자의 길이가 가장 긴 때는 16 cm인 오후 3시입니다.

04 다각형은 선분으로만 둘러싸인 도형입니다. 다는 곡선이 포함되어 있고, 라는 완전히 둘러싸여 있지 않으므로 다각형이 아닙니다.

05 변의 길이가 모두 같고, 각의 크기가 모두 같은 다각형을 찾으면 바입니다.

06 세로 눈금 한 칸은 $5 \div 5 = 1$ (m)를 나타냅니다.

07 점이 가장 높게 찍힌 때는 9일입니다.

08 선의 기울어진 정도가 가장 큰 때는 6일과 7일 사이입니다.

09 변이 7개이면 칠각형, 변이 6개이면 육각형, 변이 5개이면 오각형입니다.

10 삼각형은 꼭짓점 3개가 서로 이웃하므로 대각선을 그을 수 없습니다.

11 키가 0.1 cm 단위이므로 세로 눈금 한 칸을 0.1 cm로 하는 것이 좋습니다.

12 가로 눈금과 세로 눈금이 만나는 자리에 점을 찍고, 점들을 선분으로 잇습니다.

13 정팔각형은 8개의 변의 길이가 모두 같고, 8개의 각의 크기가 모두 같습니다.

15 ▲ 모양 조각을 8개 사용하여 만든 모양입니다.

16 정칠각형은 7개의 변의 길이가 모두 같습니다.
(모든 변의 길이의 합) $= 9 \times 7 = 63$ (cm)

17 • 두 대각선의 길이가 같은 사각형은 직사각형 가와 정사각형 나입니다.
• 두 대각선이 서로 수직을 만나는 사각형은 정사각형 나와 마름모 다입니다.

18 선분으로만 둘러싸여 있으므로 다각형이고, 변의 길이가 모두 같고 각의 크기가 모두 같으므로 정다각형입니다.
⇨ 변이 12개인 정다각형은 정십이각형입니다.

19 인구수의 변화가 가장 큰 때는 선이 가장 많이 기울어져 있는 2017년과 2020년 사이입니다. 이때 세로 눈금은 5칸이고, 세로 눈금 한 칸은 1만 명을 나타내므로 인구가 5만 명 줄어들었다.

메모

정답은
이안에
있어!